РОМАНЫ О СИЛЬНЫХ ЧУВСТВАХ

Читайте романы

Л А Й З Ы

Д Ж У Э Л Л

■

ТРЕТЬЯ ЖЕНА

ДОМ НА УЛИЦЕ МЕЧТЫ

ВИНС И ДЖОЙ

ХОЛОДНЫЕ СЕРДЦА

СЛОВА, ИЗ КОТОРЫХ МЫ СОТКАНЫ

ДЕНЬ, КОГДА Я ТЕБЯ НАЙДУ

Л А Й З А

Д Ж У Э Л Л

Слова, из которых мы сотканы

МОСКВА
2018

УДК 821.111-31
ББК 84(4Вел)-44
Д42

Lisa Jewell

THE MAKING OF US

Перевод с английского *К. Савельева*

Художественное оформление *П. Петрова*

Джуэлл, Лайза.

Д42 Слова, из которых мы сотканы : [роман] / Лайза Джуэлл; [пер. с англ. К. Савельева]. – Москва : Издательство «Э», 2018. – 512 с.

ISBN 978-5-04-091602-3

Лидия, Робин и Дин никогда не встречались. Они совершенно непохожи, у них разные мечты и идеалы, но всем троим не дает покоя навязчивая мысль, что в их жизни отсутствует нечто важное. И когда им почти одновременно приходят странные анонимные послания с упоминанием тайны их рождения, Лидии, Робин и Дину ничего не остается, кроме как радикально изменить судьбу в попытке отыскать друг друга. Наконец-то у них появилась цель – обрести единомышленников, семью, крайне необычную и разношерстную. Семью, которой они были лишены еще до рождения.

УДК 821.111-31
ББК 84(4Вел)-44

ISBN 978-5-04-091602-3

Эта книга посвящается
Саре и Элиоту Бэйли

Благодарю Сару Бэйли, Джонни Келлера, Кейт Элтон, Луизу Кэмпбелл, Джорджину Хоутри-Вур и абсолютно всех в издательстве Arrow и Cornerstone. Выражаю благодарность Google, Википедии, моей семье, моим детям, мужу и всем замечательным людям из Board.

Отдельное спасибо Мэрайе за ее навыки в искусстве машинописи и Мэгги Смит, которая разрешила мне воспользоваться ее именем в обмен на пожертвование превосходной благотворительной инициативе Room to Read. Работать с вами было очень приятно.

Также благодарю всех моих чудесных друзей и сторонников на Facebook, а иногда и в реальной жизни. В особенности я хочу сказать спасибо Ясмин, Джанет и Денису за их преданность, энтузиазм, медвежьи объятия, плей-листы и шампанское. Все, что я могу сказать своим последователям в Twitter, – мне очень жаль. Я плохо воспроизвожу верхние звуковые частоты.

1979

ГЛЭНИС

Простой портрет Глэнис Пайк: тридцать пять лет, длинные темные волосы и лебединая шея. Ее муж Тревор был на пять лет моложе; казалось бы, он должен поддерживать в ней ощущение молодости. Но на самом деле осознание того, что он еще не достиг тридцатилетнего рубежа, заставляло Глэнис чувствовать себя его бабушкой. Между тем Тревор в полной мере сохранял чванливое юношеское самодовольство; он носил густую копну каштаново-рыжих волос, а его живот был гладким и твердым, словно застывший бетон. Он и жил как беззаботный юноша — по-прежнему ходил в пабы с приятелями и засиживался допоздна, а прошлым летом даже посетил буйную пирушку в клубе «От 18 до 30» просто потому, что мог себе это позволить. Тревор был сильным, подтянутым и умел курить, как ковбой. В общем и целом он был настоящим божеством.

Но, как недавно обнаружила Глэнис, он стрелял холостыми патронами.

Впрочем, она не знала этого наверняка. Боже мой, Тревор Пайк никогда бы не стал мастурбировать в пробирку, тем более для женщины-врача. Но пришлось признать, что у Глэнис все в полном порядке. Абсолютно никаких отклонений. Пять лет они старались зачать ребенка; пять лет фантомных симптомов, двухнедельных ожиданий, ложных надежд, возлежания с поднятыми ногами после очередного бурного секса... и ничего. Даже выкидыша, который можно было бы предъявить. Сегодня утром она получила результаты анализов в клинике по лечению бесплодия, и там было ясно сказано: состояние ее организма идеально подходит для зачатия.

– Как насчет вашего мужа, миссис Пайк, он проходил у нас обследование?

Глэнис фыркнула, изобразив презрительный смешок.

– О господи, нет, – ответила она. – Не думаю, что мой муж хотя бы слышал о такой штуке, как мужское бесплодие.

– Крутой мужик? – спросила докторша.

– Не то слово, – согласилась Глэнис. – Вечный тусовщик. Парень, Который Любит Поразвлечься. Просто *гуляка.*

– Ну что же... – Докторша со вздохом откинулась на спинку стула, как будто уже тысячу раз слышала эти слова. – В таком случае вам надо постараться, чтобы он изменил свой образ жизни. Вполне вероятно, что такое времяпрепровождение плохо влияет на качество его спермы. Он курит?

– По сорок сигарет в день.

– Пьет?

– По сорок порций в день. – Глэнис усмехнулась: – Конечно, я пошутила. Хотя на некоторых субботних вечеринках это, пожалуй, недалеко от истины.

– Здоровое питание?

– А чипсы – это здоровое питание? – Глэнис подмигнула докторше, но та смотрела на нее без улыбки. – Нет-нет, – продолжала Глэнис, словно оправдываясь, – он действительно любит чипсы, но уважает и спагетти. Его бабушка была итальянкой. Он говорит, что это у него в крови. И ему правда нравятся овощи: горошек, картошка, морковь. Он постоянно ест овощи.

– Как насчет физических упражнений?

– Я бы сказала, что он в хорошей форме. По воскресеньям играет в футбол и на работу ходит пешком. Он поразительно вынослив, понимаете, когда мы занимаемся этим делом...

– В любом случае здесь есть широкое поле для совершенствования. – Докторша оставила без внимания непрошеные интимные откровения пациентки. – Постарайтесь, чтобы он около полугода воздерживался от курения и алкоголя. Если не произойдет никаких изменений, нам придется пригласить вашего мужа для анализов.

– Полгода? – пробормотала Глэнис. – Но через полгода мне будет тридцать шесть лет. Я-то думала, что к тридцати шести стану бабушкой! Я не могу ждать еще шесть месяцев! Мои яичники...

– Ваши яичники в полном порядке, – заверила врач. – Ваш организм в превосходном состоянии. Если бы только вы убедили мужа изменить его образ жизни... И еще: пусть он не носит узких брюк и обтягивающего нижнего белья. Купите ему обычные хлопчатобумажные трусы.

Глэнис снова фыркнула при мысли о Треворе в семейных трусах. Ее муж гордился своим брюшным прессом. Ему хотелось восхищать других своим животом, а не прикрывать его мешковатыми дедовскими трусами.

– Видите ли, я знаю своего мужа, – обратилась она к врачу. – И мне доподлинно известно, что он на это не пойдет. Он не будет носить свободные брюки и семейные трусы. Понимаете, облегающие брюки и плавки позволяют ему чувствовать себя мужчиной. Без них он будет чувствовать себя... понимаете, он будет чувствовать себя педерастом.

Докторша наклонилась к ней через стол.

– Ну ладно, – сказала она. – Тогда вам следует задуматься о других возможностях.

– О каких еще возможностях?

Докторша вздохнула.

– Все очень просто, – сказала она и стала по очереди загибать длинные пальцы: – Первым делом стоит подумать об анализах на жизнеспособность спермы вашего мужа и изменении его образа жизни. После этого... что ж, есть возможность стать приемной матерью, есть донорство спермы, искусственное оплодотворение...

– Донорство спермы?

– Да.

– Просто какой-то мужчина дает свою сперму, так?

– Нет, он не отдает ее вам. Он сдает сперму в клинику по лечению бесплодия, а клиника подбирает нужную сперму для реципиента.

– Бог ты мой, и как оно дальше… вы знаете?

Докторша снова вздохнула. Глэнис понимала, что она лишь наивная провинциалка, почти никогда не думавшая о большом внешнем мире. Она не следила за новостями, не читала книг, она просто жила в своем волшебном маленьком пузыре, центром которого была сама. Она слышала о женщине из соседнего поселка, которая украла сперму своего ухажера – высосала его сперму из использованного презерватива кухонной спринцовкой и запустила в себя. Она забеременела, но плод не прижился, как будто знал, что должен был появиться на свет в результате дурного поступка. Но мысль о том, что мужчины могут отдавать свою сперму незнакомым людям, была для Глэнис новостью.

– Сперма вводится вагинально, с помощью шприца. Естественно, в наиболее благоприятное для зачатия время.

– Ух ты! Сперма незнакомого мужчины и моя яйцеклетка. Звучит забавно, но как они решают, чью сперму мне нужно дать? Я имею в виду, как они делают выбор?

– Я бы не сказала, что они *выбирают*. Но вам сообщают несколько характерных подробностей о доноре.

Его рост, цвет глаз и волос. Национальность и образование.

Образование. Глэнис это понравилось.

– Так что, он может оказаться профессором или каким-то ученым?

Докторша пожала плечами:

– Теоретически да. Хотя более вероятно, что это окажется студент или безработный актер.

Актеры. Студенты. Профессора. Только подумай! Глэнис искренне любила своего Тревора. Она почти боготворила его. Он был самым сексуальным парнем на свете. Он был красивым, хладнокровным, крепким и крутым, он имел все, чем, кажется, должен обладать настоящий мужчина. Каждый раз, когда он многозначительно смотрел на Глэнис, у нее пробегали мурашки по коже. Но ее Тревор не был умным, по крайней мере, в общепринятом смысле слова. Он много знал о вещах, которые ему нравились, вроде регби и крикета, футбола и рыбалки. Он даже знал несколько слов по-итальянски: «*Ti amo, mi amore*». От этих слов Глэнис хотелось запустить руку ему в штаны и ухватить за член. Но в некоторых отношениях... да, ей было больно признаться в этом, но в некоторых отношениях он действительно был довольно тупым.

С тех пор она не могла отделаться от мыслей о сперме другого мужчины. Она до самого вечера ходила кругами и представляла себя на белой кровати с поднятыми ногами в ременных привязях, принимающей плод чужих чресл во тьму своего ждущего лона.

Она воображала, как энергичные малютки торопятся и расталкивают друг друга по пути к золотистому нимбу ее сияющей яйцеклетки. Потом она подумала о сперме Тревора, о пьяной семенной жидкости, где сперматозоиды были слишком заняты бравадой друг перед другом, чтобы найти путь во мгле. Она представила, как они торгуются друг с другом: «Хочешь немного? Ну, а ты?» Глупая сперма. Глупая, ленивая, брутальная сперма.

К тому времени, когда Глэнис вернулась из клиники домой, она была так сердита на Тревора и его сперму, что уже почти решилась пройти процедуру. Да, она отправится в клинику и попросит немного спермы от умного, приятного, трезвого мужчины. Но когда она вошла в дверь их уютной маленькой квартиры на окраине Тонипанди, то сразу же увидела Тревора. Он разделывал рыбу на кухонном столе и нацепил дурацкий фартук с фотографией голой женщины, тот самый, который год назад его брат подарил на Рождество, и лицо Тревора озарилось при виде жены. Он был таким великолепным, таким тупым и таким дьявольски безупречным, что она ничего не могла с собой поделать. Ей хотелось лишь обнимать и целовать его, а не болтать о сперме, младенцах или хлопчатобумажных семейных трусах.

Лишь четыре дня спустя, когда она проснулась и ощутила влагу между ног, начало очередной менструации, ее снова охватил гнев. Какая польза от мужчины, который стреляет холостыми патронами? Какая польза от мужчины, который может разделать камбалу и зафутболить мяч в сетку, если он не перестает пить хотя бы на такой срок, чтобы его сперма могла протрезветь?

В то утро Глэнис Пайк решила, что она хочет ребенка больше, чем мужчину. В то утро она решила взять дело в свои руки.

РОДНИ

Родни Пайк был влюблен в Глэнис с тех пор, как впервые увидел ее. Это произошло в их гостиной незадолго до его дня рождения. Собственно говоря, Глэнис находилась в их гостиной по другой причине. Она ждала Тревора, который причесывался наверху перед зеркалом в ванной. На диване часто сидела какая-нибудь девушка, ожидавшая, пока Тревор закончит возиться со своими волосами. Обычно это были блондинки с модными челками и дешевыми пластиковыми сережками. Но эта девушка казалась другой. У нее были блестящие черные волосы и длинная, изящная шея. Она носила простую одежду: белую блузку с поясом на талии, небесно-голубые хлопчатобумажные брюки и серебристые туфельки, словно танцовщица из балета. Она сидела очень прямо. Родни ожидал, что она откроет рот и заговорит, как Одри Хепберн, но этого не произошло. У нее был протяжный равнинный выговор, и, когда она улыбалась, ее лицо превращалось в карикатуру на себя. Но в тот первый судьбоносный момент Родни смотрел на Глэнис Ривз и думал, что она – экзотическое существо, явившееся из другого мира, чтобы похитить его душу. С тех пор это ощущение никогда не покидало его.

Тревор продемонстрировал большую сообразительность, через год сделав предложение Глэнис Ривз. Род одобрительно кивал, когда Тревор и Энтони сидели на том самом зеленом диване, и Тревор обратился к семье с короткой речью: «Я предложил Глэнис выйти за меня, и вы ни за что не поверите, но она согласилась!» Он был бы сумасшедшим, если бы не сделал этого. Было совершенно ясно, что она обожает его, а она была не только самой хорошенькой девушкой, которую приходилось видеть Роду, но еще и влюбчивой. Такие девушки не валяются под ногами. Роду ни разу не попадалось ни одной подобной. Он вообще редко набредал на девушек, поскольку был коротышкой для большинства из них. Валлийские девушки предпочитали крупных мужчин, а Род со своими пятью футами и шестью дюймами к тому же был сложен как лесной эльф. У него были такие же правильные черты лица, как у Тревора, только в уменьшенном масштабе. Он надеялся, что вырастет таким же большим, как брат, но этому не суждено было случиться. Он навсегда застрял в подростковом размере.

За прошедшие годы Глэнис оказала Родни большую услугу, невинно флиртуя с ним. Она говорила: «Наверное, я вышла не за того брата» – и всегда настаивала на том, чтобы сидеть рядом с ним в барах и ресторанах. В отличие от своего брата, Родни не был тупым. Он понимал, что она всего лишь добра к нему. И знал, что она понимает, какие чувства он испытывает к ней; понимает, что он думает о самом себе, и просто старается придать ему немного уверенности в себе, дать небольшой толчок. Это срабатывало. Когда Родни был с Глэнис, он ощущал себя мужчиной на пять футов и восемь дюймов.

Поэтому, когда она пришла к нему однажды утром в начале 1979 года, как всегда элегантная, в сшитой на заказ юбке и шифоновой блузке с оборками, накрыла его руку своей и сказала: «Род, мне нужна твоя помощь; я в отчаянии», – он сразу же понял, что, о чем бы она ни попросила, он обречен согласиться.

Сначала ее слова показались совершенно бессмысленными.

– Это Тревор... дело в его сперме. Она бесполезна. Поэтому у нас до сих пор нет ребенка, Родни.

Он подтолкнул выше сползающие очки и уставился на Глэнис через выпуклые стекла.

– Что ты имеешь в виду... Почему бесполезна? – Он обнаружил, что испытывает крайнее неудобство, когда находится в комнате наедине с Глэнис и она заводит речь о сперме. Раньше он никогда не слышал от нее подобных слов, поэтому вдруг оказался не в состоянии уловить суть того, о чем она пыталась сказать.

– Она пустая, Род. Он стреляет вхолостую. Понимаешь, он *бесплоден*.

– Боже милосердный! – Род поднес ладонь ко рту, наконец осознав, в чем дело. – Ты уверена? – добавил он, потому что не мог вообразить, как Тревор мог оказаться бесплодным. Стоило лишь посмотреть на него: он был настоящим воплощением мужественности.

– Да, совершенно уверена, потому что я посещала клинику в Ллантризанте, где меня выворачивали наизнанку и подвешивали к потолку, но так и не нашли ничего плохого. Прошло уже пять лет, Род, пять лет, и, знаешь, дело вовсе не в том, что мы не старались.

Род заморгал, попытавшись отогнать от себя образ Глэнис и Тревора, «старавшихся» это сделать.

– А врач из клиники сказала, что это, наверное, от злоупотребления алкоголем. И от курения. Но я не стала говорить Тревору, что он должен перестать пить и курить. А широкие брюки? Господи, ты можешь представить Тревора в мешковатых штанах?

Она грустно покачала головой, и Родни кивнул, соглашаясь с ней.

– Ты говорила ему?

– О боже, нет! Только представь себе, его удар хватит! Думаешь, он сможет после этого простить меня?

Родни медленно кивнул. Разумеется, она права. Тревор был не из тех людей, которые могут легкомысленно отнестись к намеку, что он не вполне мужчина в самом прямом смысле слова. Родни затаил дыхание. Назревало что-то крупное, и он чувствовал, что разговор может завершиться потрясением для него. Это ощущение витало в воздухе, и он различал его в напряженных контурах красивого лица Глэнис. Он отмахнулся от самого очевидного вывода, который был слишком головокружительным. Даже за тысячу, миллион, миллиард лет Глэнис не попросит его стать отцом ее ребенка. Это совершенно невозможно. Род неосознанно покачал головой, отвергая эту мысль. Нет, это означало бы либо предательство, либо участие в грязной механической возне с трубками, шприцами и бог знает чем, от чего его мутило. Он знал, что они с Глэнис были родственными душами. Оба были мягкими, можно сказать, порядочными людьми, не склонными к ругательствам и разговорам о подобной грязи. Поэтому он сел и стал ждать, что она скажет дальше.

– Я собираюсь в банк спермы, – наконец заявила она. – Это большой банк спермы в Лондоне. И я хочу, чтобы ты поехал со мной.

Родни слышал о банках спермы и несколько лет назад, когда остался без работы и отчаянно нуждался в быстрых деньгах, даже подумывал о том, чтобы стать донором. Но потом он представил маленьких Родни, бегающих по свету и проклинающих его своими тщедушными телами, жидкими волосами и плохим зрением; в самом деле, какая женщина захочет получить его сперму, если ей скажут, что донором был близорукий садовод из Тонипанди пяти футов и шести дюймов роста?

– Хорошо, я понял, – сказал он и потер подбородок кончиками пальцев. – Значит, ты не собираешься брать Тревора?

Глэнис смерила его взглядом, не требовавшим объяснений.

– Нет, – заключил Род. – Разумеется, ты не собираешься этого делать.

Он снова посмотрел на Глэнис, и она ответила ему жестким взглядом. Нет, не жестким, а *решительным.* Она не сомневалась в том, что собиралась сделать.

– Значит, ты все обдумала, верно?

Она твердо кивнула.

– А если я не поеду с тобой?

– Тогда я отправлюсь одна. Но я не хочу оставаться в одиночестве. Что они подумают обо мне? Они решат, что к ним явилась какая-то спятившая женщина, не спросившая разрешения у мужа и требующая ребенка. Я хочу сказать, какая женщина пойдет на такое? Ты мне нужен, Род. Мне нужно, чтобы ты поехал в Лондон вместе со мной, чтобы ты сидел рядом и делал вид, будто мы женаты.

– Но если я сделаю это для тебя, Глэнис... и поверь, мне действительно хочется тебе помочь... это означает, что я солгу брату.

Она кивнула; в ее широко распахнутых глазах застыло отчаяние.

– Господи, Глэнис, я не знаю...

– Подумай о том, как счастлив будет твой брат, Род. Подумай о том, как он возьмет ребенка на руки. Когда он сможет называть себя *отцом.*

Он часто заморгал и сглотнул. Ее слова тронули его. Если увидеть дело в таком свете, в этом был смысл. Тревор никогда не упоминал об этом, но Родни знал, как его раздражает тот факт, что у него до сих пор нет ребенка.

Тревору все доставалось легко, и он полагал, что с ребенком будет то же самое. Он говорил, что хочет иметь четверых или пятерых детей. Но вместе с тем он говорил и о радостях бездетной жизни, о клубах, праздниках и вечерах, проведенных в пабе. Впрочем, возможно, это были просто разговоры, подумал Родни, обычная мужская похвальба, чтобы избавиться от демонов сомнения.

– Ну, как? – Глэнис умоляюще взглянула на него. – Ты поедешь?

– Где это?

– Харли-стрит в Лондоне.

– Пожалуй, я никогда... – задумчиво начал он.

– Я не хочу делать это в наших краях. Пойдут слухи, и все такое. Кроме того, вдруг донором окажется кто-то из наших знакомых? Только представь себе! Представь, что я рожу ребенка, который окажется точной копией продавца из магазина электротоваров.

Они рассмеялись, даже слишком громко, чтобы снять нервное напряжение. Когда смех затих, Родни вздохнул:

– Мне нужно подумать.

– Да, подумай. Это большое дело, Род. Я и не стала бы просить тебя, если бы не доверяла. – Она накрыла ладонью его руку и наклонилась ближе: – Я бы не стала просить тебя, Род, если бы ты не был таким человеком, какой ты есть.

Род улыбнулся, охваченный внутренним ликованием, нараставшим, как снежный ком. Он понимал, что готов сделать все ради этой женщины, даже предать старшего брата.

1998

ЛИДИЯ

Лидия Пайк обняла колени руками и закрыла глаза от жаркого солнца. Пес сидел рядом с ней, высокий и тяжело дышащий в своей густой меховой шубе. Трава была высокой, и воздух в этом маленьком прогибе заброшенной железной дороги был густым и насыщенным сладким ароматом лесного купыря. Лидия всегда брала с собой собаку; это было частью ее регулярных прогулок от квартиры до магазинов и обратно. Обычно она шла без остановок, поскольку в другие времена года это место было сырым и неприветливым, но теперь, в середине лета, самого жаркого в недавней истории, земля высохла до хрупкой корки, и бабочки летали среди полевых цветов, усеивавших откосы железнодорожной насыпи. По запястью Лидии поползла божья коровка, и она аккуратно стряхнула ее на землю. Тишина была абсолютной. Лидия легла на спину, опустив голову в мягкую траву и ощущая, как стебельки ерошат ее волосы, а вокруг жужжат и стрекочут летние создания. Лидия закрыла глаза, но яркое солнце пробивалось сквозь веки красновато-золотистой симфонией.

Прошло несколько минут. Лидия снова села, пошарила в рюкзаке и достала четвертушку водки. Она была наполовину пуста; Лидия употребила остальное по пути сюда, подлив в бутылку диетической кока-колы. Лидия поднесла бутылку ко рту и жадно выпила. Алкоголь придавал дополнительную пикантность ее положению – здесь, на давно заброшенных железнодорожных путях, уходя из дома, отстраняясь от жизни. Одиночество и отчаяние постепенно отступали, и Лидия ощущала, как душа наполняется новыми красками. Она положила руку на загривок большой немецкой овчарки; девушка и собака, бок о бок, как это было в течение последних десяти лет. Отец купил ей овчарку, чтобы пес охранял ее. Не потому, что он был отцом, который думает о безопасности своих детей, а потому, что он был человеком, который не снисходил до того, чтобы заниматься этим самому. Арни находился в полном распоряжении Лидии, начиная с восьми лет. Она кормила и выгуливала его, ухаживала за ним и спала вместе с ним на своей узкой постели. Арни, ее лучший друг.

Люди считали ее странной. Они называли ее Лидия *Пайки*[1], – конечно, что с них взять. Еще ее называли «Готкой-с-Собакой». Вообще-то Лидия не имела готических увлечений, а просто любила черное. У нее не было пирсинга или татуировок, но прозвище все равно прилипло. Еще ее называли «Гранжером». Это казалось более соответствующим: она действительно любила «Нирвану», «Эллис ин Чейнс» и «Перл Джем»[2].

---

[1] Пайки (*pickey*) – уничижительное прозвище, которым сначала награждали бедных ирландских переселенцев, а потом вообще бедняков, живущих в палатках и автоприцепах (*здесь и далее прим. пер.*).

[2] Группы, выступавшие в стилистике гранж-рока.

Раньше, когда ей было четырнадцать-пятнадцать, ее называли «Харди», но эта кличка ей совсем не нравилась. Это как бы намекало на то, что она любит «Моторхэд» и «Уайтснейк»[1] и околачивается вместе с вонючими подростками, которые никогда не моют волосы. Но на самом деле никто, никто не знал, кем была Лидия. Она и сама едва понимала, кто она такая. Ей было восемнадцать. Она жила в квартире на третьем этаже дома в маленьком поселке недалеко от Тонипанди со своим отцом, которому было сорок девять лет. Ее мать умерла, когда ей исполнилось три года. Недавно Лидия сдала выпускной экзамен и ожидала получить как минимум три высшие оценки (еще одна причина ненавидеть ее: она была слишком умной). Она имела большого пса по кличке Арни. Она хотела стать ученым. И слишком много пила.

Час спустя Лидия вернулась к небольшому блочному дому, где жила вместе с отцом. Перед домом находилась детская площадка. Сейчас, в зените лета, в середине школьных каникул, здесь было полно подростков: девочки в коротких топах и мешковатых джинсах качались на качелях, парни расхаживали в футболках и походных шортах. Некоторые из них курили. Один держал на плече магнитолу. Мелодия «Это мой мальчик» в исполнении дуэта «Бренди и Моника» была хитом этого лета, но только не для Лидии. Она знала

---

[1] Группы, выступавшие в стилистике хард-н-хэви-рока.

большинство этих ребят с младенческого возраста и даже катала одного или двух из них в детской коляске, пока их матери сидели и сплетничали. Но никто из них не был ее другом.

Лидия собралась с силами, но подростки были слишком увлечены собой и не обращали внимания на все, что происходило за пределами их тесного круга. Лидия подтянула поводок, и они вместе с псом быстро и тихо прошли мимо детской площадки по направлению к дому. Как всегда, Лидия шла с опущенными глазами, глядя на залитую гудроном дорожку с пятном розовой краски, где сохранился отпечаток чьей-то руки с загнутым пальцем. Как всегда, в ноздри ударил густой и ядовитый запах краски.

Лидия свернула за угол и вошла в бетонный колодец внешнего лестничного пролета. Двое подростков ненадолго повернулись к Лидии, когда она проходила мимо, и освободили место для нее и собаки, слишком занятые содержанием маленьких пластиковых пакетов, зажатых в кулаках, чтобы обращать особенное внимание на девушку в черном, поднимавшуюся на третий этаж.

Она повернула ключ в замке своей квартиры под номером «31», открыла ее и затаила дыхание. Отец был подключен к кислородному баллону. Он страдал хроническим обструктивным легочным заболеванием, что было не удивительно, принимая по внимание, что он с пятнадцати лет курил по две пачки сигарет в день. Кислородный баллон был новшеством, и отец подключался к нему по пятнадцать часов в день. Лидии было страшно видеть его в таком состоянии. Он выглядел странно, ненормально изувеченным, словно персонаж из фильма Дэвида Линча.

Он посмотрел на нее, когда она вошла в комнату, и слабо улыбнулся.

– Привет, милая. – Он приподнял кислородную маску.

– Привет.

– Хорошо погуляла?

– Да, но жарковато.

– Да, – отозвался он и повернулся к окну. – Да.

Он не выходил из дома уже тринадцать дней и большую часть времени проводил на этом диване. Если бы он захотел, то мог бы выйти на балкон и посидеть на солнце, но он запер дверь на балкон пятнадцать лет назад, – запер и больше не открывал. Лидия налила ему чашку чая и принесла к дивану. Отец протянул большие, сильно исхудавшие руки, холодные, как у рептилии. Лидия спросила, не нужно ли ему что-нибудь еще, и, когда он покачал головой, налила себе чаю, прошла вместе с собакой в свою маленькую спальню, опустилась на узкую кровать и постаралась не чувствовать себя виноватой из-за того, что она уходит и оставляет отца одного. Насколько Лидия понимала, ему осталось недолго. Она минуту-другую сражалась с чувством вины, но потом вспомнила, каким он был до того, как в его легких появились кавернозные полости, а тело начало разрушаться. Он был неплохим человеком, но плохим отцом. Однако теперь он был добрым к ней, тем более что она была всем, что у него осталось.

Лидия обвела взглядом свою комнату, глядя на облупившиеся сероватые стены с фиолетово-розовыми проблесками внизу. Отец выкрасил ее комнату всего лишь через несколько дней после смерти матери. Лидия в отчаянии смотрела, как серо-коричневая краска ложится на ярко-розовую. Он как будто закрашивал ее счастье. Теперь цвет комнаты устраивал Лидию. Ей было трудно представить то время, когда она была маленькой девочкой, которая хотела жить в розовой спальне.

Лидии было почти четыре, когда умерла ее мать. Она мало что могла вспомнить о ней. Темные волосы. Маленькие серебряные лебеди, которых мать вырезала для дочери из подкладки сигаретных пачек. Юбка с голубыми розами. Длинные ногти на спине Лидии, скребущие, скребущие и соскребающие зудящее ощущение. «Сильнее? Легче? Здесь? Там? Ох, давай я соскребу с тебя эту чесотку». Ее звали Глэнис. Лидия помнила музыку, голос Терри Вогана в радиоприемнике, кухонную раковину, полную немытой посуды, сигарету, оставленную догорать в пепельнице, запах чипсов во фритюрнице, планки детского манежа, большую картонную коробку, в которой можно было спрятаться, на кофейном столике газету с телепрограммой, где развлекательные шоу были обведены синей авторучкой, и маленькую желтую птицу в клетке, которая делала пируэты каждый раз, когда мать Лидии смотрела на нее. Желтая птичка, газеты, Терри Воган, чипсы, нежное почесывание, изящные серебристые лебеди, розовая спальня. Теперь осталась только пепельница.

Лидия услышала, как за дверью кашляет отец, и напряглась. Каждый его кашель звучал как последний. При мысли об этом она разрывалась между радостью и паникой. Если он умрет, Лидия останется совершенно одна. *Сама по себе.* Ей нравилось одиночество, но она не хотела оставаться совершенно одинокой. Она посмотрела на своего пса, на его большую и мощную голову и мягкие уши. Она не совсем одинока. У нее есть собака. Лидия закрыла глаза от режущих звуков отцовского кашля, от мыслей о своем будущем и позволила себе соскользнуть в глубокой сон, навеянный водкой.

2009

ЛИДИЯ

Бендикс положил ногу Лидии себе на плечо и провел пальцами вверх-вниз по ее икрам. Тонкая ниточка пота стекла по ее виску и проползла в ухо. Лидия сунула палец в ухо и убрала зуд.

– Как ощущения? – спросил Бендикс.

Лидия стиснула зубы и улыбнулась.

– Отлично, – ответила она. – Просто замечательно.

– Не слишком сильно? – поинтересовался Бендикс, и его странно-красивое лицо участливо смягчилось.

– Нет, – сказала она. – Нормально.

Он улыбнулся и еще выше приподнял ее ногу. Лидия почувствовала, как тонкое кружево подколенных мышц растягивается, протестуя против этого движения, и слегка поморщилась. Бендикс упирался коленом возле ее паха, и его густые черные волосы едва не задевали ее губы. Он аккуратно опустил ее ногу на пол.

– Ну вот, мы закончили, – сказал он.

Лидия улыбнулась и вздохнула. Бендикс стоял над ней, подбоченясь и ласково улыбаясь.

– Сегодня вы хорошо поработали, – сказал он, помогая ей встать. – Действительно хорошо. Если хотите, повторим в парке в четверг. Хотите?

– В парке? – повторила Лидия. – Да, почему бы и нет?

– Отлично. – Он снова улыбнулся, и Лидия улыбнулась в ответ. Она попыталась придумать какую-нибудь остроумную или небрежную реплику, но, не обнаружив ничего подходящего в гулкой пустоте своей головы, просто сказала:

– Увидимся в четверг.

Когда она вышла, то увидела следующую клиентку Бендикса, слонявшуюся перед дверью. Это была еврейка – та самая, в чрезмерно растянутых брюках от Juicy Couture и с фальшивым загаром. Лидия знала, что она еврейка, потому что ее звали Дебби Леви. Сзади она была похожа на дешевую кушетку, и Лидия презирала ее, но не из-за сходства с дешевой кушеткой, а из-за ее дешевого кокетства перед Бендиксом.

– Доброе утро, красавчик, – проворковала Дебби за ее спиной. – Ты готов ко мне?

Лидия услышала немного нервозный смех Бендикса, а потом через вращающуюся дверь вышла в раздевалку. Ее тренировка на сегодняшний день подошла к концу.

Лидия Пайк жила недалеко от эксклюзивного фитнес-клуба, где каждые два дня проходила тренировочные процедуры с красавцем из Латвии по имени Бендикс Витолс. Клуб был настолько эксклюзивным, что было почти невозможно догадаться о его расположении в тихом закутке бывших конюшен в Сент-Джонс-Вуде, который теперь являл миру облик очаровательного частного дома. Лидия знала это место лишь потому, что там работал Бендикс. Она прочитала о нем в глянцевом журнале, который положили в ее почтовый ящик три месяца назад. «Хотите этой весной прийти в хорошую форму? – говорилось в начале статьи. – Мы поговорили с тремя экспертами по фитнесу». Там была фотография Бендикса с темными волосами, зачесанными на прямой пробор, в черной облегающей футболке, который улыбался кому-то сбоку, как будто отвлекшись на развязное замечание. В то время Лидии очень хотелось подтянуть свою форму – не только для весны, но и для лета, осени и зимы, – и когда она увидела лицо Бендикса, то поняла, что нашла подходящего человека. Дело не в его красоте, а в некой мягкости его черт, в ощущении добродушного юмора, окружавшего его. Лидия поняла, что он успокоит ее. Так и случилось.

Глядя на нее, никто бы не заподозрил, что Лидия слишком нуждается в фитнес-тренировках. Она была подтянутой и сухощавой, без грамма лишнего жира, не считая небольшой мягкотелости в районе брюшного пресса. Но Лидия знала правду о своем теле. Она знала, что это лишь оболочка, где тикает часовая бомба неухоженных внутренних органов и запущенных артерий.

Лидия оставила спортивную сумку в прихожей, чтобы поприветствовать свою домработницу Джульетту, которая поднималась по лестнице со стопкой свежевыстиранной одежды. Лидия остановилась, когда увидела курьера из «Окадо»[1], подходившего к парадной двери.

– Хочешь, я позабочусь о нем? – спросила Джульетта.

– Нет, все в порядке. Я сама получу.

Джулия улыбнулась и продолжила подъем. Курьер из «Окадо» распаковал на кухонном столе покупки Лидии, пока она ощупывала содержимое кошелька в поиске двух фунтовых монет, с помощью которых она могла выразить свою признательность за то, что курьер избавил ее от неудобства самостоятельного похода за покупками. После его ухода Лидия стала раскладывать свои приобретения по кухонным шкафчикам. У нее было лишь смутное представление о содержимом каж-

[1] «Окадо» – британский сетевой супермаркет.

дого из них; она сама назначила каждому шкафчику отдельную функцию, но некоторые оставались довольно загадочными. К примеру, куда она поставила рисовый уксус?

Немного позже Джульетта присоединилась к ней, неопределенно расхаживавшей по кухне с пакетом рисовой лапши в руке.

– Вот сюда. – Джульетта взяла пакет и ловко поставила его в шкаф с откидной дверцей рядом с холодильником. – Давай я закончу.

Лидия подчинилась и достала из холодильника бутылку «Спрайта» без сахара.

– Я буду у себя в кабинете, – произнесла она новым и незнакомым тоном, придуманным для обращения к женщине, которая заботилась о ее домашних делах. Он означал: «Я не твоя подруга, но это не значит, что я бессердечная состоятельная хозяйка, которая видит в тебе лишь служанку. Я знаю, что ты нормальный человек, и понимаю, что за пределами моего дома ты живешь реальной и осмысленной жизнью, но тем не менее я не хочу обсуждать твоих детей или узнавать, что ты привезла с окаймленных пальмами берегов Филиппин в наш старый и грязный город. Я тоже проделала долгий путь, чтобы оказаться на своем теперешнем месте, и я хочу, чтобы наши отношения оставались чисто профессиональными. Это тебе подходит? Спасибо».

Лидия завела домохозяйку лишь несколько месяцев назад. Эта идея принадлежала не ей, а ее подруге

Дикси. Лидия довольствовалась услугами уборщицы один раз в неделю, но Дикси только посмотрела на ее новые чертоги в Сент-Джеймс-Вуде и сказала: «Домохозяйка. Иначе вообще никак».

Кабинет Лидии располагался на верхнем этаже. Он был выкрашен в белый цвет, со скошенным потолком и мансардным окном, за которым, если встать на цыпочки, Лидия могла видеть кладбище и неземные белые выпуклости «Лордс Павильон»[1]. Оно также выходило на детскую площадку, и иногда, если ветер дул в ее сторону, Лидия слышала крики маленьких детей, играющих внизу, и на мгновение переносилась в другое время и место, далеко, очень далеко отсюда.

Она открыла бутылку «Спрайта» и быстро выпила прямо из горлышка, испытывая жажду после тренировки. Небо в окне выглядело плотно окрашенным и странно пестрым, словно вставленный в рамку лист венецианской мраморной бумаги. На столе лежала почта, собранная Джульеттой в аккуратную стопку. Еще в кабинете находились зеленое растение неопределенного вида и две абстрактные картины в рамах, прислоненные к стенам в ожидании крепежа. Сразу же после переезда в этот дом Лидия посетила «недорогую» художественную ярмарку и потратила 5000 фунтов на произведения искусства. В сущности, опыт переезда в первый собственный дом повлек за собой угрожающие

[1] Lord's Pavilion – главный крикетный павильон Англии, историческая достопримечательность в центральной части Лондона.

расходы. Столовая лампа ценой 280 фунтов в контексте предыдущей жизни Лидии казалась неприличной роскошью, а в контексте расходов на покупку дома, достигавших 4 000 000 фунтов, казалась дешевкой: так мало? Дайте две! Затраты в 5000 фунтов на художественной ярмарке немного напомнили посещение бакалейного магазина, где кладут продукты в метафорическую тележку, почти не глядя на ценники.

Практически за две недели Лидия совершила огромный скачок вверх по лестнице благополучия, от аренды квартиры на двоих, которую она делила с Дикси, до одноквартирного дома в Сент-Джонс-Вуде. Аренда квартиры в Кэмдене могла продолжаться до бесконечности; ни одна из подруг не видела никакого смысла в ипотечном кредите, лишнем пространстве и неиспользуемых комнатах. Но потом Дикси встретила Клемма. Она быстро забеременела, и никто из них не находил интереса в разделении радостей материнства с соседкой по квартире. А Лидия на самом деле имела сумасшедшее количество денег, лежавших на ее банковском счете. Большинство предпринимателей-миллионеров не делят съемные квартиры в довольно запущенных закоулках Кэмдена. Она приближалась к тридцатилетию, и это был знак. Время пришло. Она бы без труда осталась в Кэмдене, испытывая странный уют от близости лавочек с восточными кебабами, подпольных наркоторговцев и мест, где можно было напиваться в три часа ночи. Но Сент-Джонс-Вуд выглядел более разумным капиталовложением, надежным местом для сохранения денег, которое никогда не было модным, а значит, не могло и выйти из моды, всего лишь просторное, чистое и комфортабельное место для жизни богатых людей.

Богатство Лидии не было ее виной или особенной заслугой. Она не собиралась становиться богатой. Это произошло по чистой случайности.

На кухне пахло, как в шанхайском переулке: Джульетта готовила рисовую лапшу с морепродуктами и курицу, жаренную на раскаленном масле с орехами кешью. Не для себя – для Лидии. И Клемма. И Дикси. И Виолы... Правда, Виола не будет есть лапшу и курицу, ведь ей всего лишь пять дней от роду. Лидия предложила посетить их и ребенка в их собственном доме, но Дикси сказала: «Я столько времени сижу у себя дома, что последние пять дней показались мне целой жизнью. Кроме того, меня уже тошнит от мороженой лазаньи. Пожалуйста, не могли бы мы прийти к тебе?»

Лидия не смогла достичь кулинарного мастерства. Она пыталась. Она могла приготовить вполне достойный завтрак, особенно омлет, но после одиннадцати утра она оказывалась в затруднительном положении. Ей даже не пришлось просить Джульетту иногда готовить для нее; та только посмотрела на Лидию и спросила: «Я буду еще и готовить, хорошо?»

– Пахнет замечательно, – призналась Лидия.

– Отлично. – Джульетта улыбнулась. – Вкусно. Попробуйте. – Она протянула вилку Лидии.

Та подцепила несколько скользких полосок лапши и отправила их в рот.

– М-м-м, – промычала Лидия. – М-м-м, м-м-м! Потрясающе!

– Пожалуйста, не сердитесь, что спрашиваю, – Джульетта вытерла руки о фартук, – но вы купили подарок для малютки?

Лидия выпятила губы и нахмурилась:

– По правде говоря, нет.

– Вы должны купить подарок, – настоятельно сказала Джульетта.

Лиза покачала головой.

– Я… э-ээ… Боже мой! – Она провела рукой по волосам. – Я как-то не подумала.

– Все в порядке, – с улыбкой заверила Джульетта. – Детский «Гэп» как раз там. – Она указала куда-то назад. – Одна минута ходьбы. Розовое.

– Розовое? – повторила Лидия.

– Да, розовое. Или даже белое. Но не голубое.

Джульетта повернулась спиной к своей работодательнице и включила воду, чтобы помыть руки. Несколько секунд Лидия переминалась с ноги на ногу в ожидании дальнейших инструкций, но их не последовало, поэтому она закинула сумку на плечо, вышла из дома и направилась в сторону Хай-стрит.

К счастью, думала Лидия, у нее есть кое-какая основная статистика. Младенец был женского пола, поэтому, как заметила Джульетта, голубого цвета следовало избегать; кроме того, младенцу исполнилось пять дней, чему должен соответствовать размер «нв», то есть «новорожденный». По крайней мере, теперь Лидия знала, что ей нужно искать. Была середина января, так что на повестке дня стояла теплая одежда. Наконец, после долгих и довольно бессистемных поисков, Лидия подошла к кассе с маленьким розовым кардиганом и розовыми флисовыми штанишками, украшенными орнаментом из крошечных плюшевых мишек.

– Это подарок? – поинтересовался продавец-консультант.

– Ну да, – ответила Лидия, подавив искушение сказать: «Нет, это для меня. Не трудитесь заворачивать их, я сразу же надену». Потом ей пришло в голову, что продавец мог подумать, что одежда предназначена для ее собственного ребенка. Эта мысль на мгновение ошеломила Лидию. Неужели она в самом деле похожа на женщину, которая совсем недавно произвела на свет ребенка? Неужели она действительно похожа на молодую мать? Это казалось неправдоподобным. Она была настолько далека от реальности материнства – эта концепция, чуждая и недосягаемая, лишь маячила на горизонте, – что мысль о том, будто при взгляде на нее кто-то мог вообразить ее матерью, оставляла Лидию одновременно встревоженной и странно польщенной.

Она положила подарок в голубой контейнер для курьерской доставки и отправилась домой, по пути заглянув в фешенебельный винный магазин на углу, где потратила 28 фунтов на бутылку «Гевюрцтраминера»[1] по рекомендации продавца. В Кэмдене за такие деньги Лидия могла купить как минимум три бутылки вина. Когда она набирала свой пин-код на клавиатуре кассовой машинки, ей показалось, будто деньги утратили свое значение и потеряли форму. Вот что значит быть богатым, подумала она.

Час спустя Лидия порывисто расхаживала по кухне, каждые несколько секунд выглядывая в коридор, бросая взгляды на молочно-белое стекло парадной двери, пока наконец не заметила их смутные очертания. Лидия глубоко вздохнула. Ей были непривычны не только домашние приемы; она не привыкла принимать гостей с новорожденными младенцами. Открыв дверь, Лидия улыбнулась своим друзьям.

– Привет! – воскликнула она. – Заходите!

Она знала, что где-то среди ее друзей затесался младенец, но, поскольку ни один из них не держал ребенка в руках и на виду, Лидия проводила их в прихожую, получив по пути обычные цитрусовые поцелуи от Дикси и фамильярный хлопок по спине от Клемма, друзья сняли верхнюю одежду и последовали за ней на кухню. Лишь когда они стали рассаживаться за обеденным столом, Лидия заметила, что они принесли с собой пластиковое автомобильное креслице со спящим младенцем. Она ощутила мгновенную неловкость. Это

[1] Марочное сухое вино из Германии.

выглядело так, как будто Дикси явилась к ней со свежим шрамом на лице или с дурно пахнущим женихом: с чем-то новым и постоянным, требовавшим от Лидии какой-то позитивной реакции и поддержки. Она смягчила выражение лица и осмотрела содержимое автомобильного креслица.

– Значит, это маленькая Вайолет? – Она улыбнулась.

– Виола, – поправила Дикси.

– Прошу прощения, я так и подумала. *Виола.* Ну, привет, малышка. Какая же ты крошечная!

Дикси фыркнула:

– Ты не стала бы так говорить, если бы тебе пришлось вытолкать ее из своего тела без посторонней помощи, – сказала она. – Без всяких лекарств и обезболивающих.

– Ну, не знаю... – Лидия наморщила нос и замолчала. Именно этого она и опасалась. Разговоров о схватках и лекарствах, а потом, конечно же, о работе кишечника и кислой молочной отрыжке.

Наверное, малышка видела очень яркий и увлекательный сон: ее глаза были зажмурены, лицо иногда подергивалось, пальчики были согнуты на груди, как птичьи лапки. Лидия вспомнила, что должна сказать что-нибудь лестное.

– Ну что же, – произнесла она. – Девочка спит, и это хорошо.

Клемм улыбнулся и нежно посмотрел на ребенка.

– Это все, что она делает, – сказал он. – Спит и видит сны, кормится, испражняется, снова спит. Она просто ангел.

В течение какого-то времени трое взрослых сидели и ласково улыбались, глядя на спящую Виолу, пока наконец не пришли в себя, и Лидия обратила внимание на закуски и напитки.

Передавая стакан газировки, она с удивлением отметила, что Дикси по-прежнему выглядит беременной. Она носила блузку и узкие джинсы, и, насколько могла судить Лидия, ее внешность никак не изменилась со времени их последней встречи две недели назад, незадолго до рождения ребенка. Лидия задумалась об этом и на мгновение забеспокоилась, что с ее подругой что-то не в порядке, может быть, опухоль, но предпочла не спрашивать об этом.

Лидия передала Клемму банку пива «Гролш» и бокал, налила себе и уселась рядом с друзьями.

– Значит, ты первый раз вышла из дома после родов? – начала Лидия.

Оба кивнули.

– То есть мы с ней выходили в магазин на углу, но официально это ее первая поездка на автомобиле и первый званый обед.

– Должна сказать, вы оба выглядите замечательно, – сказала Лидия. – Да, вид у вас немного усталый, но в целом превосходный.

Она сама не знала, чего должна была ожидать: изможденные лица, заляпанная одежда, пустые глаза, лишенные всякого выражения? Нет, друзья казались веселыми, оживленными и вполне нормальными.

– Измученный, – согласилась Дикси. Она расшнуровала поношенные парусиновые туфли на резиновой подошве и стряхнула их под столом; небрежный и довольно неаккуратный жест, выдававший прежнюю подругу по съемной квартире.

– А у меня все просто великолепно, – заявил Клемм, – потому что мне вообще не нужно просыпаться!

Дикси смерила его испепеляющим взглядом.

– Твое время еще наступит, – заверила она. – Когда закончится грудное вскармливание, ты близко познакомишься со стерилизатором для бутылочек и с «Cow&Gate»[1]. Можешь не сомневаться!

Клемм слабо улыбнулся и погладил свой бокал. Лидия встала и включила газ под двумя воками[2], стоявшими на плите.

– Ну что же, – сказала она, улыбаясь друзьям. – Разве мы не прошли долгий путь? Кажется, еще вчера мы ютились в тесной квартирке, а теперь вы стали родителями, а я живу в этом здоровенном доме. Ну как, теперь мы взрослые?

Клемм и Дикси рассмеялись.

– Даже не думай об этом, – сказала Дикси. – У меня не идет из головы, что кто-нибудь поймет, какие мы

---

[1] Популярный сорт детского молочного питания.

[2] Вок – сковорода с выпуклым дном для быстрого обжаривания; принадлежность восточноазиатской кухни.

неопытные, нагрянет к нам и заберет ребенка. Уверена, что акушерка считает нас парочкой неудачников.

Клемм и Дикси снова рассмеялись, и Лидия присмотрелась к ним. Ее друзья. Клемм был привлекательным мужчиной со слишком буйными густыми темными кудрями, поцарапанными после бритья щеками и слегка выпирающим животиком. Дикси была миниатюрной и стильной, с крашенными пергидролем светлыми волосами, у корней которых пробивалась заметная рыжина из-за запрета на осветление волос в конце беременности. Дикси и Клемм выглядели как парочка студентов-переростков. Впрочем, они такими и *были*. Лидия познакомилась с Дикси (на самом деле ее звали Сюзанной Диксон, но прозвище прилипло к ней с подросткового возраста) в университете в Аберистуите[1]. Дикси изучала кинорежиссуру, а Лидия – химию. Никто из них толком не мог вспомнить, как именно они познакомились, так как они были разными во всех отношениях. Но они прекрасно ладили друг с другом в течение десяти лет, сначала в съемной комнате над магазином в Аберистуите, а потом, когда карьерные пути привели их в Лондон, в двухкомнатной квартире в Кэмдене. Они называли себя «старой супружеской парой», и в этом сценарии миловидная и домашняя Дикси, у которой иногда возникало желание приготовить домашние кексы, несомненно, была женщиной, в то время как сухопарая и крепкая Лидия, не имевшая

[1] Город в Уэльсе, как и Тонипанди.

представления о разнице между сахарной пудрой и обсыпкой для торта, определенно была мужчиной.

Клемм вошел в их жизнь около года назад и сразу же понравился Лидии. Ей нравилось, что он был старомодным и порядочным, а его взгляды на жизнь отличались от взглядов кинорежиссеров и клубных менеджеров в кэмденских подвалах. Он брал Дикси на прогулки в Хит и заставлял ее есть мясо (она была довольно непоследовательной вегетарианкой). А потом – слишком быстро, с точки зрения Лидии, – Дикси забеременела от него. Они казались слишком молодыми, чтобы заводить ребенка. Год знакомства – слишком маленький срок, чтобы становиться родителями. Но с того момента, когда они узнали об этом, у них не было никаких сомнений. «Почему бы и нет? – спросила Дикси. – Это будет приключение».

Лидия подозревала, что приключения не обязательно подразумевают нечто хорошее.

Ребенок начал ерзать в кресле, и Лидия насторожилась. Не то чтобы она не любила детей, она просто не знала, как обращаться с ними. Она не брала младенца на руки с тех пор, как вышла из подросткового возраста, и даже сейчас она была не уверена, происходило ли это на самом деле или было разновидностью ложного воспоминания. Она с удвоенным рвением занялась обязанностями хозяйки из опасения, что Клемм или Дикси могут попытаться всучить ей ребенка, и не сводила глаз с лица малышки, когда ее отстегивали и вынимали из кресла. Тем не менее внезапно крошечное личико оказалось в нескольких дюймах от ее лица, взирая на нее с некоторой тревогой. Лидия ответила не менее встревоженным взглядом, и тогда малышка вполне предсказуемо расплакалась.

– Травма на всю жизнь, – ровным тоном сказала Лидия. Разумеется, ребенок заплакал. Она ожидала, что это случится. Лидия не умела вести себя с детьми и не могла принять позу или выражение лица, которое бы понравилось ребенку.

Малышка провела остаток трапезы, присосавшись к одной из набухших грудей Дикси, а затем некоторое время пролежала на плече у матери, патетически вглядываясь в стену. Лидия почувствовала жалость к малышке. Она была такой беспомощной и плохо приспособленной к жизни. С каждым днем ее глаза будут видеть несколько большую часть этого незнакомого мира, с каждым днем ее мозг будет обрабатывать больше информации о реальности, ее крошечные конечности будут удлиняться и увеличиваться в объеме, она научится пониманию и сопереживанию и будет расти, расти и расти... пока однажды она не проснется и не станет еще одним обычным человеком. Жаль, что такое масштабное и продолжительное путешествие приносит столь жалкую награду.

Когда друзья ушли, забрав с собой маленькую Виолу и ее крошечную розовую одежду, Лидия ощутила странную печаль. Она загрузила блестящую посудомоечную машину Miele большими тарелками от Royal Doulton и соскребла липкую лапшу в хитроумно замаскированные мусорные контейнеры немецкой конструкции. Пустая бутылка из-под вина (оно не стоило заплаченных денег) и пивные жестянки отправились в контейнер для перерабатываемых отходов. Лидия протерла все рабочие поверхности сложенной кухонной тряпицей, потом вымыла, обсушила и убрала сковородки. С каждым движением Лидия ощущала плескавшуюся в желудке кисло-сладкую подливку и думала, что этот ужин был не в ее вкусе. Она испытывала нечто вроде меланхолической тоски.

Каким-то образом все это имело отношение к ребенку. Она тоже была младенцем – крошечным чудом, которое нужно защищать и лелеять, присыпать тальком и наряжать в кукольную одежду. Хотя сейчас это трудно представить, Лидия была пухлым ребенком с темными локонами и щечками цвета вишни с молоком. У нее остались детские фотографии, где она была одета в комбинезоны с эластичными штанинами, плотно обтягивавшими короткие ножки, и улыбалась в камеру, как будто в самом деле была самой очаровательной малышкой на свете. Были и другие фотографии, где ее качали на коленях, словно дневной улов, или держали на руках, словно футбольный кубок. Она всегда находилась в центре вселенной, всегда была причиной, по которой был сделан снимок. Само собой, она ничего не помнила из раннего детства, но знала, что была желанным ребенком, и мать всегда обходилась с ней ласково, даже если отцу было все равно.

Она тосковала не столько по тому ребенку, которым была когда-то, сколько о жизни, которая была ей обещана в эти розовые и безмятежные дни. Это было обещание нежных голосов, теплых объятий и надежного места. Почти все дети получают такие обещания наряду с ложными представлениями о мире, но лишь немногие расстаются с ними так внезапно и болезненно, как это произошло с Лидией. Она осознала: дело не в том, что она не любит детей или не считает их интересными, и даже не в ее негодовании из-за того, что ребенок отобрал у нее друзей и перенес их в незнакомое и недосягаемое царство. Дело было в том, что когда она смотрела на новорожденного младенца, то вместо радости испытывала только страх.

В четверг Лидия встретилась с Бендиксом в Ридженте-Парке. В белой футболке и красной толстовке с капюшоном он выглядел ослепительно. Лидия в черных тренировочных брюках и серой толстовке с капюшоном выглядела менее лучезарно. При виде личного тренера она ощутила знакомый прилив воодушевления. Она не знала, почему Бендикс вызывал у нее такое чувство. Обычно Лидию не привлекали невероятно смазливые мужчины, которые выглядели так, словно должны были носить форму моряков в претенциозной рекламе лосьона после бритья. По правде говоря, в последнее время Лидия никем особенно не интересовалась. Она была ученым. Она была деловой женщиной. Она была богата. Она была одинока. Уже довольно давно Лидия не думала об отношениях женщин и мужчин, о сексе и обо всем, что стояло в промежутке.

– Доброе утро! – Бендикс просто сиял.

– Доброе, – согласилась Лидия и потерла руки на легком январском морозе.

– Как вы себя чувствуете?

– Неплохо, даже отлично. А вы?

– *Фантастически*! – объявил он.

Лидия согласно кивнула.

– Ладно, – сказал он. – Сегодня прохладное утро, так что давайте хорошенько разогреемся. Для начала попрыгаем. – Бендикс улыбнулся, и Лидия проглотила стон. Прыжки в зале – это одно дело, а здесь, на виду у всех, – совсем другое. У Бендикса имелась специальная прыжковая техника: ноги согнуты в коленях, и ты прыгаешь вокруг, словно огромная лягушка.

– Хорошо, – сказала Лидия. – Но только если вы будете прыгать вместе со мной.

Бендикс улыбнулся.

– Конечно, – заверил он.

Когда они оба уселись на корточки и начали прыгать, Лидия подавила желание заквакать. Очень скоро ее кровь побежала по жилам быстрее, щеки раскраснелись, и Лидия невольно рассмеялась. Квак! Квак!

Последний секс у нее был восемь лет назад, со студентом по имени Уильям. Это Уильям предложил объединить ее принципиально новое химическое соединение с деловой смекалкой и создать продукт, который будет привлекательным для миллионов людей.

Кроме того, он разбил ей сердце в первый и единственный раз.

– Значит, вы ученый? – поинтересовался Бендикс, пока они неспешно прыгали к тренировочному кругу на Примроуз-Хилл.

– Вроде того, – отозвалась Лидия. – Раньше я занималась наукой, а теперь стала больше похожа на бизнес-консультанта.

– Ого! А как ученый становится бизнес-консультантом?

Лидия улыбнулась.

– Это долгая и очень скучная история, – ответила она.

– Я не возражаю против скуки, – сказал Бендикс и поджал губы, отвернувшись к дорожке. – В конце концов, я – личный тренер по фитнесу.

У него было необыкновенное тело: гибкое и тренированное, оно тем не менее казалось мягким. Лидии не нравились очень жесткие тела у некоторых мужчин и ощущение мышц, напоминавших бугры плоти. А у него, по ее мнению, было безупречное мужское тело. Она пришла к выводу, что в этом кроется причина ее странного очарования Бендиксом: в его неправдоподобном совершенстве.

– Так расскажите мне, – попросил Бендикс.

Лидия перевела дыхание.

– Честно, это очень утомительная история. В университете я изобрела химическое соединение, идея которого преследовала меня все время, соединение, которое убирало запах краски.

– Краски?

– Да, той самой, которой красят стены. Это было на последнем курсе. Но, по сути дела, я безостановочно работала над ним после школы, тратила все свободное время, не знаю почему... просто я ненавижу запах краски. А когда я занималась отделкой квартиры, то обратила внимание на этот пробел на рынке органических красок. Поэтому я взяла предпринимательский кредит и запустила в продажу небольшой ассортимент органических красок без запаха. Сначала всего пять оттенков, а когда они стали хорошо продаваться, я добавила еще пять. Через пять лет у меня был ассортимент из сорока красок, которые продавались в двух торговых сетях. А полтора года назад «Дюлакс»[1] выкупил мой бренд и заплатил целую кучу денег. И я до сих пор получаю комиссию за оригинальное изобретение, поскольку запатентовала его и продала другим производителям краски. Так что у меня есть деньги от «Дюлакса» плюс регулярный доход от комиссионных отчислений...

– Значит, вы просто сидите, а деньги текут к вам сами, так?

Лидия снова рассмеялась.

– Нет, не совсем, – ответила она. – Я много работаю с малым бизнесом и с нефтехимической индустри-

---

[1] «Дюлакс» (Dulux) – крупная международная компания по производству лакокрасочных материалов.

ей... публикую статьи в двух отраслевых журналах. Все это вовсе не гламурно, однако... не знаю, но по какой-то причине с тех пор, как я продала свой бизнес, я так и не вернулась к науке. Как будто у меня была миссия и я выполнила ее, а теперь просто плыву по течению. Я какое-то время пыталась отдыхать, когда продала бизнес, но, похоже, я плохо умею отдыхать. Поэтому занимаюсь чем угодно, что подворачивается под руку.

– Ну и ну. – Бендикс повернул голову и благоговейно посмотрел на нее. – Значит, вы трудоголик? Это впечатляет, очень впечатляет.

Лидия улыбнулась, втайне радуясь, что ей удалось произвести впечатление на Бендикса.

На тренировочном круге Лидия отработала несколько ударов, целясь в раскинутые руки Бендикса в кожаных перчатках. Ее кулаки издавали такой звук, словно кто-то каждый раз падал на пол. Она не чувствовала себя вправе бить Бендикса. Она не чувствовала себя вправе бить кого бы то ни было. Она слышала, как другие женщины называют эти упражнения «освобождающими» и «наделяющими силой». Ей они казались лишь слегка унизительными.

Мать сидела с ребенком, спавшим в коляске, пока второй малыш проказничал среди тренировочного оборудования. Мать уткнулась в газету, разложенную рядом с ней на скамейке. Она медленно и ритмично перелистывала страницы, как будто тренировала запястье, а не читала. Другой рукой она катала коляску: два дюйма назад, два дюйма вперед. Каждые несколько секунд она отрывалась от газеты, смотрела на спящего младенца, потом на ползающего малыша, снова утыкалась в газету и начинала катать коляску. Лидия редко находила в материнстве что-то привлекательное. Оно почти всегда выглядело вот таким механическим и утомительным.

Внезапно малыш оказался перед ними. Он замер и стал смотреть, как худая темноволосая женщина наносит удары по красивому мужчине: снова, и снова, и снова. Лидия покосилась на него, желая, чтобы он ушел. «Уходи, – думала она. – Уходи отсюда!» Но ребенок не уходил. Очевидно, это зрелище было завораживающим. Внезапно интерес мальчика сменился озабоченностью, которая переросла в тревогу, а затем в страх. Его лицо скривилось, и он с рыданиями побрел к матери, которая наконец оторвалась от своего цикла с газетой и коляской, чтобы заключить его в объятия и защитить от чистого ужаса перед страшной женщиной, которая бьет очаровательного мужчину.

Лидия вздохнула. Она больше не ходила в поношенном джемпере с большой собакой, бегущей рядом, не пила водку на заброшенных железнодорожных путях и не мыла голову жидкостью «Фэйри». Она стала взрослой, элегантной, можно сказать, почти стильной, когда сама этого хотела. Она пользовалась зубной нитью и духами, полировала ногти, ходила по дорогим магазинам и всячески ублажала свою кожу. Но тем, кто мог различить, что таится за внешностью, – особенно детям, младенцам, животным и наиболее восприимчивым людям, – она по-прежнему казалась Страшной Дамой в Черном. Именно такой, какой была всегда.

Бендикс посмотрел на плачущего малыша и весело взглянул на нее.

– Он думает, что мы деремся. – Бендикс рассмеялся. – Бедняжка. Он получил психическую травму; теперь придется обратиться к консультанту.

Лидия мрачно улыбнулась и опустила руки. Очередная тренировка подошла к концу. Ей внезапно захотелось получить от этого сеанса здоровый заряд бодрости вместо ужасающего образа самой себя, который стоял перед ней.

– А вы? – начала она. – Почему вы стали личным тренером по фитнесу?

Бендикс снова рассмеялся, показав ровные белые зубы. Он убрал в рюкзак перчатки и полотенце.

– Потому что, в отличие от вас, я слишком тупой, чтобы заниматься чем-то еще, – ответил он. – О'кей: вам в ту сторону, мне в эту. Желаю приятных выходных, и до встречи в клубе в понедельник, хорошо?

Лидия стояла, взмокшая и взъерошенная, с быстро остывающими струйками пота на лице, и смотрела, как он уходит – упругие ягодицы, сильные плечи, – чтобы быть Бендиксом где-то еще, для кого-то еще. Тогда она снова ощутила отчаянное томление, которое иногда испытывала при виде других людей, томление от того, что ей никогда не удавалось увидеть мир их глазами, стать ими.

Лидия вернулась домой с пятнадцатиминутным опозданием и сразу же увидела на лестнице большой конверт из плотной коричневой бумаги, вероятно, оставленный Джульеттой для того, чтобы потом отнести его наверх. Конверт привлек внимание, потому что, в отличие от большинства поступающих писем, он имел рукописный адрес и выглядел как-то неказисто. Лидия уселась на нижнюю ступеньку и подняла конверт. На нем стоял почтовый индекс Тонипанди.

Лидия тихо ахнула.

Всю свою взрослую жизнь она почти неосознанно ожидала, что кто-нибудь из дома свяжется с ней. Этот момент наконец настал. Она внимательнее посмотрела на почерк и поняла, кому он принадлежит. Не потому, что узнала почерк, а потому, что знала лишь одного члена семьи, который был достаточно заинтересован в том, чтобы отыскать ее следы. Это был дядя Род.

Дядя Род когда-то считался их ближайшим родственником, поскольку он был холостым и бездетным, поскольку был добр к Лидии и помогал ей так, как не могли помочь ее тетушки, имевшие свои семьи и обязательства. Но потом, через несколько дней после смерти матери Лидии, дядя Род пропал, и больше его не видели. Лидия была еще слишком мала, чтобы интересоваться причиной его исчезновения или хотя бы заметить это. Но иногда она думала о нем, а четырнадцать лет спустя увидела его на похоронах своего отца. Он стоял за деревьями, отдельно от толпы, одетый в дешевый черный костюм, и серебряное кольцо в его ухе блестело на солнце. Она спросила, кто это, и ей ответили: «Это дядя Род, он был братом твоего отца». Она мимолетно удивилась, почему «был», но с тех пор редко вспоминала о нем.

Она смотрела на матовую панель парадной двери, а в голове толпились воспоминания о последних днях жизни отца. Она до сих пор могла почуять запах больницы, услышать лязг колес санитарных тележек, спешащих в неведомые темные места, ощутить холодную руку отца, сжимавшую ее руку в крепких тисках, вспомнить бессмысленные слова, произнесенные ей на ухо бормочущим шепотом. «Ты всегда будешь моей, — сказал он. — Всегда! Никто не отберет это у меня. Я вырастил тебя. Ты так же принадлежишь мне, как и любому другому. Ты слышишь меня? Ты меня понимаешь? Ты такая же моя, как и *чья-то*».

Для Лидии это были просто слова. Тогда она не улавливала в них никакого смысла, не искала ответов. Она просто хотела, чтобы он умер, чтобы ей не пришлось тратить свой первый семестр в университете, сидя у его койки в этой заплесневелой викторианской больнице или заваривать ему кофе в их сырой и нелюбимой квартире. Лидии хотелось, чтобы отец ушел, а для нее началась новая жизнь. Начать с чистого листа. Прочь из городка, прочь от прошлого. Она была готова отпустить отца. И он, судя по выражению глаз, тоже был готов уйти, не только от нее, но и от своего несчастного и бесцельного существования.

В конце концов на исходе августа он скончался.

Воздух за пределами больницы был жарким и напоенным летними запахами; внутри он был спертым и неподвижным. Рядом никого не было: только она и отец. Она помнила его последние слова, обращенные к ней: «Скажи им, что больше не больно. Скажи им». Она видела его последний вздох. Она ожидала, что жизнь покинет его тело, как облачко черно-серого дыма, маленькое токсичное облачко, но она проскользнула у него между губами, словно ящерица, в панике и отчаянии убегавшая от его души.

Его рука бессильно обмякла в ее руке, голова запрокинулась на подушке, а Лидия, только что ставшая сиротой, продолжала сидеть рядом с ним.

Она почти не оглядывалась на годы, последовавшие за его смертью. Лидия так больше и не возвращалась в пригород Тонипанди, даже когда по почте приходили приглашения на свадебные церемонии родственников, даже когда тетушки просили ее присоединиться к ним для уютного Рождества в маленьких домах рядовой застройки, с пережаренной индейкой и новоиспеченными внуками. Она жила своей жизнью в Аберистуите и оставалась на съемной квартире над магазином в течение всех праздников и каникул, даже когда Дикси была в отъезде. Учась в университете, Лидия три года работала барменшей в местном пабе, по вечерам и по выходным. А когда она не работала в пабе, то была в лаборатории и с методичной одержимостью искала вещество, уничтожавшее запах краски. Она считала, что ее работа имеет ясный коммерческий смысл, практически не сознавая того, что пытается избавиться от целой серии гнетущих воспоминаний детства, связанных с вонючей краской.

Теперь Лидия жила здесь, и ей было двадцать девять лет. В ее речи до сих пор присутствовал слабый и певучий валлийский акцент, но она была миллионершей, которая всего добилась сама, высокой, темноволосой, умной, загадочной, на миллионы миль отдалившейся от своего печального и жалкого начала... но внезапно частица прошлого вернулась в виде коричневого конверта, лежавшего у нее на коленях. Она набрала в грудь побольше воздуха и открыла его.

Лидия смотрела на газетную вырезку, лежавшую на столе. Ее правая рука поглаживала росистую прохладу широкого бокала с джином, лаймовым соком и кубиками льда. Свет в ее кабинете был чернильно-теплым, и в небе еще кое-где виднелись проблески уходящего дня. Свет был погашен, если не считать настольной лампы с регулируемым наклоном, освещавшей вырезку. Лидия просидела здесь уже полдня. Шесть часов, глядя на вырезку и спокойно, методично опустошая бутылку «Бомбейского Сапфира». Все казалось растянутым и искаженным. Дом утратил ощущение собственного дома. Ноги как будто ей не принадлежали. Даже Джульетта казалась незнакомкой. Лидия пораньше отпустила ее домой, выключила весь свет в доме и стала напиваться.

Содержимое коричневого конверта было одновременно шокирующим и не особенно удивительным. Кое-какие документы из лондонской клиники по лечению бесплодия, подтверждавшие, что она была зачата путем искусственного оплодотворения с использованием спермы какого-то студента из Франции, чей род занятий был определен как «студент медицинского колледжа». Также в конверте находилась газетная статья, вырезанная «Вестерн Мейл». Это была история о женщине из Лланелли, которая в возрасте двадцати пяти лет обнаружила, что не только была зачата в клинике по лечению бесплодия при свете ослепительно-ярких галогенных ламп, но еще и имела четырех сводных сестер, живущих в пределах ста миль от нее. Лидия прищурилась и снова посмотрела на счастливую компанию. Они стояли, тесно обнявшись и прижимаясь щеками друг к другу. У всех были каштановые волосы и почти одинаковые мясистые носы. Они явно были сестрами.

Анонимный отправитель этой ошеломительной, но жизнеутверждающей информации приложил буклет веб-сайта под названием UK Donor Sibling Registry[1]. Взрослые люди, знавшие, что они появились на свет с помощью донорской спермы, и имевшие название клиники, где состоялась эта процедура, могли зарегистрироваться, пройти тестирование ДНК и связаться с детьми, зачатыми от той же донорской спермы. Ины-

---

[1] «Реестр родственников по донорской сперме Соединенного Королевства».

ми словами, они могли познакомиться со своими братьями и сестрами.

Лидия никогда не удивлялась, почему у нее нет братьев или сестер. Это было очевидно. Ее мать умерла до того, как успела родить кого-то еще. Лидия была единственным ребенком и не могла представить себя, свою личность или свое детство каким-то иным образом.

Она с безнадежностью посмотрела на фотографию сестер из газетной вырезки и снова наполнила бокал. Лидия не пила джин с восемнадцати лет, с тех пор, как умер ее отец. С той минуты, когда он ушел, у нее появилось болезненное, саднящее ощущение в желудке, которое она пыталась обезболить. Запах прозрачного алкоголя, можжевеловые пары и слегка вяжущий, горьковатый привкус заставили ее снова почувствовать боль и безутешность восемнадцатилетней девушки, которую никто не любил.

Она подумала о своем отце, некогда сильном мужчине, состоявшем из шлакобетонных блоков и бакарди, крикетных бит и тестостерона, который увядал и съеживался в соседней комнате, иссохший, опустошенный и мумифицированный по мере того, как жизнь вытекала из него. Лидия думала о том, как он учил ее относиться к себе, потому что никто другой этого не делал. Прикрывай спину. Никому не доверяй. Берегись обмана. Оставайся одна. Она думала о последних моментах, проведенных в его обществе; о бессмысленных фразах, которыми они обменивались, о бездумных подарках на Рождество, о бесцеремонных телефонных звонках, о безжалостно прописываемых лекарствах, о периодах молчания, скрывавших свои секреты, о бесконечных мгновениях, когда время как будто растворялось и не оставалось ничего, кроме воздуха, пространства и пыли. Теперь все это вдруг наполнилось смыслом и приобрело мучительную остроту. Лидия – не его дочь. Она не принадлежала ему.

Ее настоящим отцом был студент-медик. Студент из Лондона с темными волосами и темными глазами ростом 5 футов 11 дюймов, приехавший из Дьеппа. Ее настоящий отец был французом. Ее настоящий отец был врачом. Тревор Пайк не был ее настоящим отцом. Она ощутила нечто вроде облегчения, теплой жидкостью разливавшегося в костях. Лидия испытала нечто похожее на *восторг*.

Где-то там, может быть, на улице под ее окном, или на квартире в Лланелли, или в приморском баре в Дьеппе, были другие, похожие на нее. Братья. Сестры. *Люди, похожие на нее.* Она не была похожа на свою мать, хотя плохо помнила ее, и не была похожа на отца, хотя тот годами твердил о своих «итальянских предках» и пытался насадить в ней гордость за свои латинские корни. Теперь она знала, что эти корни не существуют. Они были такими же реальными, как волшебный порошок. Так или иначе, она никогда не ощущала своего предполагаемого итальянского происхождения. «Если это единственное, что интересно в тебе, не пытайся убедить меня, будто это единственное, что интересно во мне», – думала она тогда.

Она знала, что является чем-то большим, чем дочерью полуграмотного рыботорговца. Глубоко внутри она понимала это. Она ощущала более прочную связь со своим псом Арни, чем с отцом. Чувство вины, которое она полжизни носила в себе, вины за пожелание смерти отцу, чтобы она могла начать самостоятельную жизнь, покинуло ее и отлетело прочь, словно изгнанный демон. Осталось лишь смешанное чувство неизвестности, новизны, печали и восторга. Лидия выпила очередную порцию джина с лаймом и напечатала в поисковой строке адрес донорского реестра. Пока страница загружалась, Лидия испытала странный трепет в груди, растущее ощущение паники. Она была не готова. Она закрыла браузер, выключила компьютер и отправилась в спальню, где погрузилась в глубокий и беспокойный сон, полный видений о незнакомых людях.

На следующее утро Лидия позвонила Дикси. Подруга как будто изумилась, услышав ее голос.

– Извини, – сказала Лидия. – Ты занималась чем-то важным?

– Нет-нет. – Дикси подавила зевок. – Просто я... В общем, я спала.

Лидия посмотрела на часы: было одиннадцать утра. Такой долгий сон был необычным для Дикси, особенно потому, что ей предстояло прочитать массу книг и провести несколько важных бесед, способствующих карьере. Дикси часто рассматривала сон как нечто навязанное против ее воли, чему приходилось подчиняться раз в сутки, а потом просыпаться недовольной и со спутанными мыслями, как будто сон украл ее душу.

– У Виолы выдалась плохая ночь, – продолжала Дикси. – Сейчас она успокоилась, поэтому я решила урвать себе немного пропущенного сна.

– Черт возьми, Дикси, мне очень жаль. Я не подумала.

Дикси шумно прочистила носовые пазухи – как будто, невольно подумала Лидия, чтобы дать ей понять, как крепко она спала и сколько сил ей потребовалось для того, чтобы ответить на звонок. Лидия слегка насторожилась и сказала:

– Тебе надо было выключить телефон.

– Да, ты права. – Дикси снова фыркнула и зевнула. – Я не подумала. В последние дни я как-то не могу много думать, – с сухим смешком добавила она.

В последние дни. Этот смех. Лидия ощетинилась; ей была ненавистна мысль о людях, имеющих маленьких детей. Нет, не так: ее возмущало, что *Дикси* родила ребенка. Все остальные могли иметь хоть сотню детей, Лидию это не волновало. Она просто не хотела видеть свою подругу в таком состоянии. Лидия только успела привыкнуть, что у Дикси появился Клемм. «Ухажер» был для Лидии неизвестным понятием, но она могла уловить смысл этого термина, поскольку в какой-то момент своей жизни сама имела ухажера. Но «ребенок» был существом с другой планеты. Он поглощал столько времени и внимания, сколько не снилось самому требовательному ухажеру. «Ребенок» менял все. И этот «ребенок», как и «ухажер», был чем-то необратимым.

– Все в порядке, – продолжала она, стараясь поддерживать бодрый тон. – Я не хотела тебя беспокоить, но... – Она замолчала. До «ребенка» она бы сразу же перешла к вопросу, который собиралась обсудить. Теперь же этот призрак маячил повсюду. Она гадала, будет ли Дикси интересно выслушать ее теперь, когда все мысли заняты ребенком. Услышат ли ее вообще? *«Прости, как ты сказала, – «донор спермы»? А я рассказывала тебе о новых подгузниках Виолы?»*

– Как вы там вообще? – только и спросила Лидия.

– В целом нормально. Правда, Клемм? – Лидия услышала, как он что-то проворчал на заднем плане. – Да, у нас все в порядке. А ты как?

– Более или менее, – ответила она. – Похмелье.

В ту же секунду она пожалела о своих словах. Это прозвучало так, как будто она всю ночь пила шампанское и коктейли с текилой, наслаждаясь весельем в каком-нибудь модном клубе и не помышляя о таких вещах, как новорожденные младенцы и грязные подгузники.

– Счастливица, – вздохнула Дикси.

Лидия тоже вздохнула и подумала, стоит ли ошарашить подругу известием о том, что на самом деле она весь вечер напивалась джином, сидя в темноте.

– Не совсем, – сказала Лидия. – Это было... – Она снова замолчала. Ей хотелось сказать, что это было ужасно, но, прежде чем она успела произнести первый слог, их разговор был прерван жалобным плачем, и Дикси что-то промямлила о том, что в зоопарке настало время кормежки и она перезвонит через минуту. Да, конечно, сказала Лидия, хотя понимала, что это будет не минута, а по меньшей мере полтора часа. Она мимолетно задалась вопросом, почему Клемм не может забрать хнычущего младенца на минуту-другую, но тут же поняла, что физическое отсутствие хнычущего младенца не поможет Дикси сосредоточиться на разговоре и вообще на чем-либо, кроме своей текущей ситуации. Со смешанным чувством печали и ужаса Лидия осознала, что она не может поведать своей лучшей подруге самое важное из того, что произошло с ней за последние десять лет.

Поэтому Лидия повесила трубку, и Дикси растворилась в воздухе, как метафорический клуб дыма, оставив ощущение заброшенности и одиночества.

Дикси не позвонила через полтора часа. Она не позвонила и через три дня. Утром в субботу она отправила Лидии текстовое сообщение: «Я только что брызнула молоком на шесть футов через всю комнату и попала в глаз кошке». Пока Дикси с каждым дюймом погружалась в мир материнства и нормальности, Лидия дюйм за дюймом отступала в мир отчужденности и уединения. Она набрала ответ: «Купи кошке мотоциклетные очки! Я на связи». Дикси не ответила, но Лидия и не ожидала этого. Она провела день, чередуя работу с выпивкой.

Вечером она достала из кладовой фотоальбом, который взяла с собой в постель. Лидия хранила этот альбом с тех пор, как выехала из убогой квартиры, которую делила с отцом. Это было все, что осталось от Глэнис. От ее матери. Не было никаких платьев, переложенных нафталиновыми шариками, фамильных жемчужных сережек или локонов волос, которые Лидия могла бы задумчиво перебирать; отец вычистил все следы присутствия матери, но сохранил это. Лидия до сих пор не могла понять, какая мысленная аберрация заставляла его прятать альбом от нее, но теперь эта вещь была ее самым ценным имуществом.

В прошлом она разглядывала фотографии матери почти так же, как люди смотрят на фотографии Мэрилин Монро, королевы Виктории или покойной суперзвезды – нечто харизматическое, недостижимое, непознаваемое, могущественное и давно ушедшее. Но в тот вечер Лидия увидела их в ином свете. Она всегда думала о матери как о простой девушке. Все так говорили о ней; ее называли замечательной девушкой, веселой девушкой, милой девушкой. *Ах да, Глэнис, что за очаровательная девушка!* Но *девушки* не отправляются на Харли-стрит, чтобы сделать себе ребенка из ниоткуда. Так поступают женщины – женщины, которые хотят иметь детей. «Ты знаешь, что твоя мать боготворила меня? – не раз говорил отец. – Она была готова целовать землю, по которой я ступал». Это был его способ отстраняться от дочери. Но теперь Лидия смотрела на фотографии, и до нее внезапно дошло, что мать любила ее гораздо больше, чем когда-либо любила своего мужа. В конце концов, она была готова рискнуть абсолютно всем ради того, чтобы завести ребенка.

В воскресенье Лидия отправилась на прогулку. Она была трезвой и усталой, и мостовая, как губка, пружинила у нее под ногами. Свет был жидковатым, но Лидия все равно надела солнечные очки, словно маленькое полуслепое существо, вышедшее из спячки. Она три раза обошла вокруг старого кладбища, отводя взгляд от детской площадки, где азиатские няньки толкали французских детей на качелях, а деловые американские мамаши вбивали информацию в коммуникаторы «Блуберри», пока их отпрыски посасывали натуральный сок из экологичных картонок. Лидия прошла по главной улице Сент-Джонс-Вуда, мимо бутиков, лавок со свежей выпечкой и магазинов детской одежды, поглядывая на прохожих с чем-то вроде животного любопытства. Сейчас она находилась примерно в двух милях от места своего зачатия. Потенциально здесь она могла столкнуться с любым количеством родственников. Она изучала глаза, нос, руки и походку каждого человека, который проходил мимо. Заметив сходство линии челюсти и подбородка, она обнаружила, что неосознанно перешла улицу и последовала за незадачливой женщиной в кондитерский магазин. Лидия заставила себя остановиться у входа и возобновила прогулку.

Лидия всегда чувствовала себя отделенной от остального мира, почти возвышенной над ним. Она всегда ощущала себя более умной, спокойной, сильной и самостоятельной. Отец приучил ее к этому. Он научил ее верить в свою независимость и неуязвимость. Лидия всегда смотрела на остальных как на аморфную массу, беспорядочное смешение плоти и костей. Все это не имело ни малейшего отношения к ней. И тем не менее в возрасте двадцати девяти лет она ни с кем не смогла установить таких же прочных отношений, как со своей немецкой овчаркой из давнего прошлого.

Через час таких же бесцельных и прихотливых блужданий Лидия отправилась домой. Стоя на мостовой, она окинула свой дом оценивающим взглядом, и по позвоночнику пробежал холодок. Дом был большим и безликим. Он выглядел совершенно неприветливым из-за матовых окон, похожих на слепые молочно-белые глаза. Даже Дикси иногда говорила ей: «Твой дом такой *жуткий*!» Для Лидии это было вполне нормальным – ей нравилось выглядеть пугающе. Но теперь появился крошечный проблеск надежды, что мир готов принять ее, и она ничего не может с этим поделать. Еще более удивительным было осознание того, что она и не хочет.

В тот вечер она принесла в свой кабинет пластиковую бутылку «Спрайта» и пакетик с фигурными мармеладками. Лидия скрутила крышку и дождалась первого выхлопа подслащенного газа, прежде чем снять ее и сделать жадный глоток. Потом некоторое время изучала содержимое пакетика со сластями, оценивая свои реакции на разные фигурки. В итоге остановилась на красно-зеленой бутылочке и задумчиво прожевала ее. Лидия думала, не стоит ли позвонить Дикси. Этот шаг казался невероятно ответственным, особенно с учетом того, что ни одна живая душа не будет знать о нем. Выходные дни были долгими и напряженными. Лидия ощущала себя совершенно оторванной от реальности. Она была испугана, расстроена и взбудоражена одновременно. Любой следующий поступок открывал дверь в новое бытие. Лидия представила Дикси сидящей с ребенком возле огромной груди и бессмысленно взирающей в пространство, вздыхающей при виде номера Лидии, который появляется на экране ее телефона. Нет, Лидия сделает это сама.

Она набрала адрес сайта и заполнила онлайн-анкету. Потом съела еще одну мармеладку, на этот раз в форме детской куколки.

Прошли дни и недели с тех пор, как Лидия поместила свои данные на сайте «Реестра родственников по донорской сперме». Дни тянулись медленно и лениво, как флегматичные прохожие, бредущие по улице и мешающие тем, кто спешит. На смену январю пришел февраль. Лидия не могла ни на чем сосредоточиться. Она не видела ничего за пределами своего дома. Целыми днями она зависала перед компьютером, ела сладости и не обращала внимания на телефон, снова и снова проверяя свою электронную почту. Единственными живыми моментами в этой пелене спячки были тренировки с Бендиксом три раза в неделю и приглашение на праздничную вечеринку «Встреча с миром» в честь Виолы, лежавшее у нее на столе.

Сейчас Лидия была дома и ждала Бендикса. Сегодня тренировка была назначена здесь, поскольку он уволился из фитнес-клуба в здании бывших конюшен. Лидия не спрашивала почему, но испытывала странную нервозность по мере того, как стрелки часов подползали к одиннадцати. Через несколько минут Бендикс будет здесь, у нее дома. Она откроет дверь, увидит его улыбку и пригласит войти... А потом, в какой-то параллельной реальности, будет вечер, когда она откупорит бутылку вина, и они будут беседовать при свечах, а потом удалятся в постель, где будут полночи изучать тела друг друга на свежем белье. Но в этой реальности, в суровой и неприкрашенной реальности, Лидия отведет его в спортзал, оборудованный в подвале (да, у нее был собственный спортзал, уже существовавший там, когда она приобрела дом), и Бендикс в течение сорока пяти минут будет заставлять ее выполнять скучные последовательности движений, а потом он уйдет, и она расстанется с ним еще на сорок восемь часов.

Она посмотрела на себя в зеркало, прежде чем спуститься по лестнице. Она выглядела изнуренной и слегка помешанной. Джульетта вздрогнула, когда пришла утром и увидела хозяйку на лестнице, а потом спешно приготовила ей сэндвич с курицей. Бендикс оказался не таким впечатлительным.

– Доброе утро, Лидия, – сказал он, когда вошел

в прихожую со спортивной сумкой, распространяя вокруг себя аромат мускуса и корицы. – У вас очень красивый дом.

– Спасибо, – отозвалась Лидия.

Как обычно, одет он был безукоризненно. Лидия понимала, что во многих отношениях ее ощущения, связанные с внешностью Бендикса, были неправильными. Вероятно, он был геем. Ну разумеется, он гей! Стоило лишь посмотреть на его аккуратно подстриженные брови, безупречную черную куртку с мягким капюшоном, отбеленные зубы и художественные татуировки. Конечно же, он гей. Лидия надеялась, что это так. Если Бендикс – настоящий гей, то она может не испытывать прежние чувства каждый раз, когда вступает в контакт с ним. Тогда она сможет по-прежнему жить своей жизнью.

– Что-нибудь выпьете? – спросила Лидия. – Может быть, стакан воды?

– Нет, все в порядке. – Он похлопал по своей сумке. – У меня есть бутылочка.

Он улыбнулся, и у Лидии снова возникло прежнее ощущение. Нет, он не гей. Гомосексуальный мужчина никогда не стал бы так улыбаться женщине; она была уверена в этом.

– Ну как, – начала она, направив его по лестнице в подвал и включив по пути свет, – хорошо провели выходные?

– Да, нормально. Сплошная скука. А вы?

– То же самое, – ответила она.

Бендикс рассмеялся:

– Если бы этот дом принадлежал мне, то я бы по выходным приглашал целую кучу красивых людей и устраивал большую вечеринку.

Лидия криво усмехнулась.

– Я не знакома с красивыми людьми, – сухо отозвалась она.

– Но со мной-то вы знакомы.

– Это верно. – Она щелкнула другим выключателем.

– Ух ты, выглядит потрясающе!

– Да. – Она почесала шею. – Правда, не могу сказать, что я часто бываю здесь.

– Но это же что-то вроде санатория! У вас даже есть вихревая ванна!

– Да, и еще сауна. Процедурная комната вот здесь. – Лидия распахнула дверь, показала небольшую белую комнату, расписанную цветущими вишневыми ветвями. – А там есть домашний кинотеатр.

Идеальные брови Бендикса поднялись почти до линии волос.

– Ничего себе, – пробормотал он. – Ничего себе.

Лидия не чувствовала никакого удовлетворения от его реакции. Как она ни старалась, ей не удалось придать этому дому ощущение сродства с ней. В ее воображении он по-прежнему принадлежал немного неприступной американской чете, Кэтлин и Тому Шнобель и троим их очаровательным сыновьям-подросткам. В ее воображении три свободные спальни принадлежали этим ребятам, а оздоровительно-развлекательный комплекс в подвале принадлежал Кэтлин («Называйте меня Кэт»). Лидия наполовину ожидала, что в один прекрасный день они вернутся с набором одинаковых чемоданов и карибским загаром и вежливо попросят ее освободить дом.

– Думаю, мы можем поработать здесь. – Она указала на площадку у задней двери, с балетной стойкой, зеркальной стеной и спортивными матами.

– Да, ваш личный спортзал... Думаю, это самое логичное место для тренировки. – Бендикс широко улыбнулся, словно объясняя свою шутку. – Знаете, на этой работе мне приходилось бывать в потрясающих домах у разных знаменитостей и важных людей, но, пожалуй, ваш дом лучший. Он больше всего... подошел бы *для меня*, понимаете? – Он снова улыбнулся и стал распаковывать свою сумку. – Ну как, вы готовы приступить к делу?

Лидия вяло кивнула.

– Вы выглядите... Надеюсь, вы не обидитесь на эти слова, но сегодня вы выглядите не очень хорошо.

– Ну, большое спасибо.

– Нет, я не имел в виду ничего оскорбительного. Я хочу сказать, что вы выглядите так, будто думаете о чем-то плохом. Вы выглядите подавленной и удрученной, понимаете?

Лидия поморщилась. *Подавленной и удрученной.* В его устах это прозвучало так, словно он говорил о червяке под кирпичом.

– Просто разные вещи, – пробормотала она. –

В моей жизни происходят кое-какие странные вещи, вот и все.

Бендикс изогнул бровь:

– Что-то такое, о чем вам хотелось бы поговорить?

Лидия рассмеялась громче, чем ожидала.

– Что? – поддразнил он. – Думаете, я не умею разговаривать? Думаете, я тупой качок?

– Конечно, нет! Просто... я не знаю. Мы никогда не говорили о серьезных вещах. Это будет как-то необычно.

Бендикс улыбнулся и сложил руки на груди.

– Послушайте, – сказал он. – Я здесь в качестве вашего личного тренера, правильно? Вы платите за то, чтобы я поддерживал вашу физическую форму. Это суть сделки, но, кроме того, я должен знать, что вы находитесь в надлежащем умственном состоянии для тренировки, а я недавно заметил, что это не так. Это значит, что после того, как мы расстанемся, вы будете такой. – Он жалобно понурился и сгорбил плечи. – А это нехорошо. Поэтому давайте поговорим, если вы считаете, что это может помочь. Я обойдусь дешевле любого психотерапевта!

– Боже мой, – пробормотала Лидия. – Даже не знаю, с чего начать. Правда не знаю.

– Испытайте меня, – улыбнулся он. – Думаю, я слышал почти все, что можно услышать. Меня очень трудно удивить.

Лидия посмотрела на него. Он немного присел, так что их глаза находились на одном уровне. Его кожа была как тонкая замша, матовая и без единого пятнышка.

– Ну ладно, – слегка настороженно начала Лидия. – Еще около месяца назад я не имела представления о том, что моя мать, которая умерла при подозрительных обстоятельствах, когда мне было три года, воспользовалась для моего зачатия донорской спермой. Кто-то из моего родного городка прислал мне анонимное письмо. На прошлой неделе я зарегистрировалась на сайте, где мне обещали воссоединение с родственниками, зачатыми от той же донорской спермы, если они вообще существуют. Я прошла тест ДНК, и мне сказали, что мой отец числится как «Донор № 32» и что до сих пор другие дети от него не регистрировались на сайте. Поэтому теперь я целыми днями сижу у компьютера и регулярно проверяю, не добавил ли кто-нибудь информацию о себе и не появился ли у меня брат или сестра. Мне чрезвычайно трудно сосредоточиться на чем-то еще. Когда я не сижу перед компьютером, то брожу по улицам, как лунатик, и разглядываю людей в надежде увидеть черты сходства, в надежде найти свою… *семью.*

Лидия почувствовала, как расслабилось ее тело, когда она произнесла эти слова. Физическое ощущение близкого родства было приятным и утешительным, как сироп.

Бендикс медленно выдохнул, раздувая щеки, и опустился на пол, прислонившись к стене.

– Вот так история, – сказал он. – Невероятно.

Лидия кивнула.

– Значит, ваш отец... человек, который вас вырастил... он не мог...?

Она пожала плечами:

– Полагаю, что нет.

– А он знал? Знал, что вы родились не от него?

Она снова пожала плечами:

– Не знаю. Однажды, незадолго до смерти, он сказал нечто странное. Сказал, что я так же принадлежу ему, как и любому другому человеку. Тогда я не понимала, что он имел в виду; я подумала, что он хотел сказать, будто имеет такое же право на меня, как и моя мать. Но если он знал, то его слова имели больше смысла, верно? И это объясняет, почему он ненавидел меня.

Бендикс презрительно хмыкнул.

– Нет, правда, так оно и было. Я всегда знала, что он ненавидит меня, но думала, это оттого, что я не умерла вместо матери. Понимаете, я постоянно чувствовала себя виноватой, потому что не могла возместить ему эту утрату. Ну вот, а теперь я знаю, что он не был моим настоящим отцом, и если он тоже знал об этом, – а я думаю, так оно и было, – то у него вообще не было причин любить меня, верно?

Повисло тяжелое молчание.

– Понимаю, – мягко сказал Бендикс.

Лидия посмотрела на него.

– Я вас понимаю. Мой брат погиб: его сбил грузовик, прямо перед нашим домом.

Лидия моргнула и посмотрела на кончики своих пальцев.

– Мне очень жаль, – сказала она.

Он пожал плечами:

– Вам не о чем сожалеть. Это не ваша вина.

– Разумеется, нет, но просто… просто так принято говорить, когда сожалеешь о чьей-то утрате. Сколько лет вам было?

– Четырнадцать. А моему брату было восемь. – Он снова пожал плечами. – Так что я примерно понимаю ваши чувства. Когда-то у меня был брат. Теперь у меня нет брата, но когда я хожу по улицам, то по-прежнему вижу его. Я пытаюсь представить его в четырнадцать лет, в двадцать, в двадцать четыре. Сейчас ему было бы двадцать четыре. – Его глаза на мгновение наполнились печалью. – И если бы у меня был шанс найти другого брата или сестру, кого-то, кто выглядел бы похожим на меня или говорил бы почти так же, как я, это было бы чудом… В общем, я понимаю, – заключил он, взяв ее руку в свои ладони. – Я понимаю, что вы чувствуете.

Лидия смотрела на его руки. Она взглянула на безупречные ногти, гладкую кожицу ногтевых кутикул, а потом представила, как его рука скользит вверх по ее обнаженной руке, обнимает за шею и привлекает к себе. «Из всех людей… – подумала Лидия. – Из всех людей, с которыми можно было бы этим поделиться…» *Бендикс.* Ее личный тренер. Человек, который прыгал с ней, как лягушка, и принимал на себя ее удары. Мужчина из незнакомой страны.

Обмен историями мог бы продолжаться до вечера, но Лидия уже ощущала, как замыкается в себе, медленно, но неумолимо, словно цветок росянки. Она ощущала себя нагой и беззащитной. Пора вернуться к основам.

– Ну, ладно, – сказала она и вскочила на ноги. – Мне пора попотеть.

– Вы уверены? – В тихом голосе Бендикса звучала озабоченность. – Мы могли бы поговорить еще.

Лидия приоткрыла рот. «*Да,* – хотелось ей сказать, – *да, я хочу говорить и говорить, а потом я хочу сорвать с тебя одежду, и чтобы ты сорвал одежду с меня, и чтобы мы качались, потели и стонали, а потом лежали, сплетенные друг с другом в лужицах собственного пота, и снова разговаривали*».

– Нет, – ответила она. – Нет. Пока что с меня довольно разговоров, но все равно спасибо. Я думала, что схожу с ума. Теперь я так не думаю.

Последнее лето

РОБИН

Робин Инглис отметила свой восемнадцатый день рождения банкой энергетического напитка «Вольтц» и утренней таблеткой.

Вчера вечером ей было еще семнадцать, но она не

могла собрать гостей на вечеринку воскресным вечером, нет, никак не могла. Вечеринка была почти незаконной, поэтому она началась только в девять вечера, а в полночь ей исполнилось восемнадцать, и последние четыре часа она развлекалась как легитимный и добропорядочный взрослый человек. Ну что же, большое спасибо и на этом.

Мужчина, или *мальчик* (дурачок, ему было лишь семнадцать лет), не имел никакого значения. Просто она должна была как можно скорее сделать это: впервые попользоваться своим взрослым статусом. Его имя было христианским, вера – иудейской, пенис – обрезанным. Он кончил быстро, но Робин это совершенно не волновало. Он был приятным, от него хорошо пахло, и она всего лишь на десять минут отлучилась от своей блестящей вечеринки. Она планировала эту вечеринку в течение полугода, как будто это была ее свадьба или что-то в этом роде. Родители выделили ей 500 фунтов, и она добавила к этому еще двести из собственных денег, сэкономленных от работы в салоне «Zara» по субботам. Лимузин, да, настоящий лимузин приехал забрать ее и трех лучших подруг из дома в субботу вечером. Они выглядели как настоящие знаменитости, никаких сомнений. Робин имитировала закулисный образ Анны Фрил[1], в настоящем выпускном

[1] Анна Фрил (р. 1976) – британская актриса, снимавшаяся в многочисленных исторических, мистических и романтических телесериалах.

платье с нижними юбками, красной помадой и высоким начесом. Она выглядела *потрясающе* – все так говорили.

Мама Робин делано изумилась, когда та спустилась по лестнице в своем бальном платье. Мама поднесла ладони ко рту, сдавленно ахнула и произнесла: «Ты выглядишь просто потрясающе. Принцесса, настоящая принцесса!» Отец с довольно-таки гордым видом просто улыбнулся своей широкой глуповатой улыбкой. Потом они произнесли обычные заклинания: «*Никуда не ходи, не сказав своим подругам*», и «*Звони нам в любое время, если попадешь в беду*», и «*Никогда не оставляй без внимания свой бокал и не принимай выпивку от других людей, если ты сама не видела, как бармен наполняет бокал*». Да, да, да. Как будто она никогда не пила раньше. Бога ради, Робин пристрастилась к выпивке с тринадцати лет. Она знала свою меру.

Даже когда она была с Кристианом (интересно, почему еврейские родители назвали сына в честь Христа, и имело ли это какой-то смысл?), прижатой к стене возле мужского туалета, то сохраняла полный контроль над ситуацией. Правда, Кристиан не надел презерватив. На самом деле это не имело значения, потому что у нее остались две утренние таблетки, и от Кристиана слишком хорошо пахло, чтобы заподозрить опасность венерического заболевания. Если волосы пахнут *настоящими* розами, можно не опасаться этого. Так или иначе, она полностью владела ситуацией: притянула его за галстук, вытряхнула из штанов, крепко, *по-настоящему* крепко поцеловала Кристиана и прошептала ему на ухо: «Ты мой подарок на день рождения».

После того как около часу ночи их вежливо попросили из ресторана, они устремились на улицу – великолепные парни и девушки, шагавшие в обнимку, распевали как в кино. Она попыталась снять их на камеру мобильного телефона, но свет был недостаточно хорошим, и осталось лишь мерцание фонарей и вытянутые полосы с человеческими очертаниями. Впрочем, Робин все равно сохранит фотографии на память о хороших временах. О лучшем вечере в своей жизни.

Она запила таблетку энергетическим напитком и пожелала, чтобы то и другое удержалось внутри. Осталась лишь одна таблетка, и, если что-то пойдет не так, нужно будет обратиться к семейному врачу. У Робин никогда не было похмелья. Просто стальная печенка. Но Робин чувствовала себя смертельно усталой, словно только что выползла из могилы. Она откинула с лица черные волосы и посмотрелась в зеркало на туалетном столике. Правильно ли это – думать, что ты такая хорошенькая? Нормально ли это? Смотрятся ли в зеркало другие восемнадцатилетние девушки с мыслью: «М-м-м, а я хорошенькая»? С ней так случалось регулярно. Каждый раз, видя свое отражение, она испытывала тайную дрожь удовольствия. Робин уже боялась потерять свою красоту. Уже знала, что ближе к тридцати годам будет изгонять бесов с помощью ботокса, или что еще там придумают к 2018 году. Сидеть в цистернах с марсианской мочой, или еще что-нибудь. Вообще-то Робин предпочла бы инъекции ботокса цистерне с марсианской мочой. Так или иначе, она собиралась оставаться в игре.

Для Робин самым страшным было плохо выглядеть. Но она выглядела совсем неплохо, даже несмотря на пять часов сна и усердную переработку продуктов спиртового распада в организме. Ее ореховые глаза были круглыми и слегка выпуклыми, каштановые брови изящно изогнутыми. Ее нос был превосходным, иначе и не скажешь. Не курносый, не длинный, не короткий, совершенно прямой, с аккуратными маленькими ноздрями. А еще рот. Он был мягким, как подушка. В детстве она выглядела почти как инопланетянка: слишком широкие глаза и здоровенные губы, словно списанные с лица тридцатилетней женщины. Робин пришлось дорасти до своих неземных черт, вырастить кости и мышечную структуру для их поддержки. Люди иногда говорили, что она похожа на Анджелину Джоли. И Робин было интересно, в самом деле интересно, откуда у нее взялись эти губы. Они были похожи на африканские. Могло быть и так, предполагала она. Губы не принадлежали ее матери, это точно, потому что у матери они были узкими и прямыми, как трамвайные рельсы. И, *конечно же*, она не унаследовала эти губы от отца, потому что он не был ее настоящим отцом, а мать никогда не встречалась с ее реальным отцом, так что Робин понятия не имела о его лице. Наверное, думала она, у него были полные губы.

Смуглый, с полными губами и скулами, похожими на бумеранги.

Она совсем немного знала о своем настоящем отце. Он был французом, жил в Лондоне и занимался медициной. Не какой-нибудь там старой медициной, а *детской* медициной. Он был... Как там его называли ее родители? – да, он был *альтруистом*. Правильно. Он работал с больными детьми и жертвовал свою сперму незнакомым людям. Это было довольно забавно, поскольку альтруизм также наблюдался в мире животных, когда существо пренебрегало собственным удобством и безопасностью ради того, чтобы обеспечить распространение своих генов. Так или иначе, он казался самым замечательным человеком на свете, и Робин никогда не ожидала встречи с ним, но тем не менее любила его, любила за его альтруизм и за то, что он сделал ее такой, как есть: красивой, умной и так далее.

Все знали, что отец Робин был донором спермы. Из этого не делали секрета. В школе, где училась Робин, было трое детей, живших с гомосексуальными парами – двумя матерями или двумя отцами, и еще был мальчик, который в десятилетнем возрасте прошел курс гормональной терапии, превратившей его в девочку, так что неизвестный отец был заурядным явлением. Половина детей из школьного выпуска, вероятно, имела анонимных отцов, но Робин могла поспорить, что их отцы не были французскими педиатрами.

На туалетном столике завибрировал телефон. Она взяла аппарат.

– Нэш! Вот блин! Ты нормально добралась? Боже, я думала, тот хрен с горы поперся за тобой. Да, тот чудик. Слушай, у него был *раздвоенный язык*, или мне показалось? Ха-ха! Нет, у меня все нормально, ты же меня знаешь. Стальная печень. Да, да. Это был просто блеск, правда? Серьезно, просто *улетно*. Абсолютно. Да, я знаю. Сегодня? А, ничего такого, позавтракала с родителями, тетушкой, родственниками и прочими. Я ношу то платье от Kookai[1], знаешь, то самое, с пояском на талии. С высокой прической это должно быть... о, и спасибо за то роскошное ожерелье. Люблю тебя! Люблю тебя, Нэш! Я так тебя люблю, что прямо синие птички вокруг сердца порхают. Да, прямо кружат и кружат, разве ты не слышишь их песенки, послушай...

Немного позже в тот же день в «Кабаньей голове» Робин ощутила себя знаменитостью. Она приходила туда с папой и мамой с тех пор, как ей исполнилось несколько месяцев, и все вокруг ее знали. Все вокруг знали о Робин еще до ее рождения. На стене ее спальни висела газетная вырезка с заголовком «Детская радость для трагической четы из Бакхерст-Хилл». Там была фотография мамы с беспорядочно спутанными волосами, сидевшей на диване в их старом доме и обнимавшей раздутый живот; отец стоял сзади, положив руку ей на плечо. Было совсем не похоже, что они объяты «детской радостью», и выглядели они по-настоящему старыми и печальными, но, с другой стороны,

[1] Австралийский модный бренд.

им довелось пережить несколько действительно трагических лет, и трудно было ожидать радостного выражения на их лицах. Мать Робин говорила, что она не поверит в благополучный исход дела, пока не возьмет на руки своего ребенка. Это было понятно, с учетом того, через какие мучения они прошли. Но на самом деле Робин интересовало лицо отца на той фотографии. Какие чувства он испытывал, если знал, что жена вынашивает не его ребенка?

Теперь Робин сидела на коленях у своего большого и чудесного отца. Он был массивным, как прочное кресло, и от него пахло кожей и кондиционером для стирки белья. Они прекрасно проводили время. Они были счастливой семьей. Робин поцеловала отца в щеку и соскользнула с его коленей, чтобы занять место во главе стола.

– Ну, каково чувствовать себя взрослой? – спросила Джен, сестра отца.

Робин улыбнулась. Она уже несколько лет чувствовала себя взрослой.

– Мне нравится, – сказала она. – Я готова голосовать на выборах хоть каждый день. И заниматься анальным сексом.

Джен громко рассмеялась. Семья Робин принадлежала к тем людям, которые не испытывают неудобства от разговоров об анальном сексе.

– Ха-ха! – гоготнула Джен. – Да, милая, лучше делай это сейчас, пока у тебя не появятся дети. Потому что потом ты не захочешь этим заниматься!

Робин наморщила нос и постаралась не думать о том, что скрывается за этими словами.

Она обвела взглядом членов своей семьи: маму, папу, родственников и тетушку – и уже не в первый раз подумала: «Я отличаюсь от вас». Причем не только это, но и «я лучше вас». Это была нехорошая, даже отвратительная мысль, но Робин ничего не могла с собой поделать. Всю свою жизнь она была другой. Одиннадцать GCSE, четыре AS, четыре A[1]. Готова приступить к изучению медицины в лондонском Юниверсити-колледже. Последовать по стопам своего славного и загадочного отца, *настоящего* отца, который наделил ее такими талантами.

Она встала в очередь за мясными блюдами и улыбнулась шеф-повару Стиву, немного потевшему под жаркими лампами в белом колпаке и потрясавшему большим, остро наточенным ножом.

– С днем рождения, Робин! – с застенчивой улыбкой произнес он.

– Спасибо! – Робин улыбнулась в ответ.

Стив был влюблен в Робин. В начальной школе они учились в одном классе, и уже тогда он был влюблен в нее. Все знали об этом. Возможно, он сам напросился на сегодняшнюю работу, поскольку знал, что Робин будет праздновать свое совершеннолетие.

---

[1] Уровни английской системы среднего образования: общий аттестат с количеством экзаменов, экзамены первого и второго повышенного уровня для подготовки к высшему образованию.

– Я достал тебе пригласительную карточку, – сказал он, вытерев испарину со лба тыльной стороной ладони и отрезав Робин несколько ломтиков индейки. – Отдам позже, когда приберусь тут.

Робин снова улыбнулась и кивнула. Она не сомневалась, что ему хочется поцеловать ее.

– Спасибо, Стив, – сказала она. – Правда, это очень мило с твоей стороны.

– Хочешь, положу немного начинки?

– Нет, не надо. Положи чуть-чуть бекона.

– Ты выглядишь изумительно, – сказал он.

– Еще раз спасибо. Ты выпьешь с нами, когда закончишь? – поинтересовалась она. – Полагаю, мы еще долго просидим здесь.

Его лицо обмякло, как взбитое тесто, и он поспешно кивнул.

– Да, это будет здорово, – пробормотал он.

Робин положила себе на тарелку жареную картошку, влажные букетики отварной брокколи, кучку брюссельской капусты и щедро полила все это густым винным соусом, которым славилась «Кабанья голова». Потом она отнесла нагруженную тарелку к столу, где все заохали и заахали, удивляясь ее мужскому аппетиту, и сказали: «Ох, куда же ты все это положишь? Должно быть, у тебя безразмерный желудок!» Робин смотрела на своих хорошо упитанных родителей, на довольно пышные формы своей тети, которая славилась замечаниями, вроде «Мне стоит лишь посмотреть на кусок чизкейка, и я сразу же подрастаю на один размер», на своих родственниц с их маленькими ротиками, мучнистыми лицами и широкими ступнями и думала: «Нет, я не одна из вас. Я принадлежу к собственному племени, некогда перемещенному на эволюционной лестнице вверх». Это не означало, что она не любила их. Она любила членов своей семьи со звериной страстью. Но есть люди, которые любят со звериной страстью своих собак; это не означает, что между ними есть родственная связь.

– Ты хорошо развлеклась со своими друзьями вчера вечером? – спросила тетя Джен.

– Потрясающе, – ответила Робин. – Это была *лучшая* вечеринка.

– Я помню свое совершеннолетие, – сказала Джен. – Я носила комбинезон и перманентную завивку. Думала, что я выгляжу, как Брайан Мэй[1]. – Она рассмеялась. – В восьмидесятые годы нелегко было выглядеть женственной. В наши дни девушки так красиво одеваются! Для вас в магазинах есть так много чудесных вещей!

Телефон Робин завибрировал, приняв текстовое сообщение. Это был Кристиан: «Эй, детка, чем занимаешься?»

Она застонала. «*Эй, детка*». Не имеет значения, как хорошо пахнет от парня, если он посылает тебе сообщения с такими словами. Она передернула плечами и набрала ответ: «Обедаю вместе с семьей. Как-нибудь

---

[1] Брайан Мэй (р. 1947) – гитарист группы Queen.

увидимся». Она специально не поставила знак вопроса в конце последнего предложения. Знак вопроса означал бы, что она *надеется* на встречу с ним. На самом деле все было наоборот. Она была рада провести остаток своей жизни, никогда и нигде не встретившись с ним. Робин не интересовалась парнями из своего круга общения, по крайней мере, в таком смысле. С ними было приятно выпить, повеселиться, даже разок переспать. Но для долгой совместной жизни, возможно до самого конца, мог подойти только врач.

– А теперь тост! – произнес отец и поднял пинтовую кружку горького эля. – За мою малышку. За *нашу* малышку! – Он улыбнулся жене. – Мы гордимся тобой, дорогая, мы очень гордимся всеми твоими достижениями. За эти восемнадцать лет ты не принесла нам ничего, кроме счастья, ничего, кроме радости. Мы не могли бы просить о лучшей дочери. Спасибо тебе, Робин, за то, что ты – это ты. – При этих словах из уголка его глаза выползла слезинка, которая скатилась по носу. Отец смахнул ее и сконфуженно улыбнулся. – Я люблю тебя, – просипел он.

– Ах, папа. – Робин прильнула к нему. – Спасибо, я тоже тебя люблю. – Она привлекла в объятия и мать. – Спасибо вам обоим, что вы были лучшими папой и мамой на свете. Я хочу, чтобы вы знали: я буду и дальше поступать так, чтобы вы гордились мной.

«Вот так», – подумала она, ощущая тепло родительских рук, сомкнутых вокруг нее, тепло человеческой общности, тепло августовского дня. Это было все, чего она хотела, все, в чем она нуждалась. Теперь ей было восемнадцать. Если бы она захотела, то могла бы связаться со своим настоящим отцом. Но она не собиралась этого делать. Ее настоящим отцом был этот мужчина, который сидел здесь, этот человек в зеленом свитере с круглым вырезом, в ботинках от «Кларкс» и с плечами как у грузчика. *Ее папа.* Она не хотела другого отца.

Ее другой отец, французский педиатр, навсегда останется у нее в голове. Он будет неосознанно подталкивать ее к медицинской карьере и всегда будет заставлять ее чувствовать себя чуточку лучше остальных. Но ее привязанность к нему не пойдет дальше этого. Робин хотела, чтобы он оставался тем, кем был сейчас: персонажем ее личной, сокровенной сказки.

Позднее в тот вечер Робин сидела на диване, прижавшись к отцу и поджав ноги под себя, и смотрела по телевизору шоу «Большой брат». Мать вошла в комнату, держа что-то в руках и прижимая к груди. Она улыбалась, но выглядела странно напряженной. Отец выпрямился при виде нее, а Робин инстинктивно развернулась и опустила ноги на ковер.

– Все в порядке? – спросила она.

Мать кивнула:

– Все нормально, милая, просто замечательно. Хочу тебе кое-что показать. Подвинься, ладно?

Робин посмотрела на бумаги в руках матери.

– О нет! – театрально воскликнула она. – Только не говорите, что я приемный ребенок!

Мать улыбнулась.

– Это мне дали в клинике, когда я забеременела тобой, – сказала она.

Робин отпрянула и поднесла руку к горлу.

– Унеси это. Я не хочу смотреть.

Мать вздохнула и положила руку на ногу Робин.

– Ты не обязана это читать, – ласково сказала она. – Но я хочу, чтобы ты хранила это у себя. Тебе исполнилось восемнадцать лет. Теперь ты взрослая. Эти бумаги мне больше не принадлежат.

– Тогда выкинь их в мусорную корзину, – предложила Робин. – Измельчи в шредере или сожги. Мне они не нужны.

Мать снова вздохнула.

– Это всего лишь письмо, – сказала она. – Я его читала, и там нет ничего волнующего. Есть порядковый номер донора и информация о нем на тот случай, если ты решишь связаться с ним.

– Я не хочу! И не хочу читать это письмо! Я уже достаточно знаю о нем, я очень благодарна и так далее, но в моей жизни он совершенно не нужен, понимаешь? Я правда, правда не хочу ничего знать.

Мать сжала ее ногу и улыбнулась.

– Знаешь, – продолжала мать, – мы с отцом не останемся с тобой навечно. Мы еще не очень старые, но и моложе не становимся. А когда мы уйдем, ты останешься сама по себе. Возьми эти бумаги, милая, и сохрани их. По крайней мере, если что-то случится, – *а этого не будет,* – еще одно одобрительное пожатие, –

но если все-таки случится и у тебя возникнет желание познакомиться с ним, то ты будешь иметь все необходимое, чтобы что-то предпринять. Хорошо? И еще подумай вот о чем. Даже если ты не хочешь встречаться с донором, как насчет твоих братьев и сестер? Я знаю, – она перебила зарождающиеся протесты, – я понимаю, что сейчас ты этого не хочешь. Но в будущем... когда-нибудь... Может быть. Ну как, хорошо?

Робин покосилась на папку с бумагами и шумно выдохнула. Папка была так плотно набита взрывчатым веществом, что Робин почти слышала тиканье часового механизма. Она подумала об этих безымянных, безликих братьях и сестрах и возненавидела их. Она рассматривала их как гротескные карикатуры на саму себя: все с пухлыми губами, все важничают и считают себя особенными, потому что их папаша был донором спермы, их папаша был французским педиатром. Кроме того, у нее были сестры, две прекрасных сестры. Неважно, что они умерли; они по-прежнему оставались в ее сердце, и там не было места для кого-то постороннего. Робин закинула за уши тяжелые локоны и внимательно посмотрела на папку.

– Что ты сделаешь, если я не возьму ее?

– Уберу в надежное место, – ответила мать. – Туда, где ты сможешь найти ее. Потом, когда нас не станет.

Робин немного подумала. Ей пришлось признать, что существует возможность, что однажды по какой бы то ни было причине у нее возникнет желание связаться со своим биологическим отцом. Робин допускала, что ей может понадобиться, скажем, трансплантация печени или у ее будущего ребенка обнаружат какое-нибудь редкое генетическое расстройство. Возможно, однажды ей понадобится, чтобы этот мужчина перестал быть двухмерным диснеевским принцем и стал полноценным человеком из плоти и крови, с живой ДНК. И может быть, тогда будет лучше, если эти бумаги окажутся у нее. Робин соскочила с коричневого плюшевого дивана и нацепила маску решимости.

– Хорошо, – сказала Робин. – Отлично. Дай ее мне. – Она протянула руки. Папка оказалась тяжелой, словно была наполнена мокрым песком. – Но я не собираюсь совать туда нос, если только мне действительно не будет очень, *очень* нужно. Ты понимаешь, правда? Мне не нужен этот тип или другие дети, рожденные от него. У меня есть все необходимое.

Ночью она проснулась в холодном поту и с непривычным беспокойством, как будто позабытый сон толкался в границы ее осознания. Она чувствовала себя потерянной и дезориентированной. Ее желудок был полон еще не переваренных пирожных, кусочков мяса и дешевого белого вина.

Она встала с ощущением, что должна что-то сделать. Рассеянно прошла по комнате, потирая свой недовольно бурчащий живот. Очевидно, Робин знала, что собирается сделать. Она знала это с тех пор, как впервые взяла папку и согласилась стать собственницей ее содержимого. Робин достала папку из нижнего ящика комода и открыла ее.

Сейчас

Робин держала под мышкой подшивку по микробиологии, а на носу сидели очки для чтения в черной оправе, хотя сейчас не собиралась читать. Она была в симпатичном клетчатом платье-рубашке от «Urban Outfitters», зеленых колготках и старомодных сапогах. Она выглядела умной и прикольной. Неформальный шик. В колледже она одевалась совсем не так, как дома. Там, в Бакхерст-Хилл, она выглядела более рафинированной. Здесь, в практичной лондонской обстановке, она позволяла себе немного расслабиться. Впрочем, ей не хотелось выглядеть девушкой, только что приехавшей из Эссекса. Она по-прежнему носила достойное нижнее белье, пользовалась помадой от «Mac» и духами «Agent Provocateur Boudoir».

Она находилась на Гоуэр-стрит и после учебных занятий направлялась в главную библиотеку на лекцию в институте неврологии. Робин была одна. Солнце стояло низко над горизонтом, и Лондон казался странно притихшим, как будто стояло раннее утро и подземка еще не начала работать. «Куда все подевались?» – гадала Робин. Но ей это нравилось; это давало ощущение исключительности и владения местом, как бывает, когда полицейские освобождают улицу для съемок фильма и обычным людям приходится направляться в обход или просто стоять и глазеть на более значительных людей, которые, вполне возможно, являются лишь помощниками осветителей или ассистентами оператора. Пустые улицы заставляли Робин чувствовать себя звездой собственного кино. Она улыбнулась, зная о том, что никто этого не видит, и стала покачивать бедрами при ходьбе. Никто не смотрел, но она вела себя так, как будто все взоры были устремлены на нее. Ей нравились такие моменты, она была студенткой медицинского колледжа, но в процессе изучения медицины иногда не участвовала. Между лекциями она могла моментально очистить свой мозг от всех фактов, профессионального жаргона, имен и чисел, которые ей приходилось постоянно носить в голове, и просто наслаждаться фактом своего существования в этом разреженном мире. В остальное время она была ошеломлена и устрашена количеством знаний, которые ей предстояло усвоить. Книги, похожие на шлакоблоки, наполненные жизненно важной информацией, ежедневные тесты, обучение, усвоение, запоминание. Это было не то, чего она ожидала. Она думала, что будет сидеть в просторной и хорошо проветриваемой аудитории с записной книжкой у локтя и внимательно слушать ученых мужчин и женщин, пожевывая кончик карандаша. Она полагала, что экзамены будут легкими, а тесты окажутся пустяковыми. Месяц за месяцем, вместе с небольшими, беспокоящими вспышками осознания, ей становилось все яснее, что она не такая умная, какой себя считала.

Робин свернула за угол и оказалась перед Брансуик-Центром. Она улыбнулась, поскольку неотразимый соблазн новых магазинов каждый раз взывал к ее тщеславию. В торговом центре она нашла магазин одежды с характерным названием «Радость». Внимание сразу же привлекло яркое платье, выставленное в витрине. Оно было блестящим и красно-оранжевым, с низким лифом и длинной юбкой. Оно вместе с расшитым кардиганом и золотыми туфлями на платформах идеально подошло бы для ее девятнадцатилетия в следующем месяце. Но цена – 89,99 фунта. Откуда ей взять девяносто фунтов? Родители подарили ей на день рождения тысячу, но эта сумма была предназначена для чего-то значительного и важного – годового пребывания за рубежом, покупки автомобиля, депозита на новую квартиру, а не для разбрасывания на новые платья. И в конце концов, сколько выходных платьев нужно для одной девушки? Робин подавила искушение зайти в магазин и примерить платье. (Оно будет отлично смотреться на ней; она уже знала об этом, но если ты примеряешь вещь, то уже на шестьдесят процентов соглашаешься с ее покупкой.)

Робин испытала удовольствие от своей решимости, когда с пустыми руками миновала магазин. Она взрослела и менялась. Пошарив в кармане, она нашла сложенный листок бумаги и для большей уверенности погладила его кончиками пальцев. Это было письмо от ее отца, от ее настоящего отца, которое мать отдала ей в августе, когда они вернулись из паба после праздничного обеда в честь ее совершеннолетия.

Робин постоянно носила письмо с собой, сама не зная почему. По правде говоря, она не хотела этого знать. Письмо было коротким, меньше страницы формата А4, и Робин помнила его почти дословно, включая мелкие грамматические ошибки и редкие восклицательные знаки. Письмо было безобидным. Оно никак не нарушало ее детскую фантазию. Более того, оно лишь укрепляло ее, добавив новые слои фактуры и подробностей. Робин живо представляла симпатичного врача с полными губами, одетого в белый халат и забавную пеструю шапочку, какие носят педиатры, чтобы дети чувствовали себя непринужденно; Робин видела, как он благожелательно улыбается болезненному ребенку на больничной кровати, держа руки в карманах и, возможно, покачиваясь с пятки на носок. Теперь Робин могла добавить к этой сцене частицу индивидуальности: очаровательно неправильное употребление английских причастий в прошедшем времени, склонность заканчивать фразы на удивленной нотке, определенную застенчивость и самоуничижение.

Вместо того чтобы сделать его неприятно человечным в физическом смысле слова, письмо делало его еще более вымышленным и недостижимым. В свою очередь, это лишь укрепляло Робин в ее решении никогда-никогда не встречаться с ним.

Но это было тихим февральским утром во вторник, на полпути между учебными занятиями и лекцией, ровно за две недели до того, как она познакомилась с Джеком Хартом и влюбилась.

Был вечер вторника, разгар поздней торговли на Оксфорд-стрит. Робин стояла у кассы внизу, в отделе мужской одежды. Магазин закрывался через полчаса, и она так устала, как будто работала в угольной шахте. Она вышла из дома в восемь утра, прослушала несколько лекций, потом провела изнурительно групповое занятие после обеденного перерыва, потом опрокинула с подругой желанный стаканчик в баре и прибыла в магазин «Zara» в 18.00 для работы в вечернюю смену.

Когда Джек Харт вошел в магазин, часы показывали 20.31. Он миновал Робин, даже не взглянув на нее, и сразу же направился к витрине с вязаными вещами. Что-то в его осанке заставило Робин слегка выпрямиться и облизнуть губы. Он не был высоким и мускулистым, но в нем было что-то пружинистое и энергичное, как будто он с ходу мог прокрутить сальто. Его черные волосы были подстрижены в «лохматом» стиле. Робин еще не видела его лица, но была зачарована его спиной, покроем пальто, углом плеч, манерой стоять на широко расставленных, напружиненных ногах. В нем не было ничего сказочного или неопределенного. Он стоял с таким видом, как будто торговый зал принадлежал ему, как будто он был королем, инспектирующим своих подданных. Он с разочарованным видом перебрал несколько кардиганов. Это не было бездумным перебором; он явно искал что-то определенное, о чем заранее составил представление и чего, по-видимому, не существовало в реальной жизни.

– Вам помочь? – поинтересовалась Робин, убрав

гнусавые тона своего эссекского выговора и стараясь улыбаться не слишком широко.

Посетитель повернулся и удивленно посмотрел на нее, как будто полагал, что пребывает в одиночестве.

По его лицу промелькнула улыбка. *Безразличие.*

– Вообще-то да, – ответил он, как будто мысль о том, что помощница в торговом зале может кому-то помочь, никогда не приходила ему в голову. – Да. Я ищу свитер, похожий на этот. – Он распахнул пальто и продемонстрировал свитер. – Но только умеренно коричневого цвета.

Робин улыбнулась.

– Очень приятный свитер, – сказала она. – Думаю, мы сможем найти именно то, что вам нужно.

Она пошла по торговому залу, и покупатель последовал за ней. Робин носила облегающие серые брюки и шифоновую блузку без рукавов. Она знала, как выглядит сзади, так как уже проверила это в примерочной, когда переодевалась для работы. Ее волосы были собраны в пучок, обнажая шею, и Робин знала, что он видит крошечную татуировку на вершине ее позвоночника, причудливые завитушки, составленные из инициалов ее сестер: G и R, Джемма и Рэйчел. Робин сделала эту татуировку в прошлом году, с разрешения родителей. «Если ты потом пожалеешь, что сделала ее, то всегда можешь закрыть ее волосами», – сказали они. Позже они плакали, когда увидели татуировку. Сказали, что она очень красивая и сделана со вкусом, на память об их дорогих девочках.

– Хм-мм, – протянул посетитель, когда она развернула третий джемпер кремово-кофейного цвета на столе в задней части магазина. – Почти, почти...

– Но не совсем?

– Да, вам не кажется, что он чуточку *золотистый*? – Он ущипнул себя за подбородок и улыбнулся: – Я кошмарный покупатель, верно?

Робин рассмеялась:

– Нет, вовсе нет. Хорошо, когда знаешь, чего ты хочешь. Это значит, что совершаешь в жизни меньше ошибок.

– Ага, – сказал он. – Значит, я разговариваю с коллегой-педантом?

– Возможно. – Она улыбнулась: – Да. Я знаю, чего хочу. Я знаю, что мне нравится, и не готова идти на компромиссы.

Он шутливо попятился.

– Теперь я говорю как кошмарная педантка! – со смехом воскликнула она.

– Нет, вовсе нет, – возразил он. – Вы говорите как девушка с таким характером, который мне нравится.

Он явно заигрывал с ней, но это не могло сбить Робин с выбранного курса. Она ожидала этого не просто потому, что была хорошенькой и привыкла к мужскому флирту, но и потому, что все в этом человеке казалось очень знакомым. Его замечание выглядело не так, словно появилось из ниоткуда; оно больше напоминало часть более долгого и интимного разговора.

Робин посмотрела на собеседника. Раньше она

толком не смотрела на него, так как отвлекалась на вязаные вещи. Он был красавцем, другого слова не подберешь. Просто красавцем. Черты его лица были мягкими, почти женственными, но на мужской стороне андрогинности. Кожа была чистой и гладкой, а глаза – зеленовато-голубыми, льдистого оттенка. Аккуратный прямой нос хорошо сочетался с полными губами, но впечатление ума и юмора, исходившее от него, было более убедительным, чем безупречная внешность.

Робин пропустила его комментарий мимо ушей и спросила:

– А для чего понадобился новый джемпер?

– Ни для чего в особенности. Просто для того, чтобы я перестал все время носить старый.

Робин украдкой взглянула на его левую руку: нет ли там обручального кольца? Судя по манере поведения, он мог быть женат или иметь серьезные отношения с женщиной. Люди, как правило, описывают состояние одинокого человека как ту или иную степень отчаяния. Робин смотрела на это по-другому. Для нее одиночество было связано с ощущением уязвимости. Существовала некая хрупкость в одиноком человеке, который смотрит на другого человека. Нечто тонкое и ломкое, как скорлупа воробьиного яйца. Не имело значения, как сильно старается одинокий человек скрыть свое состояние за похвальбой и бравадой: оно по-прежнему оставалось под поверхностью, беспомощное, как новорожденный птенец. Но у этого человека не было скорлупы птенца. Он был цельным от начала до конца. Значит, либо он женат, либо он гей, либо не имеет ни малейшего интереса к знакомству с кем-либо.

– Где вы достали этот? – спросила Робин и указала на его джемпер, подавив желание положить ладонь парню на грудь.

– Здесь. – Он улыбнулся. – В магазине «Zara», около трех лет назад. А теперь он побит молью. – Он закатал подшитый край и показал дырочку на спине.

Робин скорчила гримаску.

– Ненавижу моль, – сказала она. – Это сущее зло.

– Абсолютное зло, – со смехом согласился покупатель. – Поэтому я решил, что пришло время купить новый джемпер от «Zara». Это прекрасная возможность расстаться с серым цветом.

В конце концов Робин продала ему три джемпера: коричневый, еще один серый и черный. Его привлекательность вовсе не означала, что она не сможет заработать на нем дополнительную комиссию.

После того как Робин сняла ценники, сложила джемперы и упаковала их, атмосфера стала вязкой и напряженной. Она уклонилась от его единственной попытки продолжить беседу о джемперах, и он явно не собирался предпринимать новую.

– Сто восемнадцать фунтов, пожалуйста, – сказала Робин.

Он приподнял бровь с таким видом, словно 118 фунтов для него были целой кучей денег, и передал Робин дебетовую карту.

– Спасибо. – Робин попыталась прочитать его имя на карте за тот короткий момент, пока вставляла ее в приемник. Ей удалось заметить «мистер», двойные инициалы и фамилию Харт. Мистер такой-то и такой-то Харт.

Робин Харт.

Эта мысль промелькнула у нее в голове со скоростью пассажирского экспресса. Робин моргнула, чтобы убедиться, что все закончилось. Раньше она никогда не соединяла свое имя с мужской фамилией. Никогда, даже в школе. Она вообще не имела желания менять собственную фамилию, которая принадлежала ей, отцу и матери, сестрам. Она никогда не откажется от нее, ни ради кого. Но вот же оно: Робин Харт. *Доктор* Харт. Это воспринималось уже не как школьная фантазия, а скорее как пророчество.

– Будьте добры, введите пин-код, – слабым голосом попросила Робин.

Она посмотрела, как покупатель сильным указательным пальцем вводит номер, и облизнула губы. Его сумка лежала на стойке, готовая и собранная. Автомат напечатал чек, и Робин оторвала его часть.

– Положить в сумку?

– Да, конечно. – Харт кивнул.

Их мимолетное знакомство неотвратимо близилось к концу. Сейчас он подхватит сумку за ручки, улыбнется и уйдет. И это, вдруг поняла она, будет трагедией.

– Вы работаете здесь? Все время?

Робин ощутила, как напряжение покидает ее. Мистер Харт бросил спасательный круг для утопающей. Она подхватила его и благодарно улыбнулась.

– Нет, – ответила она после небольшой заминки. – Нет, только вечером по четвергам. А еще по субботам и воскресеньям в местном отделении сети, рядом с моим домом.

– А чем вы занимаетесь в остальное время?

Робин снова улыбнулась:

– Я студентка. Учусь на медицинском факультете.

Приподнятые брови обозначили его удивление.

– Ого, это классно. В какой области специализируетесь?

– Педиатрия.

– Напомните-ка, это что-то, связанное с ногами? Или с детьми?

– С детьми. – Она рассмеялась. – Я хочу лечить больных детей. Ну и, разумеется, стремиться к миру во всем мире.

Харт тоже рассмеялся.

– Значит, в один прекрасный день вы станете врачом?

– Да, по идее, примерно так. Но, конечно, сначала мне придется пройти долгий путь. Я еще в самом начале. Но если упорно работать, то можно надеяться, что когда-нибудь я буду лечить одного из ваших еще не родившихся детей.

Он поморщился. Сначала она подумала, что его покоробило от одной мысли о детях, но потом она поняла скрытый смысл собственных слов.

– О господи, нет, конечно же, я не имела в виду... Если у вас будет ребенок, я очень надеюсь, что мне не придется лечить его...

– Если только это не будет ваш ребенок, – с улыбкой закончил он.

Ее мысли лихорадочно скакали, пока она старалась интерпретировать его слова в таком виде, который бы не означал того, что явно угадывалось за его словами.

– Что? Вы хотите сказать...

Он выглядел немного смущенным.

– Ничего, – сказал он. – Просто сморозил глупость. Не обращайте на меня внимания. Так или иначе, – он повел разговор к стремительному завершению, – спасибо за то, что были так терпеливы и внимательны в вопросе о выборе коричневого джемпера. И... э-э-э... желаю удачи.

– Спасибо, – сказала она. – Надеюсь, что вы и ваши новые джемперы будете счастливы вместе.

Он натянуто улыбнулся. Робин видела, что какие-то новые слова пытаются пробиться через эту улыбку. Ей хотелось, чтобы это произошло, но ничего не случилось.

Когда он уходил, его фигура выглядела не такой подвижной и жизнерадостной, как двадцать две минуты назад. Магазин опустел. Часы на стойке показывали 20.54. Пора было снимать кассу, выключать приборы, приглушать освещение и уходить.

Через полчаса Робин надела пальто, сменила шпильки на кроссовки, перекинула сумку через плечо и вышла из магазина через парадный вход, сопровождаемая оглушительным звоном поставленной на взвод охранной сигнализации.

Вместе с менеджером и другой девушкой Робин собиралась повернуть налево и направиться к станции подземки Тоттенхэм-Корт-роуд, когда сбоку появилась мужская фигура.

– Прошу прощения, – сказал мистер такой-то и такой-то Харт. – Я полчаса околачивался поблизости, как сумасбродный охотник. Просто было интересно. Я знаю, что уже поздно, но вам обязательно прямо сейчас идти домой или у вас есть время для беседы?

Робин посмотрела на него, потом на свою подругу. Та послала ей предостерегающий взгляд. Робин снова посмотрела на Харта. «Я верю тебе, – подумала она. – Я знаю тебя». А потом она выразила свое согласие простым кивком.

Она познакомилась с Хартом всего лишь час назад, но уже мечтала стать его женой, а он уже говорил о том, что может стать отцом ее детей. Иначе и быть не могло.

ДИН

– Ты хоть понимаешь, что выглядишь жалко?

Дин вздрогнул. Он упирался лбом в сжатые кулаки, а его нос уткнулся в пол. Он смотрел на грязное пятно на сером ковре. Происхождение грязи было трудно определить. Это могла быть подпалина или просто растоптанный комок дерьма. Под таким углом зрения было трудно судить, выпуклое оно или вогнутое. Жилка на виске Дина начала пульсировать в такт с голосом Скай. Вы думаете, что у девушки по имени Скай должен быть голосок жаворонка или голубицы? Думаете, девушка по имени Скай должна носить цветы в волосах и благоухать жасмином или розовой водой? Нет. Эта Скай, *его* Скай, была жесткой и суровой. Она была маленькой, даже крошечной, словно недоношенный ребенок, который никогда не вырастет до нормального размера. Но она возмещала нехватку объема своей манерой поведения. Скай пугала. Пугала еще в то время, когда была обычной девятнадцатилетней девушкой, не имевшей более важных забот, чем выбор одежды для вечернего выхода... но теперь, когда забеременела, вообще стала похожа на одержимую дьяволом. Она относилась к Дину как к грязи или еще хуже. Как будто он был досадным пятном. Непонятно, чего Скай могла ожидать от грязи – быть немного менее грязной?

– Я жду ребенка, – процедила Скай. – Настоящего ребенка. Я отказалась от выпивки, отказалась от сигарет, даже отказалась от гребаной диетколы. Так? И я всего лишь прошу тебя перестать курить эту вонючую дрянь, так? Ты не можешь себе этого позволить, и это плохо для твоей головы. Так?

Он медленно оторвал голову от кулаков и посмотрел на Скай через опущенные ресницы. Хуже всего, что она была права. Он не мог себе этого позволить. И это было плохо для его головы. Но это был его личный выбор, пусть и неправильный. А Скай хотела его лишить даже этого. Он вздохнул. «Оставь мне хоть что-нибудь, – хотелось сказать ему. – Ты забрала мою юность и мою свободу. Оставь мне это. Только это». Но он лишь улыбнулся.

– Ты права, – он указал на коробочку, лежавшую на столе, – клянусь, я завяжу, хорошо?

Скай подняла брови.

– Так. Хорошо. Я верю тому, что вижу. Но это нечестно, – продолжала она. – Только я приношу все эти проклятые жертвы. Мое тело... ты только посмотри на это. – Она приподняла край туники. – Сплошные долбаные растяжки. Они никогда не сойдут. Они останутся у меня на всю жизнь, понимаешь? Мне девятнадцать лет, и я уже просрала свое тело. А для тебя это просто большая игра. – Скай опустила тунику. – Просто большая игра. Ты. Маленький. Дрянной. Мальчишка.

Скай выбралась из глубины дивана и с некоторым усилием подняла себя и свой раздутый живот (Дин подозревал, что тут не обошлось без дополнительного драматического эффекта). Потом она зашаркала в поношенных кожаных шлепанцах, устало придерживаясь одной рукой за копчик, вошла в спальню и театрально хлопнула дверью.

Дин провел пальцами по коротко стриженной голове и снова вздохнул. Еще недавно он работал на перевозках, зарабатывал больше 250 фунтов в неделю, имел достаточно денег на развлечения, спиртное и все остальное, чего душа пожелает. У него была ладная подружка Скай Донелли, секс по предъявлению спроса, хорошая жизнь. Потом работа пропала, Скай забеременела, стала фригидной и покрылась растяжками. Он никак не мог бросить ее, и не имело значения, как сильно она грызла его и собачилась с ним. Никаких шансов. Так уж он был воспитан. Кроме того, он вырос без отца и не мог допустить, чтобы такое случилось с кем-то из его детей.

Это будет девочка. Маленькая девочка. Скай хотела назвать ее Айседорой. Дин хотел назвать ее Кэти в честь своей бабушки, которая умерла год назад. Он знал, кто победит в этой схватке. Его Скай – маленькая, но смертоносная.

Айседора Кэти Хиггинс. Звучало не очень складно, но все-таки гораздо лучше, чем добрая половина имен, которыми награждают детей в наши дни. Один из его приятелей из товарного депо назвал своих близнецов Гуччи и Прада.

Через пять минут Скай вышла из спальни. Она была полностью одета.

– Куда ты собралась? – спросил Дин.

– В клинику.

– Зачем?

– Ох! Для того чтобы сделать долбаный педикюр, вот зачем! Сам-то как думаешь?

– Я не знаю, поэтому и спросил.

– У меня кровотечение.

– Что?

– Да, кровотечение. Понятно?

– Вот дерьмо. Ты думаешь...

– Я думаю, что могу потерять ребенка, и не собираюсь сидеть здесь и ждать, когда это случится. Ты идешь или как?

Через полчаса после того, как Скай и Дин вошли в клинику и обратились в отделение интенсивной терапии, им сообщили, что у Скай начались первые схватки, но плацента лежит слишком низко, и Скай в опасном количестве теряет кровь. Их отправили прямиком в акушерское отделение госпиталя королевы Шарлотты, где сказали, что ребенка нужно рожать немедленно.

– Но у меня лишь тридцать недель! – запричитала Скай.

– У нас работает одно из лучших неонатальных подразделений в стране. С ребенком все будет в порядке.

– Но он будет крошечным!

– Да, но у нас бывали еще меньше. К нам поступали дети после двадцати двух недель беременности, которые выживали и потом прекрасно себя чувствовали.

– Но я сама была недоношенным ребенком. Я много недель пролежала в клинике, а потом отставала во всем. Что, если ребенок окажется умственно неполноценным?

– Послушайте, Скай, – сказала медсестра. – Если

вы сейчас не родите ребенка, то оба можете умереть. Поэтому на самом деле мы просто должны рискнуть.

Скай схватила Дина за руку и отчаянно посмотрела на него:

– Вот дерьмо, Дин! Господи, я боюсь! Я правда боюсь!

Он сжал ее руку и выдавил улыбку через маску ужаса, сковавшую его лицо.

– Все будет хорошо, детка. Ты слышала, что они говорят? Все будет отлично.

– Но тридцать недель! Она будет такой маленькой. Нам придется покупать новые распашонки, комбинезоны и все остальное. О боже, Дин, я не готова к этому. Я не готова!

Дин тоже не был готов. Он никогда не был готов и не представлял, что это вообще может случиться. Он оттягивал этот момент в надежде, что если он не будет думать об этом, то ничего не произойдет, что его жизнь каким-то образом пойдет дальше, превратившись в маленькое серое пятнышко на горизонте. В каком-то смысле даже хорошо, что это происходит сейчас. По мере приближения назначенной даты Дин становился бы все более нервозным, все менее способным совладать с надвигающейся реальностью. А теперь реальность свалилась ему на голову как кирпич. Это лучше, чем недели тошнотворного ожидания.

– Все будет в порядке, – повторил Дин. – Честно. Я попрошу маму достать для ребенка новые вещи.

– Я бы сейчас не стала беспокоиться об одежде для

младенца, – вмешалась медсестра. – Малышка пробудет здесь еще несколько недель, ей надо будет окрепнуть. Здесь у нас есть необходимая одежда, а к тому времени, когда вы заберете ее домой, ей подойдут все те чудесные вещи, которые вы уже купили для нее.

Дин поразмыслил об этом. Ребенок скоро родится, но останется здесь. О малышке будут заботиться другие люди. Он сможет отправиться домой, все обдумать и хорошенько выспаться. Все начинало казаться вполне осуществимым. Скай больше не будет беременна, и не будет еще десяти недель вечной грызни. Десять недель, в течение которых она, вероятно, будет постоянно находиться здесь, рядом с ребенком. И все это время он будет медленно, постепенно знакомиться со своей малышкой. Она капля за каплей просочится в его жизнь, а не стремительно ворвется в нее.

Дин улыбнулся.

– Все будет замечательно, – теперь уже совершенно искренне произнес он.

– Они собираются разрезать меня, Дин! Они вскроют мне живот. Черт, у меня больше никогда не будет плоского живота! О боже, я не позвонила маме... Сколько мне осталось? – обратилась она к медсестре.

– Уже готовят хирургический кабинет, скоро подойдет анестезиолог. Ваш ребенок должен появиться на свет в течение часа.

– Вот дерьмо! Дин, достань мой телефон. Дай его мне!

– Где он?

– У меня в кармане. В моем пальто. Там... нет, не там. В другом кармане! В другом, ты слышишь, недоумок? – Скай выхватила телефон из его пальцев и набрала номер своей матери. – Мама, я в клинике! У меня схватки! Кровотечение... Да. И они собираются достать ребенка. Нет. В отделении С. Да. Дин здесь, да. Ты приедешь, мама? Приедешь сейчас? Пожалуйста, приезжай, мама. Мне так страшно. О господи, анестезиолог уже здесь. Они собираются сделать мне инъекцию. Скорее, мама, скорее!

Скай плакала. Дин был странно тронут при виде слез, блестевших на щеках его подруги. Скай никогда не плакала, даже после смерти своего приемного отца. Даже когда они смотрели действительно грустные истории вроде «Икс-фактора». Она была жесткой и совершенно не сентиментальной. Сейчас она бросила ему свой телефон и в отчаянии отвернулась к стене. Акушерка взяла ее за руку и сочувственно улыбнулась:

– Здесь все самое лучшее. Лучшие врачи. Здесь вы в безопасности, поверьте.

Скай повернулась и слабо улыбнулась акушерке. Это была улыбка из разряда «да, все верно», какими она постоянно пользовалась в общении с Дином.

– Ты собираешься позвонить своей маме?

Дин заморгал.

– Она захочет узнать, Дин. Это ее первая внучка, *а я могу умереть*. Ты должен ей сказать.

Он приподнял брови и выпятил нижнюю губу.

– Полагаю, да, – сказал он и нащупал свой телефон во внутреннем кармане куртки. На номере его матери включилась голосовая почта, и Дин оставил сообщение:

– Мама, это я. Перезвони нам, ладно?

Он убрал телефон на место и заметил, что Скай пораженно уставилась на него.

– Перезвони нам? Перезвони нам?

– Да. А что?

Она сжала губы и покачала головой:

– Ты проклятый придурок, Дин. Разве ты не мог сказать что-нибудь *дельное*? Например, где ты находишься? Или что происходит? Или о том, что я тут *подыхаю*? Господи!

– А что? – неуклюже возразил он. – Она все равно перезвонит, и тогда я все расскажу.

Скай закатила глаза, потом скривилась от боли. Дин вскочил и взял Скай за руку:

– Ты в порядке?

– Да, да, просто крутануло... Схватка. Мышцы сокращаются, понимаешь?

Дин сжал ее руку, гадая, что он может сказать или как может помочь. Все казалось потенциально опасным. Но сидеть и молчать было еще опаснее.

– Я могу что-то сделать для тебя? – спросил он, посчитав это предложение достаточно безобидным.

– Дай мне нормальную плаценту и еще десять недель, чтобы доносить ребенка. – Скай наградила его улыбкой из разряда «ты полный идиот», сложила руки на животе и отвернулась.

Прибыл анестезиолог, азиат с бородкой клинышком и в модных туфлях. Он попросил Скай принять позу зародыша и сделал укол ей в спину. Дин не мог на это смотреть. Он болезненно относился к иглам, особенно к таким, которые вкалывают в позвоночник. Скай дернулась и застонала, но уже через несколько секунд совершенно успокоилась.

Оглядываясь на день рождения своего первенца, Дин едва мог припомнить что-либо после того, как Скай увезли на операцию. События начали разворачиваться с пугающей быстротой. В какой-то момент появилась Роза, мать Скай, и сразу же стала вести себя так, словно до ее прибытия никто ничего не мог сделать правильно. Потом позвонила его мать и сказала, что не сможет приехать раньше чем через два часа, потому что находится в Брайтоне. Дин был настолько потрясен, что даже не удосужился спросить, какого черта она там делает. Потом мать Скай сфотографировала его, облаченного в зеленую накидку, зеленые штаны и такую же зеленую шапочку. Как они это называли? Ах да, хирургическая форма. Возможно, он сам надел все это. Потом медсестра сказала, что он может пройти в операционную, и он хорошо запомнил, что подумал: «Вот черт, нет времени для быстрого перекура», а потом еще подумал, насколько легче было бы наблюдать за рождением ребенка приняв чего-нибудь спиртного. А потом и опомниться не успел, как ее вынесли. Айседора. Вот. Похожа на освежеванного ягненка. Обвисшая кожа, голубые жилки, ручки и ножки размером с ноготь большого пальца. Дин едва успел взглянуть на ее лицо. Девочку тут же унесли и положили под лампу, словно похищенную инопланетянами, но потом кто-то позволил им быстро, очень быстро пройти мимо нее, так что Дин успел заметить широко расставленные глаза, большой рот и темные волосы, которые росли низко на лбу. И в этот краткий миг его дочь посмотрела на него с таким разумным и понимающим выражением, что у него пресеклось дыхание и он почувствовал себя мелким и незначительным, как фруктовая мушка.

Скай послала ему отчаянный взгляд, когда ребенка снова унесли.

– Все в порядке? – выкрикнула она. – С ней все в порядке?

– Она выглядит потрясающе, – сказала медсестра. – Ее унесли для большей уверенности. Но она выглядит потрясающей. Она действительно сильная.

– Я хочу маму! Где моя мама?

– Она ждет снаружи.

– Можно мне увидеть ее? Я хочу ее видеть.

– Вы сможете увидеться с ней, когда мы закончим приводить вас в порядок, хорошо?

– Дин, иди и скажи ей, – попросила Скай. – Иди и скажи ей, что ребенок здесь, иначе она все там разнесет.

Дин сделал, как ему было сказано. Мир как будто разлетелся на отдельные фрагменты и вращался вокруг его головы. Дин не мог ни за что уцепиться. Он смутно помнил, как мать Скай вскочила с места, когда увидела его, схватила его за плечи и едва ли не закричала:

– Все в порядке? Они в порядке?

Потом он помнил людей, устремившихся наружу из родильной палаты, помнил их крики. Он стоял и смотрел в каком-то оцепенении, не в силах связать одни факты с другими. Они кричат о ком-то другом, внушал он себе, может быть, там есть дверь, ведущая в другую палату.

– Что происходит? – спросила мать Скай следующего человека, который быстро шел мимо. Человек на долю секунды взглянул на нее, но ничего не сказал и пошел дальше.

У Дина пересохло во рту. Он облизнул губы. Он чувствовал страх, исходивший от матери Скай, как волны излучения. Чем больше она паниковала, тем больше Дин замыкался в себе. Если он не будет ничего говорить и делать, то в конце концов все успокоится.

– Как ты можешь просто стоять и ничего не делать? Это твоя женщина лежит та́м! Выясни, что за чертовщина здесь творится!

Наконец кто-то вышел в коридор и сообщил им, что у Скай продолжается кровотечение, что она потеряла опасное количество крови и что возникло затруднение в подборе крови нужного типа, но они начнут переливание, как только найдут подходящую кровь.

Тогда Дин ощутил спокойное смирение. Он ничего не мог поделать, эти люди делают все возможное, и он очень скоро отправится домой. У него снова мелькнула мысль, что он мог бы тихонько выйти и покурить, но поскольку нервная, крикливая мать Скай находилась рядом, он понимал, что ему не позволят это сделать. У него было такое чувство, как будто он существовал в трех разных измерениях. Часть его находилась здесь, спокойная и рассудительная, но две другие его части, его малышка и ее мать, были отделены от него и заключены за пределами восприятия. Каждый раз, когда он пытался передать какую-то мысль одной из них, другая требовала его внимания, и в конце концов он оказывался у себя в голове, желая курнуть. Скай, малышка, курнуть, *бонг, бонг, бонг.*

А потом, спустя какое-то время, может быть, час, может быть, меньше, появился врач, который с мрачным выражением на лице застыл перед Дином и матерью Скай, и она сразу же начала завывать: «*Нет, нет, только не моя девочка, только не моя маленькая девочка, нет, нет, нет!*», и никто не произносил слова «умерла», но Дин знал, что она мертва.

Скай мертва.

Его хорошенькая строптивая девушка замолчала навеки.

Мать Скай не прикасалась к нему. Она вела себя так, как будто он убил Скай. Возможно, так оно и было. Она забеременела от него. Если бы она не забеременела, то по-прежнему была бы жива.

Его мать приехала через час после смерти Скай.

Дин сел и позволил ей ненадолго обнять себя, пока мать Скай завывала и кричала на персонал. Физически он так ничего и не сделал. Он не плакал, не кричал, не падал в обморок, никого не бил и ничего не бросал. Насколько он помнил, он даже ничего не говорил. Это и не требовалось. Мать Скай произносила все слова, которые следовало произнести, и даже более того.

Через несколько минут к ним подошла медсестра, и мать Дина выпустила сына из своих объятий.

– Малышка хорошо справляется, – сказала медсестра. – Хотите посмотреть на нее?

Вопрос был обращен к Дину. Он кивнул: ему действительно хотелось видеть Айседору. Его мать пошла с ним, но мать Скай не захотела расставаться со своей дочерью.

– Я приду позже, – сказала она. – Сделайте фотографию для меня. Поцелуйте ее. О господи!

Мать взяла его за руку, когда они шли по коридору следом за медсестрой. Дин чувствовал, как его голова приходит в порядок по мере того, как они удаляются от горестного сумбура и направляются к более мирному ландшафту.

– Она выглядит немного непривычно, – с улыбкой объяснила медсестра. – Масса трубок и других вещей, но бояться там нечего. Она очень сильная и надолго в таком положении не останется.

– Нам можно будет взять ее на руки? – спросила мать.

– Возможно. Вам придется поговорить с дежурной сестрой.

Они дочиста оттерли руки в низкой металлической раковине и прошли через двойной ряд защитных дверей, прежде чем оказались в маленьком, хорошо освещенном помещении с инкубаторами.

Дин огляделся по сторонам. Обстановка казалась неземной. Восемь младенцев кукольного размера, подключенных к сияющим аппаратам.

– Вот она, – сказала медсестра, – ваша маленькая девочка.

Дин втянул воздух в легкие. Девочка была в белой вязаной шапочке, слишком большой для нее, и в огромном подгузнике. Ее ноги высовывались из пещерообразных отверстий подгузника, распластанные, как у цыпленка в супермаркете. Руки были раскинуты в стороны, и девочка выглядела так, как будто принимала солнечную ванну.

– Она прекрасна, – сказала мать. – Ох, Дин, она просто прекрасна!

Дин заглянул в инкубатор. Малышка спала. Ее пальчики сворачивались и разворачивались во сне. Со своим широким ртом и расставленными глазами она была немного похожа на куклу из «Маппет-шоу», словно ее лицо могло разделиться пополам, когда она открывала рот. Дочка выглядела прямо как он. Точно так же, как он.

– Она похожа на тебя, правда? – спросила его мать.

Дин кивнул.

– Можно мне прикоснуться к ней? – спросил он у медсестры.

– Да, можно.

Он погладил ладонь малышки кончиком пальца. Ее кожа была теплой и такой тонкой и просвечивающей, как будто он прикоснулся к теплому дуновению воздуха.

– Она такая маленькая, – пробормотал Дин.

– Немного меньше четырех фунтов, – сказала медсестра. – Хороший вес для ее срока. Как вы собираетесь назвать ее?

Дин посмотрел на малышку и передвинул кончик пальца на ее щеку, покрытую невесомым пушком. Наполовину кукла, наполовину оборотень.

– Айседора, – сказал Дин. – Айседора Кэти.

Медсестра улыбнулась.

– Красивое имя, – сказала она. – Вы уже решили... прежде чем...

– Да, – ответил он. – Так хотела Скай.

– Очень хорошо, – сказала медсестра. – Хорошо, что вы решили заранее. Тогда мы можем это записать, верно? Ай-се-до-ра? Кэ-ти? Хиггинс? Чудесно. Замечательно. Тогда я ненадолго оставлю вас с ней, хорошо?

Мать пододвинула стул для сына, и они несколько минут сидели рядом, глядя на ребенка. Дин был рад, что матери Скай не было с ними. Она бы только говорила. Мать Дина была похожа на него – тихая, задумчивая.

– Поразительно, правда? – наконец сказала она. –

В ней все твое. Вся твоя сущность, словно ингредиенты для торта.

Дин кивнул. Он этого не ожидал. Не ожидал, что малышка окажется похожей на него. Вся беременность была посвящена Скай. Все всегда вращалось вокруг Скай: ее тело, ее ребенок, ее беременность, ее жизнь, ее квартира, ее мир. Еще недавно Дин полагал, что его дочь будет точной копией Скай в миниатюре. И вот она: четыре фунта его собственного подобия. Скай была бы крайне разочарована. Она даже однажды высказалась на эту тему: «Надеюсь, в этой девочке не будет ничего от тебя, Дин, иначе она всю жизнь будет хмурить свои чертовы брови и выть на луну».

Но его черты хорошо легли на ее лицо, какой бы крошечной и недоношенной она ни была. Она была хорошенькой.

Другая медсестра с улыбкой присоединилась к ним.

– Чудесная малышка, – сказала она и повернулась к Дину: – Я очень сожалею о вашей утрате.

Дину показалось, будто ему влепили пощечину. *Его утрата.* До сих пор он не сознавал, что что-то утратил. Он постарался вызвать образ Скай, не той Скай, которая недавно умерла на операционном столе, не той Скай, которая провела последние полгода в едва сдерживаемой ненависти к нему, а другой Скай, той, которую он вожделел три года подряд и о которой строил фантазии. Дин не был уверен, что когда-либо любил ее больше, чем любую другую девушку, с которой переспал.

Нет, он не утратил любовь к жизни. Он не потерял спутницу своей души. Но он потерял женщину, которая собиралась родить ему ребенка. Эта женщина ушла вместе со своим молоком, своими колыбельными и энтузиазмом для покупки маленьких розовых платьиц. У малышки не было матери. Очень скоро этот ребенок станет достаточно большим, чтобы покинуть хорошо освещенную маленькую комнату, и кому-то придется забрать ее домой и вырастить. Тут все поочередно оборачивались и глядели на Дина.

В его голове проносились образы: пустая квартира, кричащий младенец у него на плече, темная ночь за окном, освещенная бутылочка молока, вращающаяся в микроволновке, – вся его жизнь, сведенная к бытию среди дерьма, шума и одиночества. Дин сказал, что хочет в туалет. Вместо этого он украдкой выскользнул на улицу и вышел под навес в начале асфальтовой дорожки, где трясущимися руками достал сигарету из пачки и выкурил ее до фильтра.

Он обдумал вероятность возвращения домой. Уже начинало темнеть, и никто не заметил бы его ухода. Он посмотрел на здание за спиной и подумал о том, что там находится. Крошечный недоношенный ребенок, весь опутанный трубками и проводами, тянущимися из каждого отверстия; тело матери этого ребенка, вялое и обескровленное, как кусок кошерной телятины; бабушки этого ребенка, больные, обесцвеченные пергидролем и постаревшие на десять лет за последние полчаса. Дин подумал об ожиданиях, нуждах и потребностях, заключенных внутри этого здания. Ему стало тошно. Он ощутил слабость. Над ним низко нависало пурпурное небо. Стены здания давили. Его загоняли в угол и сдавливали со всех сторон. Он понимал, что должен бежать в том или ином направлении.

Он сделал выбор: убежать прочь.

МЭГГИ

Мэгги Смит сняла прозрачную упаковку с пары бисквитов «Rich Tea» и разломила один из них пополам. Она опустила кончик полукольца в чашку чая и несколько секунд размачивала его, прежде чем поднести ко рту и откусить мягкую часть. Потом Мэгги посмотрела на чашку. Это была *ее* чашка. Мэгги принесла ее с собой из дома, устав от вкуса пластика и его хрупкости. Эту чашку она взяла из маминого дома после ее смерти: прочную коричневую чашку с кремовой внутренней частью и ручкой, которая выглядела так, словно ее приделали задним числом. На фаянсе образовалась тоненькая трещина, проходившая от края по борту. Нужно быть осторожнее, подумала Мэгги, когда-нибудь чашка треснет, и ее обварит кипятком.

Мэгги аккуратно поставила чашку на стол слева от себя, потом посмотрела на мужчину в постели и улыбнулась:

– Как вы там, Дэниэл? Вам что-нибудь нужно?

Мужчина закряхтел; значит, ему было больно.

– Еще таблеток, милая. Можно попросить еще?

Он снова закряхтел и скривился.

Мэгги поднялась на ноги, разгладила переднюю часть джинсов и высунула голову за дверь. Коридор, покрытый бархатным ковром, был совершенно пустым. Мэгги повернула голову слева направо. Это могло бы происходить в отеле, подумала она, в двухзвездочном отеле при аэропорте, в цветах персика и перечной мяты, с обитыми сиденьями из трубчатого металла, с обрамленными акварелями французских рыбацких деревушек и лепными гипсовыми светильниками, направлявшими свет вертикально вверх.

Она прошла по ковровой дорожке к небольшой и начищенной рабочей стойке, где две женщины в белых халатах перебирали бумаги.

– Извините за беспокойство, – начала Мэгги самым мягким и участливым тоном; кто знает, какую непосильную задачу она может возложить на их плечи? – Мистер Бланшар испытывает определенное неудобство... когда вы освободитесь, не сейчас, но когда у вас будет свободная минутка... – Ее голос пресекся.

Одна из женщин, – Мэгги казалось, что ее зовут Сара, но она была не вполне уверена, потому что здесь было много людей, которые приходили и уходили без ее ведома, – терпеливо улыбнулась и отложила свои бумаги.

– Разумеется, – сказала она. – Я приду прямо сейчас.

Мэгги впервые побывала в хосписе две недели назад и испытала такое же чувство благоговейного страха, как перед акушерками в родильном отделении, где двадцать пять лет назад родила своего первого ребенка. «Ну и ну, – думала она. – Есть люди, которые делают это». Она поиграла с мыслью о том, чтобы самой стать акушеркой, желая быть частью этой волшебной работы, но потом желание потускнело. Теперь она испытывала те же чувства по отношению к мужчинам и женщинам, которые работали здесь. Присутствовать на дальней стороне жизненного спектра, наделять достоинством и милосердием эти прощальные моменты, наблюдать исход человеческого бытия… Это было поистине вдохновляющим делом. Теперь она чувствовала себя здесь как дома. Здесь она была на своем месте.

Она последовала за медсестрой в палату Дэниэла и посмотрела, как та регулирует аппараты, к которым он был подключен.

– Спасибо, – прошептал он, когда морфий хлынул в его вены. – Спасибо вам.

– Всегда пожалуйста! – проворковала медсестра. Она сунула руки в карманы и немного помедлила, с улыбкой глядя на него. – Что-нибудь еще, мистер Бланшар? Немного соку? Газету?

Дэниэл улыбнулся, чуть изогнув губы, и едва заметно покачал головой.

– Хорошо! – пропела Сара. – Тогда я оставлю вас вместе с вашей подругой. Очень скоро вы почувствуете себя гораздо лучше! – Она пожала руку, лежавшую на белой простыне, и ушла.

Мэгги взяла его другую руку в свои ладони и задержала ее. Она смотрела, как напряженные морщины начинают стираться с его лица, с его красивого лица. Мэгги до сих пор помнила, как впервые увидела это лицо. Это случилось чуть более года назад. Он явился перед ней как призрак, как гримасничающий ангел над стойкой, где она сидела дважды в неделю, записывая на частные сеансы физиотерапии.

– Доброе утро, – произнес Дэниэл, и Мэгги сразу же пленилась его мягким, обволакивающим французским акцентом. Потом она обратила внимание на угловатое лицо, пухлые губы, черные волосы с серебряными прядями, оливковую кожу, бирюзовые глаза и вдруг ощутила сосущую пустоту в животе. Женщине определенного возраста редко удавалось найти мужчину сравнимого возраста, который вызывал ощущение пустоты в животе и заставлял сердце биться быстрее и решительнее.

– Доброе утро. – Мэгги улыбнулась, втайне радуясь тому, что в прошлом месяце уговорила себя пройти сеанс отбеливания зубов, чтобы чувствовать себя моложе и красивее. – Чем могу помочь?

– Моя спина. – Дэниэл поморщился. – Один мой друг порекомендовал это место. Он сказал, что здесь я смогу найти Кэнди Стэплтон.

– Ах да. – Она снова улыбнулась, показывая чудесные белые зубы. – Разумеется. Записать вас на прием?

Он выпрямился и безутешно посмотрел на нее. У Мэгги сжалось сердце от сочувствия к нему.

– Я надеялся встретиться с ней. Сегодня. Мне нужна срочная помощь. Моя спина так... – Он снова поморщился и ухватился за поясницу.

Спина. Вечно эта спина. Колени – в лыжный сезон, а в остальное время года – боли в спине. Мэгги сочувственно посмотрела на него.

– Посмотрю, что можно сделать. Садитесь.

В конце концов он провел там около трех часов. Достаточно долго для того, чтобы между ними завязался непринужденный разговор; достаточно долго для того, чтобы она узнала, что он на самом деле француз, проживший в Англии более тридцати лет, что он никогда не был женат и что последние два месяца его все сильнее беспокоят боли в спине. Мэгги налила ему чаю из своего чайника и рассказала, что она разведена, имеет двух взрослых детей и работает здесь около пяти лет, просто ради денег на карманные расходы. Бывший муж хорошо позаботился о ней, так что на самом деле в работе нет необходимости. Она постаралась, чтобы ее рассказ был как можно увлекательнее. Мэгги исходила из того, что французское происхождение изначально делает Дэниэла более интересным человеком. Наверное, во Франции тоже есть скучные люди, но почему-то это казалось маловероятным. Она считала Англию скучным местом, откуда происходят скучные люди, к которым она причисляла и себя.

Он не любил улыбаться. Он ни разу не улыбнулся за те три часа, которые провел в комнате ожидания, даже когда Мэгги подавала ему чай. С другой стороны, заключила она, кому захочется улыбаться с больной спиной?

После этого Дэниэл приходил ежедневно для встречи с физиотерапевтом Кэнди. Терапия не особенно помогала; в сущности, его состояние день за днем только ухудшалось. В конце концов Кэнди направила его к специалисту в местную клинику, и Мэгги поняла, что может больше никогда не увидеть его. Поэтому она совершила, наверное, один из самых храбрых поступков в своей жизни, когда подошла к нему и сказала:

– Может быть, мы могли бы...

Тогда Дэниэл наконец улыбнулся и сказал:

– Да, мы могли бы. Завтра вечером? Поужинаем вместе, да?

Мэгги ответила благодарной улыбкой. Она собиралась сказать, что они могли бы встретиться за чашкой чая, но ужин был еще лучше. Мэгги была рада, что правильно истолковала невысказанные сигналы.

Первый ужин прошел в сдержанной атмосфере. Дэниэл (так его звали в Англии) был немногословен из-за своей спины. Он глушил боль красным вином и маленькими белыми таблетками, которые держал в прозрачной пластиковой коробочке в кармане пиджака. К тому времени, когда подали десерт, Дэниэлу явно не терпелось покинуть свой стул, поэтому они удалились в неярко освещенный уголок бара, где стоял низкий диван, и тогда положение временно улучшилось. Дэниэл похвалил волосы Мэгги: «У вас просто замечательные волосы; видно, что вы ухаживаете за собой». Впрочем, так оно и было. Подростком она не отличалась красотой, а после двадцати лет растолстела из-за рождения детей и просидела, как пудинг, большую часть десяти лет замужества. Потом она развелась, сбросила вес и внезапно оказалась очень привлекательной тридцатишестилетней женщиной, словно внутри ее все это время пряталась незнакомка. Приближаясь к сорокалетию, она становилась все привлекательнее; структура лицевых мышц немного изменилась, отчего ее внешность стала «свежей и современной», как пишут в рекламных статьях об омолаживающей косметике и здоровой диете. Мэгги никогда не выглядела лучше, чем в сорок два года. Это была кульминация, но потом красота начала уходить. «Нет, еще рано, – думала Мэгги. – Я только что привыкла выглядеть привлекательно и не готова отказаться от этого». Она провела ряд процедурных ухищрений: отбеливание зубов, маленькая инъекция ботокса и силиконовых наполнителей, дорогие кремы и добавки. Теперь ей было сорок три года, и в приглушенном свете, вдали от жестокой критической оценки дневного света, она до сих пор могла, действительно могла выглядеть на сорок два года.

Но, хотя Дэниэл похвалил ее волосы и общее умение ухаживать за своей внешностью, он не попытался поцеловать ее ни в тот вечер, ни в один из следующих вечеров. А потом, когда они встретились в китайском ресторане и она на всякий случай положила в сумочку мятные таблетки для маскировки запаха чеснока, Дэниэл сказал:

– Мэгги, я хочу поблагодарить вас за дружбу со мной. Я одинокий человек и веду одинокую жизнь, поэтому у меня мало друзей. Но я считаю вас, Мэгги, своим близким другом. Очень добрым другом.

Улыбка застыла на губах Мэгги. Он собирается бросить ее, расстаться с ней, даже ни разу не поцеловав. Ее сердце горестно сжалось.

– Поэтому, надеюсь, вы не будете возражать, если я обременю вас некоторыми фактами о своем состоянии? Я узнал об этом только сегодня, так что извините, если я немного не в себе. Но выяснилось, что у меня большая опухоль в легком. Это от нее у меня боли в спине. Кроме того, у меня обнаружили метастазы в суставах ног и в желудке. Поэтому, *судя по всему*, – он положил свои большие руки на стол ладонями вниз, – судя по всему, мало что можно сделать. Весьма вероятно, что я умру.

Мэгги закрыла рот ладонью, чтобы сдержать невольный вскрик. Потом она опустила руку и уставилась на Дэниэла в немом ужасе.

– Нет, – сказала Мэгги. – Нет!

Дэниэл улыбнулся. Ей показалось, что он выбрал неподходящее время для одной из своих редких улыбок. Как ни странно, он как будто радовался своему состоянию. Нет, не радовался, а испытывал облегчение.

– Все нормально, Мэгги, все замечательно. Это судьба, понимаете? Я никогда не считал себя стариком... пожалуй, дожить до шестидесяти было бы приятно, но пятьдесят три года? Ну, что же, значит, пятьдесят три года.

Но тихий голос в голове у Мэгги твердил: «Нет, нет, нет». В ее голове раздавались звуки сокрушенных мечтаний и разбитого сердца. Не годится умирать в пятьдесят три года, нет, *совсем* не годится.

После этого они смогли пообедать вместе еще два раза, а потом Дэниэл отправился на химиотерапию. Он попросил Мэгги не посещать его в клинике, но она не послушалась и застала его в хлопковой пижаме — бледно-голубой, с кремовым кантом. Его тапочки стояли под кроватью, на подносе перед ним лежала газета «Telegraph», а на носу сидели очки-полумесяцы для чтения. Конечно, они придавали Дэниэлу более интеллигентный, но и более уязвимый вид. Ее сердце наполнилось нежностью. Но, заметив приближение Мэгги, он снял очки с поспешностью, намекавшей на тщеславие.

— Ох, — сказала Мэгги, — вы носите очки.

— Обычно я ношу линзы, — рассеянно пробормотал он. — Но я подумал, что здесь, в таком месте, среди всего этого, — он указал на разнообразные медицинские принадлежности, окружавшие его, — нужно ли мне суетиться из-за подобных мелочей? Кроме того, я думал, что не увижу никого, кто бы знал меня.

Она всматривалась в его лицо, желая увидеть хоть какой-то признак того, что он подшучивает над ней, что на самом деле он втайне рад, что она ослушалась и пришла повидаться с ним. Но в его лице ничего не было.

– Извините, – нервно сказала она, стараясь не заплакать. – Не могла вынести мысли о том, что вы здесь совершенно один. Я принесла кое-какие фрукты, посмотрите. – Она сняла сумку с плеча и достала два банана и три зеленых яблока, положила их на поднос и сразу же пожалела об этом. Фрукты выглядели необыкновенно здоровыми... и банальными.

Дэниэл не взглянул на фрукты. Вместо этого он без всякого выражения посмотрел на Мэгги и вздохнул. Она подумала, что сейчас он начнет жаловаться и скажет, что глупо было приносить фрукты, что он слишком болен, чтобы есть фрукты, что он вообще не любит фрукты. Но он этого не сделал. Вместо этого он взял ее за руку, и когда Мэгги посмотрела на него, то увидела единственную слезинку, скатившуюся по его щеке.

– Спасибо, – прошептал он. – Вы очень добрый человек.

– Всегда пожалуйста. – Мэгги сочувственно улыбнулась и протянула салфетку. – Можете рассчитывать на меня.

Размышляя о предыдущих месяцах, она думала о том, что, в определенном смысле, было несправедливо после двадцати лет одинокой жизни почти влюбиться в мужчину, который оказался смертельно больным. Если бы Мэгги не была оптимисткой, всегда считавшей, что стакан наполовину полон, то могла бы заключить, что это типично для нее. Но это было нетипично. Это было ненормально. В целом ее жизнь проходила гладко, со смутно выраженным восходящим направлением. Мэгги обычно получала то, что хотела, но, с другой стороны, она хотела немногого. Поэтому вместо того, чтобы рассматривать предстоящую смерть своего нового друга как нечто плохое, Мэгги решила рассматривать ее как подарок. Как возможность сделать чью-то жизнь немного легче. Как шанс позаботиться о другом человеке. Так что последние несколько месяцев Мэгги занималась именно этим. Вместо того чтобы стать любовницей Дэниэла, она стала его сиделкой. Вместо того чтобы сидеть у телефона в ожидании его звонка и фантазировать насчет обручальных колец и свадебной церемонии, Мэгги управлялась с его лекарствами. Вместо того чтобы сидеть напротив него в приглушенном свете ресторанов и встречаться для пикников в солнечные дни, она сопровождала его во время визитов в клинику и готовила тушеное мясо.

Теперь его жизнь приближалась к концу. Это могли быть считаные дни или недели. Он исхудал, и его лицо утратило прежнюю безупречную симметричность; местами оно стало дряблым, а в других местах бугрилось от напряжения. В те часы, когда он мучился от боли, морфин делал его молчаливым и неподвижным. Тогда она скучала по Дэниэлу и почти ощущала, как жизненная сила просачивается сквозь его сероватую кожу и скапливается липкими лужицами на полу под кроватью. Но в хорошие дни, когда в его теле оставалось больше первозданного духа, чем производных опиума, они с Дэниэлом беседовали до тех пор, пока его горло не начинало саднить от сухости или пока сон снова не погружал его в молчание. Мэгги чувствовала, что эти беседы были более вольными и откровенными, чем любые разговоры, которые они вели в предыдущие месяцы, когда пили вино в ресторанах и предавались заманчивому убеждению, что оба проживут еще как минимум по двадцать лет.

Во время их четвертого свидания в тайском ресторане она спросила Дэниэла о его матери. Он пожал плечами, как будто чужая мать не могла представлять никакого интереса для другого человека.

– Она очень старая, – немного подумав, ответил он. – Она уже не тот человек, которым была раньше.

– А каким человеком она была раньше? – не отступалась Мэгги.

Дэниэл снова пожал плечами.

– Другим, – только и ответил он. – Понимаете?

– Где она живет?

– Во Франции, – с легким раздражением ответил он.

Ей хотелось продолжать: где именно во Франции? С кем: с братьями, сестрами, внуками, с кошкой, одна? Но Мэгги почувствовала его досаду и позволила ему сменить тему. Однако сегодня он добровольно поведал нечто новое: его мать живет в собственном доме, в Дьеппе. И еще: у него есть брат. Он живет в окрестностях Дьеппа, недалеко от матери, и каждый день навещает ее.

– Я не испытываю вины за свою мать, – сказал Дэниэл. – Она настолько старая, что даже не понимает, что живет в доме. Не понимает, кто она такая. Но мой брат каждый день садится в старенький автомобиль, проезжает через унылый городок, где он живет, выезжает на серое шоссе, приезжает к большому дому у моря, где всегда пахнет рыбой и морской пеной, и сидит рядом с женщиной с невидящими глазами и холодными руками, которая была его матерью. Она не узнает его. Потом он уезжает и чувствует себя виноватым за то, что оставил ее одну, до тех пор, пока не проезжает по тому же маршруту на следующий день.

– А как же его семья, его жена?

– У него нет ни жены, ни семьи. Он такой же, как я, он одинок. Когда мы умрем, наш род закончится вместе с нами. – Тут он закашлялся, и Мэгги протянула ему чашку с фруктовым пюре.

– Ну что же, никогда не знаешь заранее, – легкомысленно сказала Мэгги. – С мужчинами так часто бывает. Возможно, где-то на свете существует ваша маленькая копия, а вы даже не подозреваете об этом. – Она позволила себе тихий смешок и покосилась на Дэниэла в надежде, что не пересекла очередную невидимую черту.

Он поднял веки, туго натянутые на глазные яблоки, и криво усмехнулся.

– Может быть, – с сухим смешком сказал он и вздохнул. – Может быть. В конце концов, все возможно.

Мэгги тоже улыбнулась, испытывая облегчение от того, что она скорее позабавила, нежели огорчила человека, которого полюбила. Потом она внимательно и ласково наблюдала, как он медленно погружается в густой туман наркотического сна.

РОБИН

Жизнь Робин превратилась в роман. В один из тех романов, где на обложке изображают модные туфли. Там шла речь о девушке по имени Робин, которая знакомится с мужчиной в магазине одежды, она продает ему коричневый джемпер. Потом он ждет на улице, когда она закончит работу, и ведет ее в прекрасный бар под модным рестораном в пульсирующем сердце Сохо, они пьют чудесные коктейли с цветами вишни и розовой водкой и беседуют так долго, что перестают ходить поезда, и вечер переходит в глубокую ночь, им приходится идти целых полчаса, чтобы найти такси, которые отвезут их по домам. Затем героиня и этот мужчина (его зовут Джек) перебирают все замечательные, радостные и слащавые романтические клише, снова и снова встречаются в разных местах, таких, как лондонские парки в солнечные дни, плавучие рестораны на каналах, открытые зеленые веранды пивных пабов, расцвеченные волшебными огоньками, художественные галереи, неформальные концерты в тесной компании и арт-хаусные кинотеатры, где можно смотреть фильмы с субтитрами.

Мужчине по имени Джек двадцать семь лет, и, разумеется, поскольку жизнь Робин теперь происходит внутри романа, он оказывается вовсе не банковским клерком, студентом или менеджером по работе с клиентами, а писателем. Настоящим писателем с уже опубликованными книгами. Он не пишет толстые романы с модными туфлями на обложке, нет, он пишет небольшие, элегантные книги с размытыми фотографиями на обложке, с короткими названиями из одного слова. Он издал свой первый роман в двадцать пять лет, второй роман – в прошлом году, а теперь наполовину написал третий. А поскольку это художественное осмысление реальной жизни, Джек, разумеется, только что продал за десятки тысяч фунтов права на киносценарий по своей первой книге, и, даже несмотря на то, что его книги выходят небольшими тиражами, его банковский счет выглядит вполне прилично для того, чтобы предлагать все более идиллические места для встреч и совать Робин двадцатифунтовые бумажки для оплаты такси в те вечера, когда она уезжает домой.

Впрочем, в последнее время Робин все чаще не возвращалась домой. Она оставалась у Джека, в фотогенично обшарпанной маленькой квартире с одной спальней в пузатом оштукатуренном доме на зеленой Холлоуэй-сквер, где имелась кровать-переросток со спинкой из гнутого железа и абстрактной картиной, криво подвешенной над ней. Робин ходила босиком по этой чудесной старомодной квартире в его безразмерных свитерах и пила чай из огромных кружек «Старбакс», сидя на скрипучем, но элегантном диване, голова Джека покоилась на ее коленях, а она ласкала кончиками пальцев его блестящие волосы. Она никогда в жизни не чувствовала себя более прекрасной и жила так, как ей всегда было предназначено, за миллионы лет до ее рождения предначертано звездами, отдаленными на миллиарды световых лет.

Когда она расставалась с Джеком, то листала фотографии на своем айфоне, их фотографии вдвоем, с распростертыми руками, соприкасающимися головами, улыбающимися в объектив камеры. В последнее время она много фотографировала: вид из окна Джека, его руки, сцепленные на бокале, их нехитрое хозяйство, разложенное на столе в пабе, затылок Джека, вмятины от их голов на пустых подушках, снятые ранним солнечным субботним утром. Ни одна деталь не была слишком мелкой или незначительной; ни один аспект их союза не был недостоин визуальной летописи. Джек поддразнивал: «Я только что уронил кучку хумуса на полу в кухне, быстрее сделай фотку!»

Но Робин ничего не могла с собой поделать; если ее жизнь превратилась в роман, то теперь она снимала фильм по книге. На всякий случай, полагала она. На тот случай, если все пойдет вразнос. Потому что в книгах с модными туфлями на обложках что-то всегда шло не так. Девушка знакомится с парнем. Девушка влюбляется в парня. Между парнем и девушкой возникает дурацкое недоразумение, и они расстаются.

Но Робин не могла и помыслить о том, что безупречный союз двух родственных душ, не отягощенных никакими комплексами, когда-нибудь сможет размотаться до конца, как пленка старого кинопроектора.

А когда это произошло, она поняла, что живет уже не в романе с модными туфлями на обложке, а в книге с размытой фотографией на обложке и с коротким названием из одного слова.

Робин уже знала об этом, даже до того, как ее внутреннее «я» начало подавать сигналы. Если честно, она подумала об этом с самого первого раза, когда увидела Джека. Она заставила его ждать две недели, прежде чем переспать с ним, не в какой-нибудь жалкой попытке заставить его повариться на медленном огне и не для того, чтобы удовлетворить свою женскую прихоть, даже не для того, чтобы продлить ветреную невинность первых свиданий. Робин не играла в игры и не пользовалась сексом как инструментом принуждения. Она заставила Джека ждать из-за смутного, но назойливого, грызущего беспокойства, поселившегося в глубине ее души. Робин не могла определить его источник или дать ему название, но оно оставалось там, затаенное во тьме.

Разумеется, она преодолела его.

Она была влюблена.

Она была великолепна.

И Джек был великолепен.

Ей нужна была более основательная причина, чем смутное беспокойство, чтобы отвергнуть его заигрывания. И в сущности, начиная с того момента, как их отношения были скреплены интимной близостью, это ощущение исчезло.

За две недели произошли и другие вещи, но она игнорировала их, поскольку возможность того, что ее первоначальные опасения могли оказаться основанными на чем-то реальном, была слишком неприятной для дальнейших размышлений по этому поводу.

Был один разговор, состоявшийся на нарядной террасе дома друзей в Тафнелл-парке. Джек уже говорил Робин, что его отец умер; это выяснилось на первом свидании. Его отец погиб в автомобильной аварии, когда Джеку было восемь месяцев от роду. Это обстоятельство сблизило их. «Бедные мы, бедные, – сказала Робин. – Никто из нас не знал отца в лицо». Оба состроили печальные гримасы и рассмеялись, не потому, что это было забавно, а потому, что это была их общая печаль и они сохраняли права на нее.

Робин познакомилась с Сэм, матерью Джека, примерно через месяц после начала их отношений. Она была симпатичной женщиной с экстравагантно подкрашенными волосами, которые носила собранными на макушке и скрепленными большой перламутровой застежкой. Все в Сэм – от выверенно неброской одежды от «Sweaty Betty»[1] до привычки ходить дома босиком – выдавало принадлежность к верхушке среднего класса, а ее небольшой коттедж с двумя спальнями на

[1] Сеть престижной женской одежды для досуга, спорта и отдыха.

окраине Сент-Олбанса служил прекрасной выставкой мебели от Гильдии дизайнеров конца 1990-х годов и антикварного соснового шпона.

Сэм называла Робин «душенькой» и приветствовала ее поцелуями в обе щеки и завороженно-нежным взглядом. Они сидели в старомодной сосновой кухне с чугунной эмалированной раковиной; в бледно-желтом одеянии от «Agi&Sam»[1] мать Джека курила «Мальборо лайтс» у задней двери и выдувала дым через уголок рта, где его немедленно подхватывал сквозняк и заносил обратно.

– Вы вдвоем смотритесь *прелестно*, – произнесла Сэм хриплым голосом джазовой певицы.

Робин и Джек обменялись взглядами и улыбнулись. Они и так это знали.

– Джек много говорил о тебе, – продолжала Сэм, выбросив окурок на клумбу и закрыв заднюю дверь.

– Надеюсь, только хорошее?

– Можно сказать и так. И, будучи матерью только одного драгоценного мальчика, я должна признать, что, когда он пришел домой и сказал, что влюбился в студентку, которая хочет стать педиатром и похожа на молодую Меган Фокс[2], это прозвучало музыкой для моих ушей! Я даю вам свое благословение.

---

[1] Современные лондонские дизайнеры, которые специализируются на восточном стиле.

[2] Меган Фокс (р. 1986) – американская актриса и фотомодель.

Сэм присоединилась к ним за обеденным столом в фермерском стиле, зафиксировала Робин своим прямым взглядом и снова улыбнулась. Робин улыбнулась в ответ, гадая, о чем думает Сэм.

– Джек рассказал мне, что твой отец был донором спермы, – без обиняков начала Сэм.

– Мам! – встревоженно произнес Джек.

– Что? Ты сказал, что у вас нет никаких секретов. Правда, душенька?

Робин кивнула и улыбнулась.

– Никаких секретов в моем доме.

Сэм прищурилась, как будто хотела сфокусироваться на образе Робин в другой перспективе.

– Совершенно очаровательно, правда? – добавила Сэм, как бы обращаясь за подтверждением к стороннему наблюдателю. – И ты похожа на своего биологического отца?

– Ну, я не похожа ни на кого другого в нашей семье, поэтому, думаю, это так.

– И это произошло потому, что твой папа... твой приемный отец, который вырастил тебя, был бесплоден?

– Мам!

– Все нормально, – сказала Робин. – Честно говоря, я рада, что могу рассказать об этом. Нет. Дело не в том, что он был бесплоден. У них было две дочери, еще до меня. Это... – Она перевела дыхание перед тем, как продолжить. – Обе мои сестры родились с синдромом Ретта[1]. Считалось, что такое не может случиться два раза подряд, но потом они обнаружили мутацию в сперме моего отца. Это означало, что они не могут идти на риск зачатия новых детей. Рэйчел умерла, когда ей было пятнадцать лет; Джемма умерла в семнадцать. Родители думали о том, чтобы попросить одного из родственников стать донором спермы, но это оказалось слишком сложно; проще было взять сперму от анонимного донора. Они так и сделали — и вот она я!

Робин изобразила триумфальную позу и улыбнулась. Она рассказывала эту историю уже с десяток раз и называла ее «Трагические причины моего волшебного появления на свет». Она могла рассказывать ее без боли в сердце и слез на глазах, потому что на самом деле не помнила своих сестер. Ей было четыре года, когда умерла Рэйчел, и пять лет, когда умерла Джемма, Робин была больше занята дошкольными занятиями и детскими играми, чем двумя больными девочками, жившими в клинике за три мили от дома.

Сэм поднесла руку к горлу.

— Бедные, бедные твои родители, — сказала она. — Только подумать, они потеряли двоих детей. Они прошли через все это и нашли в себе силы остаться вместе. Знаешь, люди постоянно грызутся между собой и кри-

---

[1] Синдром Ретта — психоневрологическое наследственное заболевание, которое является причиной умственной отсталости и ранней смерти.

тикуют друг друга, но многие просто живут, тихо и спокойно, и это совершенно потрясающе.

Робин кивнула. Она хорошо знала, какие у нее потрясающие родители, не только потому, что они храбро держались перед лицом стольких невзгод, но и потому, что они окружали ее своей радостью, любовью и заботой, пока она росла.

– А как насчет тебя? – продолжала Сэм. – Как ты относишься к своему биологическому отцу? Ты когда-нибудь хотела познакомиться с ним?

Робин покачала головой:

– Нет, никогда. Ни за что.

– Но разве тебе не хочется знать, как он выглядит? Не хочется знать, на кого ты похожа?

– Честно говоря, нет. Это я, – Робин прикоснулась к груди. – Я такая, какая есть. Я не моя мать. Я не мой отец. Я ощущаю себя отдельным существом и стою отдельно от других. Как будто я *Ева*. – Робин рассмеялась.

Сэм удивленно моргнула.

– Первая женщина? – спросила она.

– Ну да, – с улыбкой ответила Робин и пожала плечами.

– Ого. – Сэм как будто подвесила в воздухе эту реплику без каких-либо комментариев. Робин видела по движениям ее лицевых мышц, как невысказанные слова просятся наружу. Сначала ей показалось, что Сэм замолчала от благоговейного восторга, но потом стало ясно, что мать Джека пытается что-то сформулировать.

— А знаешь, — сказала она после небольшой паузы, — я еще никогда не думала об этом таким образом.

— Что вы имеете в виду?

— Ах! — Сэм выпрямилась, как будто очнувшись от гипнотического транса. — Ничего. Ничего особенного. Просто интересно, правда? Как мы формируем нашу личность. Как мы выстраиваем себя. Как мы воспринимаем истину.

Атмосфера на кухне стала напряженной, как будто опрокинулось ведро и из него вытекло что-то липкое и неприятное. Тема разговора поменялась, был подан и съеден ужин из жареной курицы с картофельным пюре, и Робин не уделяла этому разговору особенного внимания, пока через две недели не познакомила Джека со своими друзьями.

Это случилось в пабе на Мэйфэр, по соседству с управляющей компанией, где работала Нэш. Посиделки были запланированы в честь ее повышения от регистратора до помощника старшего аудитора, но на самом деле всем хотелось познакомиться с «новым таинственным ухажером Робин», что обещало большее количество посетителей по сравнению с обычным, особенно за пределами их зоны комфорта вокруг Бакхерст-Хилл.

Робин испытывала особую гордость, когда входила в паб со своим обаятельным, умным и вежливым спутником. Она взяла его под руку и едва ли не потащила к столу в дальней части зала, где собрались все остальные. Ей не терпелось показать им звезду следующего этапа своей «Невероятной и Безупречной Жизни».

Она радовалась за своих подруг, которые обзавелись приятными бойфрендами с престижной работой в Сити, спортивными автомобилями, курсами повышения квалификации и просторными спальнями в комфортабельных домах родителей в Эссексе. И радовалась за своих одиноких подруг с их планами на субботние вечера и виртуальным существованием в Facebook. Они были счастливы. Но никто из них не имел такого драгоценного дара, как родственная душа, — мужчину, который живет в квартире с деревянными полами, пишет популярные романы и похож на архангела с картины Тициана. Ее подруги все еще искали свой путь в жизни, а Робин восседала в тепле и уюте, безмерно довольная тем, что достигла пункта своего назначения. Робин была дома.

Нэш первой заметила их и бросилась к Робин — миниатюрная девушка с темными птичьими глазами и недавней стрижкой, похожей на аккуратную черную шапочку на голове. Нэш обняла Робин за шею и крепко прижалась к ней. Робин выверенным певучим тоном сказала: «Мои поздравления!», чтобы сохранить достоинство и намекнуть на то, что они находятся в пабе, в нескольких милях от их родных мест.

— Благодарю. — Нэш скопировала мелодичную интонацию Робин, и ее взгляд метнулся через плечо подруги в сторону Джека.

– Это Джек, – сказала Робин, отступив в сторону. – Джек, это Нэш, моя лучшая подруга.

Нэш ухватилась за его руку и вдруг обняла его.

– О, как приятно *наконец-то* познакомиться с вами. Вы такой молодец!

Судя по всему, Нэш начала пить еще до начала посиделок, запланированных на восемь вечера. Она оторвалась от Джека, продолжая удерживать его взгляд.

– Вы такой красавец, – сказала она. Робин и Джек обменялись взглядами и рассмеялись.

– Нет, так и есть, честное слово. О, вы двое... вы – самая симпатичная пара, которую я только видела. Смотрите все! – Нэш повернулась и обратилась к остальным: – Это Джек, *тот самый* Джек. Разве они не самая симпатичная пара на свете? То есть... – Она сделала паузу, посмотрела на Джека и Робин и снова повернулась к столу. – Они могли бы быть братом и сестрой.

Наступило молчание, и она поспешно добавила:

– Боже, я хочу сказать, вы действительно могли бы... Вы похожи на брата и сестру. Святые угодники!

Ее последние слова потонули в радостных восклицаниях остальных членов группы, и Робин сконфуженно улыбнулась Джеку, который ободряюще улыбнулся в ответ. Разговор свернул в другую сторону, прочь от темы возможного родства Джека и Робин, и она больше не вспоминала об этом предположении до следующего дня, когда застала Джека возле умывальника в ванной, где он выпятил подбородок во время бритья, и Робин на мгновение показалось, что она смотрит на саму себя.

– Как выглядел твой отец? – почти сразу же спросила она с растущим ощущением холодного ужаса, поднимавшегося от живота к горлу.

Джек отложил бритву и посмотрел на ее отражение в зеркале. Он немного помедлил, потом пожал плечами и стал промывать бритву под струей воды.

– По правде говоря, я не знаю.

– Но ты же должен был видеть его фотографии? – продолжала Робин.

– Нет, – ответил он и взял с вешалки полотенце. – Моя мама сожгла их.

– Она сожгла все фотографии твоего отца? Господи, почему?

– Потому что она ненавидела его.

– Что, серьезно?

– Да. Он прожили вместе три года, безумно влюбленные друг в друга, но он убрался в ту же минуту, когда узнал, что она беременна. Отправился в какую-то коммуну во Франции, завел себе восемнадцатилетнюю девчонку, и больше мы никогда не слышали о нем. Мама отвезла меня туда, когда мне было примерно полтора года, чтобы он мог познакомиться со мной. Когда она приехала, ей сказали, что он погиб в автомобильной аварии десять месяцев назад.

– Она просто сожгла все фотографии?

– Да. Во всяком случае, я так думаю. Или выбросила, или что-то в этом роде.

– Она не сохранила даже одну, чтобы ты знал, как он выглядел?

– Нет. Полагаю, она думала, что однажды я встречусь с ним. Откуда ей было знать, что он умер?

– А как насчет его семьи, родителей? Ты когда-нибудь видел их?

– У него не было родителей. Он вырос в детском доме – этакий «Барнардо-бой»[1].

Последняя деталь казалась чересчур натянутой. Французская коммуна и автомобильная авария – это одно дело, а сирота в сочетании с австралийским детским домом – совсем другое. Это отдавало художественным вымыслом. Слишком романтично. Возможно, это правда, но, с другой стороны...

После этого ум Робин омрачился, и неприятные мысли начали соперничать между собой за свободное место среди теней. Невероятное воздействие ее первого впечатления от Джека в магазине мужской одежды; странные слова его матери на кухне в тот день, когда они говорили о ее биологическом отце; заявление Нэш, сделанное в пабе вчера вечером; недавний момент, когда она увидела его отражение в зеркале и подумала, что смотрит на саму себя... а теперь еще сожженные фотографии и приют доктора Барнардо.

[1] В Австралии так называют воспитанников детского дома Общества Барнардо.

Робин читала такие истории в глянцевых журналах – истории о давно потерянных родственниках, встретившихся в зрелом возрасте и моментально влюбившихся друг в друга. Она читала их с ужасом и отвращением. Но, разумеется, рассуждала она наедине с собой, даже если бы она имела братьев и сестер в этом мире, – а их могло быть не больше девяти, так гласили правила, – насколько крошечной и ничтожной была возможность, что один из них придет в магазин, где она работает, в поисках нового джемпера? Это было настолько невероятно, что казалось совершенно невозможным. Но было ли это менее возможно, чем любая другая встреча между двумя людьми? Между женщиной и мужчиной с родственными душами? Могло ли предполагаемое наличие невидимой связи между двумя людьми придать человеку такой импульс, что он свернул с тротуара и зашел в магазин одежды на нижнем этаже? Могла ли генетическая связь послужить причиной предрасположенности двух людей к одному и тому же престижному бренду модной сети (а Робин специально устроилась на работу в один из магазинов «Zara», потому что ей нравилась эта одежда)? Поэтому, в сущности, это могло и не быть чистым совпадением. Все можно было свести к коричневому джемперу.

Эти мысли пронеслись в голове Робин меньше чем за одну минуту. Они оставили ее ошеломленной и причинили почти физическую боль. Робин снова посмотрела на Джека; она изучала его лицо, когда он отвернулся от зеркала и с улыбкой направился к ней. Он не был ее близнецом. Он имел поразительные бирюзовые глаза своей матери и ее слегка овальный череп. Но этот нос и губы... Они принадлежали Робин, а Джек... он тоже принадлежал ей так, как никто другой на свете. Она владела им, а он владел ею в спокойной и безусловной манере членов одной семьи.

Семья.

По спине пробежал холодок, и Робин отвернулась от него. Она не смотрела на него целых восемнадцать минут.

ДИН

Дин сидел на диване и смотрел на то же самое грязное пятно на ковре. Он держал в руке самокрутку, мягкую от слюны и коричневую от нефильтрованного табака. Он вдохнул последний глоток дыма и растер окурок в пепельнице, стоявшей перед ним. Потом он встал и изучил свое отражение в зеркале, привинченном к двери гостиной. Он носил костюм, купленный вчера в «Primark»[1] за 29,99 фунта. Туфли принадлежали его дяде, а галстук Дин приобрел в лавке Центра раковых исследований за углом. Он сбрызнул галстук бытовым освежителем, чтобы отбить запах стариковского пота и влажной одежды, и теперь пахло еще хуже.

Его глаза как будто ввалились в глазницы, скулы резко выступили наружу, губы были сухими и обве-

[1] Сеть магазинов дешевой одежды.

тренными. Дин заметил тюбик с кремом для рук, принадлежавший Скай и лежавший на полке над батареей, и выдавил капельку на кончики пальцев. Дин втер крем в губы, и воздух вокруг него наполнился парфюмерным ароматом. Это был ее запах. Так пахли ее руки. Дин не замечал этого, пока Скай была живой. Он пошлепал губами, одернул куцый пиджак, вышел из квартиры и отправился на похороны своей подруги.

Стоял прекрасный день, ясный и светлый, с крепким бризом. Облака деловито катились по голубому небу, как будто опаздывали на важную встречу. Церковь была набита до отказа; должно быть, небеса радовались такой высокой явке. Все подруги Скай собрались там, одетые с иголочки и рыдающие с усиленным рвением. Когда Дин следом за матерью шел по проходу между скамьями, люди ловили его взгляд и посылали в ответ взгляды, исполненные пламенного сочувствия и выбивавшие его из равновесия. Дин ощущал себя трагическим киногероем, словно по экрану проплывали титры и его имя появилось первым, написанное крупным буквами. Но это было неправильно, как будто он украл честь у того, кто действительно заслуживал ее. Это было мошенничество. На самом деле он не любил Скай по-настоящему. Он даже еще не плакал. Что касается малышки... он до сих пор не возвращался в клинику. Он просто не мог. Он три недели просидел в квартире с отключенным телефоном, не отвечая на жужжание домофона. Единственным человеком, с которым Дин говорил, была его мама. Она принесла ему в общей сложности десяток цыплят и девять больших бутылок пепси-колы и рассказала, что все думают о нем и любят его, что Айседора поживает очень хорошо, что они с матерью Скай ходят туда каждый день и уже кормили ее из бутылочки, что младенческая желтуха почти прошла, что некоторые провода и трубки уже отключили, что она открывает глазки. Мать не приказывала ему оторвать задницу от стула и проведать свою дочь. Она вообще ничего ему не приказывала. Она лишь кормила его пищей, своей любовью и информацией. Дин никогда не любил свою маму так сильно, как в эти три недели.

Дин протиснулся вдоль скамьи и обнаружил, что сидит рядом с кузеном Скай. Тот был на десять лет старше и на добрый фут выше, чем Скай. Он смерил Дина непроницаемым взглядом.

Дин сунул палец за воротник рубашки стоимостью 3,99 фунта и немного оттянул его. Мать Скай сидела прямо перед ним. Она почувствовала присутствие зятя и обернулась; ее лицо было маской подавленной неприязни, из которой она выдавила улыбку. Она прошептала «добрый день» и, когда он ответил тем же, одними губами прошелестела: «Ты в порядке?» Дин закивал, но остановился, когда осознал, что он не должен быть «в порядке», и вообще, все далеко не в порядке. В результате он пожал плечами и сконфуженно улыбнулся. Она похлопала его по руке и отвернулась. Она выглядела ужасно. Просто отвратительно. Она взяла свое убитое горем лицо и расписала его множеством красок и эмульсий, превратив себя в подобие трансвестита, в страшилку для детей.

Гроб Скай был белым с золочеными ручками. На верхней крышке были буквы СКАЙ, выведенные розовыми бутонами. Там была и ее фотография, большой черно-белый портрет, на котором она улыбалась. Дин не мог вспомнить, когда он в последний раз видел улыбку Скай.

– Чудесная фотография, – прошептала мама ему на ухо.

Он кивнул. Так и есть. Скай была красивой девушкой.

Церковная служба закончилась. Люди начали вставать и произносить речи. Они хотели, чтобы он тоже что-нибудь сказал, но он отказался. Дин ни разу в жизни не выступал перед собранием людей и сейчас не собирался этого делать. Это был не его день. Это было вообще не о нем. Это было о матери Скай, о ее сестрах и о ее причитающих подругах.

Всего было произнесено одиннадцать речей; в конце концов Дин перестал слушать. Слова «ангел», «прекрасная» и «принцесса» сыпались с такой частотой, что он бы не удивился, если бы из церковного органа полилась мелодия «Свечи на ветру». Но в итоге он и пятеро других мужчин взгромоздили на плечи довольно легкий гроб и покинули центр под звуки хорала «Аве, Мария».

После того как гроб Скай опустили в землю и все по очереди бросили туда горсти земли, розы и плюшевых мишек, толпа рассеялась, но Дин остался. Какое-то время он стоял у края могилы, а мать Скай и его мать обвивали его руками. Дину хотелось ненавидеть тяжесть их пожилых, напудренных и надушенных тел, прижатых к его телу, но вскоре он сдался, и они простояли в такой позе еще несколько минут, после чего его мать сказала:

– Пойдем, они будут ждать нас.

– Еще минутку, – попросил он. – Я вас догоню.

И вот теперь он стоял один под ярким солнцем и нашаривал в кармане пачку сигарет, хотя обещал Скай бросить курить. Он вдохнул дым, а потом опустился на корточки в одном футе от места последнего упокоения Скай. Он смотрел на забросанных грязью набивных зверушек, на сломанные стебли одиночных роз, похожих на трагические жертвы суицида, и на полускрытое рыхлой землей фото Айседоры. Она смотрела прямо в камеру широко расставленными глазами, и на какое-то мгновение показалось, что она смотрит прямо ему в душу. Точно такое же ощущение возникло у него, когда он увидел ее вскоре после рождения. Он сглотнул и отвел взгляд. Дочка была непосильной ношей для него. Слишком умная, слишком сильная, слишком хорошая.

Но в ее взгляде было что-то еще, что-то, буквально вышибавшее из него дух. Это был *он сам*, его внутренняя сущность. Все говорили, что девочка похожа на него, но на кого похож *он*? Он видел тонкокостное сложение своей матери, ее бледное английское лицо, легкую горбинку на переносице, изящные запястья и веснушчатую спину. Но его глаза были не от матери, как и губы, и линия челюсти, и глубоко укорененная меланхолия, и недоверие к концепции человеческих связей и к обществу в целом. Его мама возглавляла местный общественный центр, устраивала вечеринки без всякого повода, находила интересные черты в каждом из своих знакомых и оставалась в контакте с людьми, даже если ее связь с ними была чрезвычайно кратковременной и мимолетной. Дин любил ее за это, но это было не в его стиле. Он был другим.

В их доме никогда не было мужчины. За прошедшие годы мать встречалась с мужчинами, но держала их подальше от сына, как будто боялась, что мужчина заставит Дина полюбить его, а потом уйдет и оставит мальчика с разбитым сердцем. У него был дядя, но тот вместе со своей женой жил в двадцати милях от них. Дин никогда по-настоящему не чувствовал отсутствия мужчины в своем старом доме. И никогда не уделял особого внимания мужчине, который имел право называться его биологическим отцом, незнакомцу даже для его матери, человеку, который сидел в маленькой комнате и сцеживал в баночку свою мужскую эссенцию в обмен на несколько фунтов и сознание, что он каким-то образом делает кому-то нечто хорошее. Дин узнал об этом лишь три года назад; мать все рассказала ему в день его совершеннолетия. Раньше он считал, что его отец был случайным парнем из Франции, с которым мать познакомилась на отдыхе, когда ей стукнул сорок один год: бурный поздний роман среди догорающих углей пышного лета, двое одиноких людей, одна страстная ночь, и так далее и тому подобное. Часть истории, связанная с его французскими корнями, оказалась правдой. Все остальное было сладкой сказочкой.

Дин не почувствовал себя шокированным или преданным в результате этого откровения. В этой истории было даже больше здравого смысла. Он не мог представить свою мать в образе легкомысленной стареющей красотки, способной моментально увлечься смуглым иностранцем. Ему всегда было трудно примирить представление о своей личности с фактом своего существования. Анонимный мужчина в маленькой комнате, который не имел совершенно ничего общего с его матерью, казался гораздо более совместимым с представлением Дина о себе.

Он был зачат еще до внесения поправок в закон, до того, как доноров обязали оставлять контактные данные для своих биологических детей, если те захотят пообщаться, когда станут взрослыми. Закон не имел обратной силы, поэтому Дин не имел права встретиться со своим отцом. И все эти три года Дин не имел ни малейшего желания встретиться с ним или хотя бы попытаться найти его следы.

До сих пор.

Он добрел до края могилы, сжимая окурок между губами. Потом он распростерся на земле и попытался правой рукой дотянуться до фотографии, но кончики его пальцев не доставали до крышки гроба Скай, где лежала фотография. Ему придется оставить ее здесь, бросить свою малышку точно так же, как он бросил ее в клинике. Какое-то время Дин лежал там, свесив руки и голову над разверзнутой могилой и глядя на фотографию Айседоры. В небе над ним собрались облака, и погода начала успокаиваться. Он ощутил, как ветер поднялся и куда-то улетел, заговорщически прошелестев в кронах деревьев позади. Наступили тишина и спокойствие, и Дин впервые оказался наедине со своими двумя женщинами: Скай в блестящей белой коробке, Айседора на усеянной грязными пятнами фотографии. Наконец пришли слезы – большие, тяжелые капли, падавшие из его глаз прямо в дыру, выкопанную в земле.

Он оставил Скай там, с плюшевыми медвежатами, цветами и ее дочерью, с последним даром своих слез, и пошел искать свою мать, чтобы затеряться среди пива и человеческого общества.

МЭГГИ

Когда в среду утром Мэгги пришла в хоспис, Дэниэл полулежал в кровати, держа в руке кружку чая и перелистывая газету. Он добродушно взглянул на Мэгги поверх своих узких очков для чтения.

– *Bonjour*, – сказал он, и в его словах прозвучала улыбка, которая не отразилась на лице.

Мэгги была застигнута врасплох. Вчера, когда она

покинула его, он заснул после долгих метаний и бормотания о вещах, не имевших никакого видимого смысла. В какой-то момент он повернулся к Мэгги со слюной, пузырившейся в уголках рта, и пробормотал: «Это ты. Ты есть. Не! Позволяй! Мне! *Умереть*!» Она поговорила с дежурными сестрами, и они сказали: «Возможно, это потому, что метастазы проникают в мозг. Это значит, что его поведение становится более сумбурным». Мэгги боялась уходить из дома сегодня утром, боялась того, что может обнаружить. Насколько ей было известно, Дэниэл мог умереть в любой день. Она принесла ему немного сухофруктов и орехов в йогуртовой оболочке, купленных в недавно открывшемся магазине, и Дэниэл с затаенным удовольствием смотрел на бумажный пакетик, когда она достала его из сумки и положила перед ним.

– Ну, как? – сказала Мэгги. – Сегодня вам лучше?

Дэниэл кивнул и отложил газету.

– Сейчас я чувствую себя очень хорошо, хотя и не знаю почему. Возможно, мне действительно становится лучше. – Он сухо рассмеялся, и Мэгги неуверенно улыбнулась. Шутки такого рода обычно выводили ее из равновесия. Черный юмор. Юмор висельника. Мэгги не имела того свойства характера, которое позволяет смеяться перед лицом невзгод. Для нее единственным отношением к смерти было мрачное уважение.

– Ну что же, – пробормотала Мэгги. – Сегодня вам лучше, и это замечательно.

Она посмотрела, как Дэниэл запустил пальцы в коричневый пакет и вытащил целый сушеный абрикос. Дэниэл предложил ей пакет.

– Нет, спасибо, – отказалась она. – У меня есть свой.

Она смотрела на Дэниэла, когда он откусил кусочек от янтарного комка и принялся жевать. Он уже несколько дней ничего не жевал. Он уже давно не держал в руках газету или чашку чая. Смерть играла в детскую игру, с озорством приплясывая вокруг него: «Вот она я! Нет, нет, обознался! Я здесь... нет, я здесь!» Когда Мэгги спрашивала медсестру: «Как долго осталось?», она неизменно получала ответ: «Это может случиться в любое время». Смерть не просто бьет палкой и уходит, оставляя тебя умирать. Сначала она играет с тобой. Смерть сует твою голову в унитаз в знак неизбежной кончины, а потом за шиворот вытаскивает тебя обратно. Смерть была не так проста, как представляла Мэгги.

– Пошли, – сказал Дэниэл и откинул одеяло. – Давайте немного прогуляемся.

Мэгги встревоженно посмотрела на него:

– Вы уверены?

– Абсолютно уверен. – И тут он широко, лучезарно улыбнулся.

Он двигался медленно, но говорил быстро. Мэгги захотелось иметь при себе диктофон: слова шумно сыпались из Дэниэла, как монеты из игрового автомата, когда выпадает джекпот. Она взяла его под руку и слушала так внимательно, как только могла, но все равно какие-то слова пропадали в бурунах его настойчивости и акцента.

– Знаете, – сказал Дэниэл, – это неправда, что у меня нет ребенка. Совершенная неправда.

Они вышли в сад. Там было слишком холодно для Мэгги, которая оставила свой жакет у кровати Дэниэла и осталась лишь в хлопковой блузке с рукавами в три четверти. Но солнце сияло, и они стояли возле пруда с золотыми японскими крапами, сновавшими под нефритово-зеленой поверхностью воды.

Мэгги вопросительно посмотрела на Дэниэла:

– Что вы имеете в виду?

– Я имею в виду... – Он повернул свое красивое лицо к солнцу и прищурился. – Я имею в виду, что у меня есть дети в этом мире.

– Ну... – Мэгги запнулась, не зная, как ей следует отнестись к заявлению, что у него были интимные отношения с другими безликими женщинами, в то время как с ней он не продвинулся дальше первой базы.

– У меня их четверо, – продолжал он. – Два мальчика и две девочки. Двадцать девять лет, двадцать семь, двадцать один и восемнадцать. Только представьте! Четверо детей. И еще представьте, Мэгги, что я никогда не видел этих детей. В сущности, я прожил целых тридцать лет, делая вид, будто их не существует. Что они просто *comment s'apellent...* что-то вроде сказочных существ? Понимаете, вроде призраков? Одни люди верят в них, другие не верят. Если только не видели своими глазами. А поскольку я никогда не видел этих так называемых *детей*, то они как бы не существуют, *n'est-ce pa?*

– Я не понимаю. – Мэгги высвободила свою руку. – Как можно...

– Я отдавал свою сперму, Мэгги Мэй[1]. Мои драгоценные семена, я отдавал их неизвестным дамам и просил, чтобы эти дамы получали семена и взращивали их, но не пытались найти меня со своими детьми.

– Вы были донором спермы?

– Да, был. Можете себе представить, Мэгги? Только представьте, что я занимался этим. Теперь это кажется таким далеким. Таким... необыкновенным. Сейчас это кажется необыкновенным, но тогда выглядело нормальным, даже рутинным делом. Знаете, все равно что сдавать кровь, тоже доброе дело. А теперь... теперь я наконец понимаю, что сделал. Теперь, когда я постарел и практически умер, это наконец стало для меня реальностью. Я создал жизнь, Мэгги! – Он стиснул ее запястья. – Вы можете поверить? Я создал жизнь! Я, Дэниэл Бланшар! Я создал четыре жизни! И знаете, может быть, теперь эти жизни создадут другие жизни. То есть... да, моих *внуков*! Где-то там есть четверо взрослых людей, которые живут своей жизнью, пока моя подходит к концу, и мы полностью, абсолютно, нерасторжимо связаны друг с другом. Это... это похоже на

---

[1] В данном случае, вероятно, имеется в виду звезда британских комедийных сериалов, а не героиня фривольной песенки.

чудо. Да, чудо! И мне понадобилось тридцать лет, чтобы понять это, тридцать лет для того, чтобы осознать, что я совершил.

Мэгги стояла и смотрела на Дэниэла. Его глаза сияли. Он казался почти безумным. Но выглядел счастливым. И она понимала, что он говорит правду.

– Как вы думаете, Мэгги Мэй, уже слишком поздно? Слишком поздно для того, чтобы познакомиться с ними?

Мэгги затаила дыхание. Раньше она никогда не видела его таким открытым, таким чувствительным. Где-то глубоко внутри всколыхнулось ноющее чувство: любовь, смешанная с жалостью и страхом. Мэгги слабо улыбнулась.

– О, мой дорогой, – сказала она. – Мой дорогой.

Раньше она никогда не называла Дэниэла «дорогим». Его манера держаться не допускала этого. Но она ощущала это сейчас, она чувствовала, что он был ее дорогим, милым, замечательным человеком и что она любила его всем своим существом, что она смогла бы как-то вынести его смерть, но не сможет вынести, что он умрет с этой дырой в сердце.

– Не знаю, – сказала Мэгги. – Не представляю, поздно или нет. Я не знаю, как устроены эти вещи. То есть что вам известно об этих детях... об этих людях? У вас есть какой-то способ связаться с ними?

Он пожал плечами.

– Нет, – сказал он. – Я так не думаю. Хотя у одной девушки, самой молодой, есть вся информация обо мне. Она – единственная, кто может связаться со мной. Они изменили правила. Я помню тот день. Я подумал: «Ладно, наверное, я умру к тому времени, когда ей исполнится восемнадцать лет, какой вред это может причинить?»

Он раскатисто засмеялся – громче, чем Мэгги когда-либо слышала раньше. Она снова попыталась отыскать в этом хотя бы крупицу юмора.

– Ну, так вот, – продолжал Дэниэл. – Если мой самый юный отпрыск не решит, что сегодня подходящий день для того, чтобы найти давно утраченного папашу, то все пропало. Потому что я чувствую это, Мэгги. – Он указал на свой череп. – Я чувствую это. Не каждый день, не каждую секунду. Но эта чернота, она поселилась во мне, и ей там уютно. Она носит шлепанцы. – Дэниэл хихикнул. – У нее есть халат и чашка какао. Да. Теперь она чувствует себя как дома. А я скоро уйду, и это печально. – Он посмотрел на Мэгги широко распахнутыми, сияющими глазами. – Да, это очень печально. Но сейчас, – он отогнал печаль одним усилием воли, – пока у меня еще остались силы, пока я еще могу стоять, давайте потанцуем, Мэгги Мэй. Давайте потанцуем.

Он не дал Мэгги ни единого шанса возразить ему. Он взял ее за руки и прижал к себе, так что их руки сплелись вместе, положил подбородок ей на макушку и стал переминаться с ноги на ногу, напевая беззвучную колыбельную. Мэгги прижалась щекой к мягкому велюру его халата и прикрыла глаза. Она старалась попадать в такт его шагам и вдыхала его запах, немного отдающий лекарствами, но безошибочно принадлежавший ему, и думала: «Я люблю тебя, Дэниэл, я очень тебя люблю». И точно знала, что собирается сделать, чтобы доказать ему свою любовь.

ЛИДИЯ

– Привет, незнакомка. Как насчет ужина завтра вечером?

Это была Дикси. Лидия не слышала ее после вечеринки «Встреча с миром» в честь Виолы, которая состоялась три недели назад. Лидия сама была виновата и понимала это. У нее определенно были время и возможности, чтобы найти способ повидаться с подругой и ее новорожденным ребенком. Лидия могла наносить визиты каждую неделю, да хоть каждый день, если бы захотела. Зато у Дикси был хороший предлог, чтобы не встречаться с ней. Но по какой-то причине Лидия испытывала странную неприязнь к их семейной ячейке. Она почувствовала это тем вечером, когда они впервые принесли Виолу к ней в дом, – нечто вроде взаимной зависимости, ранее не существовавшей между Дикси и Клеммом, в центре которой находилась Виола. Разумеется, это происходит, когда люди занимаются продолжением рода. Независимо от обстоятельств, возникает новая динамика, и все остальные процессы должны подстраиваться под нее. Перемены были неизбежны; Лидия просто оказалась не готова к тому, что будет испытывать такое непреодолимое отвращение к ним. Неприятие, отчужденность – это еще можно понять, но отвращение... В определенном смысле это было сюрпризом для Лидии.

Это чувство овладело ею во время вечеринки, когда она смотрела, как завернутого в одеяло ребенка передают из рук в руки и каждый хочет дотронуться до него и подержать, как будто он был амулетом, наделенным сверхъестественной силой. Лица были умильными и алчными, словно они пытались что-то вытянуть из младенца. А сам младенец был похож на вялый комок мяса, покорный и странно тихий. Он не был хорошеньким. По идее, это не должно было иметь никакого значения, но почему-то имело. Его лицо имело голубоватый оттенок с красными пятнами, глаза почти никогда не открывались полностью, а волосы были тонкими и усеянными порошкообразными хлопьями из-за сухой кожи. Младенец был одет в белое хлопковое платье с розочкой на груди, белые обтягивающие штанишки и крошечные кожаные пинетки; по мнению Лидии, это было сделано для того, чтобы придать ему более привлекательный вид. Этот фокус действовал на всех, но только не на нее. Она весь день избегала контакта с ребенком и подавляла желание взять пальто и уйти.

Она несколько часов оставалась за пределами зоны комфорта в надежде, что остальные гости разойдутся и она останется наедине с Дикси и Клеммом, или, если точнее, только с Дикси. Лидия представляла, как они вдвоем, усталые и немного пьяные, усядутся рядом на руинах вечеринки и наконец побеседуют по душам, чего не случалось уже слишком давно. Но остальные гости не расходились: в честь вечера они открыли несколько бутылок водки и стали выбирать музыку на айподе. Тогда Лидия вспомнила, какими общительными и спонтанными были Клемм и Дикси, даже сейчас, после рождения ребенка, они не видели причин, мешавших продолжать веселье. Поэтому Лидия взяла пальто, поцеловала нескольких человек, которых знала в лицо, а Дикси проводила ее до двери. Ребенок, пристегнутый лямками к груди матери, крепко спал, поэтому даже тогда подруги не смогли обняться на прощание и только обменялись обычными словами насчет будущей встречи («Да, мы должны, уже давно пора»), а потом Лидия неожиданно оказалась на мостовой в Кэмден-Тауне.

Она посмотрела на окно квартиры и увидела оживленное движение людей, движение *жизни*. Мир прекрасно обходился без Лидии. Она была своим злейшим врагом. Потом она провела субботний вечер в пустом доме и с тех пор не разговаривала с Дикси. Иногда Лидии казалось, что Дикси сердится на нее за нежелание подержать ребенка на руках, за ранний уход, за хмурую необщительность, за то, что Лидия так долго не выходит на связь... но чем дольше тянулась эта разобщенность, тем меньше Лидии хотелось навести мосты. А теперь ее вдруг пригласили на ужин. Настроение немного улучшилось от этой перспективы.

Она слишком долго жила внутри себя. Единственными светлыми пятнами были встречи с Бендиксом и удовлетворение от необычной дружбы с оттенком флирта, которое сложилось между ними после откровенного разговора несколько недель назад.

Лидия ответила почти мгновенно: «*С удовольствием. В какое время и что мне принести?*»

«В 20.00, когда мы уложим ребенка. И принеси чего-нибудь шипучего». (смайлик)

Поэтому следующим вечером она надела длинное пальто от пронизывающего ветра и пришла к Дикси, прижимая к груди сумку с двумя бутылками «Боллинджера»[1]. Она знала, что Дикси имела в виду просекко, обычное шампанское или бутылку дешевого игристого вина, но понимала, что куча денег на ее банковском счете не приносит радости никому, и прежде всего ей самой. Поэтому Лидия испытала дрожь удовольствия, когда две бутылки с легким звоном легли на стойку и кассирша сказала: «Девяносто восемь фунтов, пожалуйста».

Лидия втайне порадовалась, когда узнала, что общительного Клемма нет дома; хотя она хорошо относилась к нему, это был важный вечер для нее и Дикси. И ребенка нигде не было видно.

– Ого, «Болли»! – сказала Дикси, принявшая сумку из рук Лидии. – Ты просто чокнутая!

– Ну, я подумала, что мы еще как следует не отпраздновали рождение малышки…

---

[1] Сорт элитного французского шампанского.

– Если не считать той вечеринки, которую мы устроили три недели назад? С шампанским, воздушными шариками и всем остальным?

– Да, пожалуй.

– Понимаю, это не в твоем вкусе. Все в порядке. Заходи, заходи и прости за беспорядок. Серьезно, мне кажется, что у меня никогда не будет времени разобраться в этом барахле. Все было отлично, пока она была совсем крошечной, тогда она могла проспать весь день, но теперь она все время бодрствует и в тот момент, когда видит меня где-нибудь рядом с веником или резиновыми перчатками, начинает вопить. Ей как будто хочется жить в грязи.

– Может быть, мне прислать Джульетту? – Слова вырвались наружу, прежде чем Лидия успела подумать. Дикси с любопытством взглянула на подругу, пытаясь оценить, не шутка ли это. Лидия неубедительно улыбнулась и пожала плечами: – Я не о том, что она все равно половину времени болтается без дела, я...

– Все нормально, – перебила Дикси. – Честно. Я лучше буду сама помаленьку справляться, ладно?

Лидия понимала. Она знала Дикси лучше, чем кого-либо другого. С ее стороны глупо было даже предлагать такое. Лидия смотрела, как ее подруга запихивает одну бутылку в переполненный холодильник, а потом начинает открывать другую.

– Нет бокалов для шампанского, – сообщила Дикси. – Последний разбили на вечеринке Виолы. И, в сущности... – она заглянула в глубину буфета, – бокалов для вина тоже нет. Бокалы для виски или стопки?

– О господи, конечно же, бокалы для виски.

Дикси унесла бутылку и два бокала в гостиную и поставила на кофейный столик. На столике лежали пакет подгузников «Хаггис», нечто под названием «Инфакол» в бутылочке с пипеткой, тарелка со старыми тостами, позавчерашняя газета и пакетик фруктовой пастилы.

– Добро пожаловать в мою жизнь, – сказала Дикси, глядя на то, как Лидия изучает этот беспорядок. – Это центральный пост управления. Здесь происходит грудное вскармливание, здесь я готовлю, здесь я сплю днем, а Клемм часто спит по ночам. Здесь я пытаюсь читать газеты и смотреть телевизионные шоу, но больше двадцати минут подряд не получается. Вот так и живу.

Лидия в ужасе посмотрела на нее.

– Но, – продолжала Дикси, – прежде чем ты составишь неверное представление и решишь, что я испортила себе жизнь, позволь сказать... что это стоит каждой прожитой минуты. Правда. Это на самом деле так. Будем здоровы! – Она протянула Лидии бокал.

– Будем здоровы, – согласилась Лидия. – И прости меня.

– За что?

– За то, что я была такой паршивой подругой.

Дикси скривилась от замешательства.

– Что ты имеешь в виду?

– Сама знаешь что. Я была бесполезной. Я не звонила, не писала, не приносила тебе еду и так далее. Я видела Виолу всего лишь два раза с тех пор, как она родилась. Я просто дерьмо.

– Ну, ты даешь, Лидс! Ради всего святого, дело того не стоит. Я же знаю тебя. Мне известно, что дети – это не по твоей части, но ты была такой умницей, что собрала нас у себя, когда мы еще носились с новорожденным младенцем, и купила Виоле тот прелестный костюмчик. Это я была бесполезной. Серьезно. Я просто никак не могу собраться с силами. Понимаешь, я еще неделю назад знала, что сегодня вечером Клемма не будет дома, и только вчера удосужилась набрать твой номер и пригласить тебя. Просто все...

– Изменилось? – предположила Лидия.

– Да, – сказала Дикси. – Все изменилось. Но я чувствую, что начинаю выкарабкиваться. Смотри, я уже кладу ее спать по вечерам. Это что-то новое. Еще две недели назад она была со мной, пока я не ложилась в постель, и спала прямо на мне. Проходило несколько часов, и она просыпалась посреди ночи, но, по крайней мере, теперь я знаю, что могу выкроить для себя кусочек дня. – Она улыбнулась и потерла локти. – Послушай, я пригласила тебя не для того, чтобы слушать мой треп о грязных пеленках. Что у тебя нового? Ты выглядишь по-другому...

– Вот как?

– Да. Ты сбросила вес?

Лидия подняла руку и ощупала лицо, словно какой-то незнакомый предмет.

– Да, – наконец ответила она. – Да, наверное.

Дикси рассмеялась:

– Только ты, Лидия Пайк, можешь сбросить вес и даже не заметить этого. А мне кажется, что я до сих пор ношу в себе половину плаценты от Виолы. – Она взяла запасной бандаж и вздохнула. – Как идут дела с твоим личным тренером по фитнесу?

Лидия немного покраснела при мысли о нем. Само упоминание у Бендиксе оставило впечатление, будто она только что занималась с ним сексом. Она не могла рассказать Дикси о своих реальных чувствах к тренеру по фитнесу, иначе подруга решит, что она сошла с ума. Лидия кашлянула.

– Хорошо, – ответила она. – Просто замечательно. Когда начинаешь привыкать, это уже не кажется таким странным. И так гораздо лучше, потому что не нужно ходить в этот претенциозный спортивный клуб.

– Значит, он приходит к тебе?

– Да. Или мы тренируемся в парке.

– Ух ты... – протянула Дикси, и на ее лице промелькнуло выражение тоски по той жизни, которой у нее никогда не было. – А как твоя работа?

– Ох, мало-помалу... Ни шатко ни валко.

Дикси никогда не разговаривала с Лидией о ее работе. Это у Дикси с самого начала была интересная работа. Между ними существовало молчаливое соглашение, что любые разговоры о работе касаются только Дикси, но не Лидии.

– А как ты? – поинтересовалась Лидия. – Есть шанс, что ты вернешься к работе?

– О господи, нет. Нет, нет и нет. Думаю, я возьму отпуск на целый год. Я сейчас настолько далека от мыслей о работе, не говоря уже о настоящей работе, что все как будто происходило в другом мире. Трудно поверить, что все эти люди по-прежнему существуют, что они каждый день встают и занимаются разными вещами, пока я сижу здесь с Виолой, посреди этого бардака.

– Ты уже возила ее домой, в деревню?

Дикси кивнула:

– Да, несколько недель назад.

Лидия стерла воспоминания о «доме», возникшие перед ней, и выдавила улыбку.

– И как оно прошло?

– Да, это было великое событие. Ни одного ребенка не целовали, не щекотали и не обожали больше за всю историю от сотворения мира. И знаешь, было просто чудесно выбраться из города, послушать все эти ночные шорохи и... просто побыть дома. В сущности, – Дикси помедлила, Лидия ждала продолжения, – через месяц мы планируем еще одну поездку. Возможно, заглянем в разные места.

– Ага. – Лидия криво усмехнулась.

Это не требовало обсуждения. Дикси знала, как Лидия относится к своей малой родине, а Лидия знала, что Дикси до сих пор привязана к своему старому дому. Они раз и навсегда договорились о своих разных мнениях по поводу жизни в Уэльсе.

– Разве ты никогда, – начала Дикси, – не ощущала потребности? Ты ведь понимаешь. Разве ты не скучала по тем местам? По людям, по ощущениям?

Лидия со смехом покачала головой.

– Теперь, когда мы стали старше, я просто не знаю... – сказала Дикси. – Я думала, что стала настоящей столичной жительницей. Думала, что обрела свое место, свой ритм жизни, что теперь я нахожусь здесь по праву, но теперь мне почти тридцать, и все кажется... неоправданно *большим*. Понимаешь, что я имею в виду? Неоправданно большое количество магазинов, ресторанов, улиц, людей, звуков и запахов... Не знаю, мне просто больше не нужно так много. Для меня все это проходит впустую. И вот я думаю, если бы я могла уединиться в своей маленькой деревеньке, видеть одних и тех же немногих людей, покупать одну и ту же еду в одних и тех же лавках, прогуливаться по лужайке и махать одним и тем же прохожим, так почему бы действительно не зажить сельской жизнью в таком месте, где я смогу позволить себе действительно хороший дом с садом и где моя мама будет помогать мне ухаживать за ребенком?

– Но как насчет работы? А твоя карьера? В Уолтерстоне не очень-то большой спрос на кинорежиссеров.

– Мы думали об этом. Мы с Клеммом будем работать по очереди. Я могу найти работу на телевидении в Кардиффе. У него есть товарищи, которые, при необходимости, смогут предоставить ему отдельный диван. У нас все должно получиться. Но пока это лишь концепция, а не план действий. Мы еще не решили окончательно.

Лидия понимающе кивнула. Это был лишь вопрос времени, вопрос «когда», а не «если». Ее друзья уедут. Они освободят эту квартиру, купят очаровательный ветхий коттедж, заберут с собой щуплого младенца и снова станут заправскими валлийцами. После этого она уже не сможет видеться с ними, потому что больше никогда не вернется в Уэльс. Лидия знала это с того самого момента, как семь лет назад со всем своим скарбом в небольшом чемодане села на поезд до Юстонского вокзала в Лондоне. В Уэльсе она слишком много пила. В Уэльсе умерли ее мать и отец. Там умерло ее детство после того, как что-то странное и непоправимое случилось на балконе крошечной квартиры в крошечном городке посреди ничто и нигде. Лидия уехала в Лондон, оставив все это позади, и с тех пор двигалась только вперед, вверх и за пределы возможностей. Лидия была благодарна Лондону в таком смысле, в каком она не могла быть благодарна ни одному человеку. Лондон дал ей больше, чем любой человек, и был более преданным, добрым и вдохновляющим. Здесь она тоже была одинокой и отделенной от остального мира, но она предпочитала одиночество и отчужденность в городе, который понимал ее, а не в деревне, которая ничего не понимала.

– Ты приедешь в гости, если мы переедем туда?

Лидия вздрогнула.

– Да, – ответила она. – Обязательно.

Дикси бросила взгляд, означавший, что она все понимает. Обе знали, что Лидия не приедет в гости, но в данный момент обеим приходилось делать вид, будто она приедет.

– А я буду часто возвращаться в Лондон.

– Ты можешь останавливаться у меня.

– Ну да, я как раз собиралась об этом сказать. Хотя, наверное, будет тесновато?

– Ничего страшного. Я просто открою для тебя западное крыло, так что...

– Ну, разумеется.

– А эта твоя квартира, она уйдет?

– Навсегда. Здесь будет жить какая-нибудь другая молодежь.

– Свободная, независимая и беззаботная.

– Кутежи, вечеринки, прыжки из одной постели в другую, таблетки для бодрости.

Они рассмеялись в унисон, а потом замолчали, попрежнему улыбаясь.

– Хорошо было в молодости, да? – сказала Дикси.

– Это точно.

– Но я с надеждой смотрю на следующий этап. Большой, взрослый этап. Думаю, это будет весело. Я буду неспешно готовиться к среднему возрасту; полагаю, это меня устроит.

Лидия согласилась. В Дикси всегда было что-то от обитательницы загородного коттеджа: она слушала

«Арчеров»[1], пекла пироги, вытирала пыль. Теперь, оглядываясь назад, Лидия думала о том, что ее подруга неизбежно должна была до тридцати лет завести ребенка и переехать за город. В той же манере, как некоторые девушки в юности имеют короткий лесбийский флирт, а потом живут с мужчиной, этап хипстерской жизни в Кэмдене для Дикси был просто переходным периодом, выпадавшим из ее системы ценностей.

Где же оставалась Лидия? Она оставалась вместе со своей филиппинской домохозяйкой и латвийским тренером. Не было ни одного человека, которому бы Лидии не приходилось в буквальном смысле платить за пребывание рядом с ней. Эта мысль ошеломила ее, когда она смотрела на свою румяную подругу в модном подростковом наряде из потертых джинсов и чересчур большой футболки с нанесенным из распылителя портретом Дебби Харри на груди, и хотя сама Лидия носила элегантную футболку от «Whistles» и джинсы от «Autograph»[2], имела большой, со вкусом обставленный дом с домашней прислугой и семизначный счет в банке, внутри она по-прежнему оставалась неуклюжим подростком, который ни за что не сможет принять на себя такую ответственность, как Дикси.

---

[1] «Арчеры» – британская мыльная опера, идущая по радио с 1950 года. Считается самой длинной в мире; к 2015 году вышло 18 150 эпизодов о жизни английской глубинки.

[2] Whistles и Autograph – авангардные лондонские бренды модной одежды.

Лидия рассталась с Дикси через два часа. Она так и не упомянула о письме от дяди Рода, о реестре донорской спермы или о своей растущей привязанности к личному тренеру (который, вероятно, был гомосексуалистом). В сущности, Лидия почти не говорила о себе. Она не считала, что это может как-то помочь ей в нынешнем положении. Дикси уже отдалилась от ее жизни, став матерью. Теперь она собиралась отдалиться и в физическом смысле, переехав в Уэльс. Вовлекать ее в темный круговорот внутреннего бытия Лидии было не только невежливо, но и бессмысленно.

Вернувшись домой, она сделала себе джин с тоником, уселась перед компьютером и произнесла короткую молитву: «Пожалуйста, пожалуйста, пожалуйста, пусть сегодня кто-нибудь появится. Пожалуйста». Потом Лидия открыла свою электронную почту и увидела письмо из реестра. Она замерла. Оттуда раньше приходили письма с уведомлениями об изменениях в работе сайта и с предложением подписаться на ежемесячную информационную рассылку. Но это письмо выглядело по-другому. Лидия отпила глоток джина с тоником и слегка дрожащими пальцами щелкнула кнопкой мыши, открыв письмо. «Уигморский центр по лечению бесплодия: у донора № 32 зарегистрирован новый абонент в реестре родственников по донорской сперме».

Лидия ахнула. Она откатилась назад в кресле на колесиках, подальше от компьютера и от этого чудесного открытия. Потом прижала ладони к щекам и рассмеялась – не потому, что это было смешно, а потому, что она была настолько потрясена, что ее нервная система не смогла найти другую подходящую реакцию, как в тот раз, когда на дороге в Финчли она въехала в задний бампер микроавтобуса, набитого маленькими детьми, и смеялась так неудержимо, что не могла сообщить женщине-водителю свои контактные данные для страховой компании.

Лидия отняла руки от лица и глубоко задышала, подавляя нараставшую истерику, которая грозила затопить ее. Потом она кликнула по ссылке и стала ждать и думать, кого обнаружит на другой стороне.

РОБИН

Через неделю после того, как Робин увидела себя, глядя на отражение Джека в зеркале ванной, они отпраздновали полуторамесячный юбилей их первого свидания. Разумеется, Джек не имел абсолютно никакого представления о хаосе, творившемся в голове у Робин. Джек полагал, что все идет как обычно, и Робин очень старалась изображать, что все идет как обычно. Ей почти удалось убедить себя в том, что это сплошная нелепость и что она просто спятила, если могла подумать такое. В конце концов, Поль и Линда Маккартни, Брэд Питт и Анджелина Джоли инстинктивно и естественным образом испытывали влечение к людям, внешне похожим на них. Это было нормально и даже неизбежно. Наверное, это было очень хорошо. И это не означало, что Джек был ее братом. Это вообще ничего не означало. И все же оставался крошечный червячок сомнения. А за сомнением стояла неприемлемая возможность. И в результате этой крошечной, ничтожной возможности Робин не могла прикоснуться к Джеку.

Она притворилась, что у нее месячные.

– Очень тяжелые месячные, – с серьезным видом сказала она. – Пожалуй, самые тяжелые, какие у меня были. Возможно, даже придется обратиться к врачу. И боли, – добавила она, словно вспомнила о чем-то. – Сильные боли.

Она помассировала живот и поморщилась. Джек ласково сжал ее плечи и сказал:

– Конечно, тебе нужно обратиться к врачу.

– И в целом у меня какое-то болезненное ощущение, – сказала она секунду спустя, когда он наклонился, чтобы поцеловать ее. – Мне жаль, правда очень жаль. Уверена, скоро мне станет лучше.

Он поцеловал ее в макушку, и Робин подумала: «Вот и замечательно». Брат целует сестру. Она позволила подержать себя за руки, обнять за плечи, погладить волосы и даже потереться носами. Несмотря на все свои страхи и опасения, она все еще любила Джека больше собственной жизни.

– Что это? – спросила Робин, когда он вручил ей пакет, перевязанный лентой.

– Открой его. – Джек угнездился на спинке дивана, положив руку на плечо Робин. Солнце ярко сияло за окном, и комната купалась в жизнерадостном свете. Робин посмотрела на подарок, скрепленный спиралями розовой ленты, который лежал у нее на коленях. Джеку она ничего не купила. Ее охватила печаль, и Робин глубоко задышала, чтобы избавиться от этого чувства. Сегодня субботний вечер. Она была его единственной и настоящей любовью, и Джек купил ей подарок. Она расправила плечи и начала развязывать ленту, потом отогнула бумагу. Внутри находился кубик ткани, оранжево-желтой шанжановой тафты. Робин развернула ткань и увидела платье. *То самое* платье пламенного цвета, которым она восхищалась в витрине магазина несколько недель назад, незадолго до встречи с Джеком, когда ее жизнь казалась нормальной и шла предсказуемым, хотя и головокружительным курсом. Тогда Робин отговорила себя от покупки, не желая тратить деньги, полученные на день рождения. И вот теперь оно лежит у нее на коленях. То самое платье.

Джек воспринял ее молчание как неодобрение и наклонился к ней.

– Все в порядке? – спросил он. – Тебе оно нравится? Если нет, я могу отнести его обратно. Мне сказали, что оно будет отлично смотреться. Правда, когда я увидел его, то сразу же представил тебя в нем…

– Нет, все замечательно. Чудесное платье. Просто… – Она повернулась и посмотрела на него. – Просто я видела это платье в витрине как раз перед тем, как встретила тебя. И едва не купила его.

– Что? Это самое платье?

– Да. – Она задумчиво провела рукой по ткани.

– Ну и ну, – тихо сказал Джек. – Что ж, тогда сама видишь. Нам суждено быть вместе.

Робин улыбнулась и попыталась рассмеяться, но не смогла. Раньше парни покупали ей разные вещи: нижнее белье, духи, даже пару циркониевых сережек от Элизабет Дюк. Белье всегда оказывалось неправильным: не тот размер, не тот цвет, не тот стиль. Духи тоже всегда были неправильными, а что касается сережек... Но еще никто не покупал ей верхнюю одежду. Ее мать уже давно поняла, что такие покупки будут сплошным огорчением и приведут к обратному визиту в одежный магазин. Робин была женщиной, которая знала, что ей нравится, а что не нравится.

Она с благоговейным страхом смотрела на платье. Что это означало? Она на секунду представила, что Джек на самом деле ее брат. Не просто другой ребенок, зачатый от того же мужчины, что и она, а настоящий старший брат, который жил с ней со дня ее рождения. Смог бы ее настоящий брат выбрать единственное безупречное платье в модном магазине и подарить ей? Нет, настоящий брат, вероятно, совершенно забыл бы о ее дне рождения и в последний момент помчался бы покупать коробку конфет «Ферреро Роше» в магазине за углом. Так был ли сам факт покупки платья действительно *хорошей* новостью? Означал ли он, что их связь основана на подлинных чувствах и страстном влечении, а не на общей ДНК?

– Не хочешь примерить? – спросил Джек, поднимаясь на ноги.

– Да, конечно. – Робин медленно встала и направилась в спальню с платьем в руках.

– Можешь не стесняться, – засмеялся он.

– Да, я знаю. Просто... э-э-э... мне нужно еще заглянуть в ванную. Вернусь через минуту.

Платье сидело на Робин превосходно. Она знала, что так и будет. Она посмотрела на себя в большом зеркале и восхитилась тем, как плотно ткань облегает ее талию и приподнимает грудь, как необычный цвет контрастирует с оттенком ее кожи и волосами. Джек был единственным *другим* человеком, который мог представить, как хорошо подойдет ей такое платье. Она решила, что наденет его сегодня вечером, хотя была в теннисных туфлях, а не на высоком каблуке.

Джек расплылся в улыбке, когда Робин вернулась в гостиную.

– Вот это да! – восхищенно произнес он. – Я просто молодец. Оказывается, во мне таился нераскрытый талант покупателя платьев! Ты выглядишь потрясающе. Иди сюда.

Робин подошла ближе и позволила ему обнять ее. Она прижалась лицом к его мягкому свитеру и ощутила его запах через слои одежды – успокаивающий, приятный, изысканный запах ее любовника. «Все хорошо, – думала она. – Это правильно. В этом сценарии нет ничего плохого. Мой брат не выбрал бы для меня такое платье. От моего брата не могло бы так приятно пахнуть». Уже в сотый раз за неделю она отодвинула свои тревоги в самый дальний уголок сознания, нацепила улыбку и постаралась выглядеть влюбленной.

– У меня есть для тебя кое-что еще, – сказал Джек, слегка отстранившись от нее.

– Боже, что еще? – откликнулась она резче, чем собиралась.

– Ну, это не подарок как таковой, а скорее предложение. Я собирался подождать до обеда, но теперь, когда платье оказалось таким ошеломительным и я нахожусь на седьмом небе, то... – Он полез в задний карман джинсов и достал крошечный сверток, завернутый в такую же кремовую бумагу, как и платье, и перевязанный такой же розовой лентой. – И не надо так нервничать, это не кольцо.

Робин нервно улыбнулась и развязала ленточку. Внутри она обнаружила два латунных ключа на маленьком латунном кольце.

– Они отсюда, – сказал Джек.

– Ключи? – непонимающе спросила Робин.

– Ну да. Они для тебя.

– Ох. Я поняла.

– Я думал... – Он сделал паузу, и она увидела, как напряглось его лицо. – Ненавижу, когда тебя здесь нет. То есть дело не в том, что я не могу жить без тебя. Но каждый раз приходится строить планы и договариваться всего лишь для того, чтобы побыть вместе. И тебе все время приходится разъезжать туда и обратно. А твой колледж находится в получасе отсюда. Я просто подумал, что, может быть, тебе будет удобнее, если ты *переедешь* ко мне.

Робин моргнула.

– И мы будем жить вместе.

Она снова моргнула.

– Конечно, я знаю, что мы встречаемся лишь несколько недель и что тебе только восемнадцать лет. Но я не буду тебя связывать, обещаю. Ты сможешь приходить и заниматься своими делами, а потом каждый вечер уезжать отсюда, если захочешь. Но я просто хочу знать, что в конце концов ты будешь здесь. Со мной. Вот и все.

Жить вместе. Она представила, как это может быть. Жить здесь, в этой живописной квартире, каждое утро просыпаться в объятиях Джека, прогуливаться по зеленому бульвару к станции подземки, возвращаться из колледжа и видеть Джека за компьютером, печатающего очередной роман, который получит лестные отзывы, открывать бутылку вина, смотреть кино и интересные документальные фильмы. Заниматься этим каждый день. Робин хотела этого. Она хотела этого, начиная с их первой встречи; она ощущала бесцельность раздельно проведенного времени, тщетность своих одиноких поездок домой, когда видишь, что все самое дорогое уносится в обратном направлении.

А теперь Джек предлагал ей все это. А она не могла это принять, потому что все было не так. Она вздохнула, а потом улыбнулась. Достав ключи из обертки, Робин встряхнула их на ладони.

– Можно я немного подумаю? – спросила она.

Он был потрясен, но за долю секунды овладел собой.

– Да, – сказал он. – Разумеется, можно. Думай столько, сколько понадобится. Это большое дело, я понимаю. Но сохрани их. – Он указал на ключи. – Они твои.

Он сомкнул ее пальцы на кольце с ключами и поцеловал в губы.

Она позволила ему это сделать.

«*Привет, это я. Не превращай меня в нежеланного ухажера. Скажи, что происходит. Что бы это ни было, я смогу это выдержать. Я просто хочу знать. Дж.*».

Робин вздохнула и выключила телефон. Ей было нехорошо. Она уже пять дней нормально не ела, обходясь лишь яблоками, кукурузными хлопьями и диетколой. После той субботы Робин не встречалась с Джеком. В тот вечер у них был секс, и теперь она не могла отделаться от воспоминаний о своих ощущениях. На самом деле все вышло замечательно. Она постаралась забыть обо всем остальном и думать о платье, заверяла себя, что не делает ничего плохого, и позволяла себе получать удовольствие. На следующее утро она положила ключи в сумочку, убрала сложенное платье в пластиковый пакет и покинула чудесную квартиру Джека, гадая о том, когда вернется сюда, если вообще вернется. Если она выяснит, что Джек на самом деле является ее сводным братом, ей придется жить с осознанием того, что она не только занималась с ним сексом, но и обманула его, позволив этому случиться. Каждый раз, когда Робин закрывала глаза, перед ней возникал образ двух тел, жадно переплетенных в постели. В то время это казалось страстью; теперь чудилось, будто они вели себя как животные. Когда Робин была маленький, в доме жили две собаки женского пола: мать и дочь. Большую часть времени они были равнодушны друг к другу, но иногда одна из них взгромождалась на другую и начинала изо всех сил накачивать ее. Теперь, когда Робин вспоминала тех собак, делающих нечто противоестественное и не имеющее никакого эволюционного смысла, она невольно задумывалась о себе.

Она включила телефон, снова посмотрела на сообщение от Джека и представила свой ответ: «*Дорогой Джек, в данный момент я не могу поговорить с тобой, потому что наша связь, возможно, была инцестом. Я жду сообщения из клиники, где я была зачата, там будет установлена личность моего реального отца, чтобы я могла полностью устранить такую возможность и больше не думать о ней. А пока что каждый раз, когда я вспоминаю, чем мы с тобой занимались, мне хочется блевануть. С любовью, Р.*».

Вместо этого она написала: «*Мне правда жаль. Я плохо себя чувствую. Это не имеет к тебе никакого отношения. Скоро буду на связи. Р.*».

Минуту спустя ее телефон завибрировал. «*Вроде бы я не сделал ничего, что могло бы расстроить тебя. Постараюсь быть терпеливым. Скучаю по тебе. Дж.*».

На следующий день почтальон принес Робин то, чего она дожидалась. Это лежало в дорогом кремовом конверте с неброскими заглавными буквами WFC вместо адреса отправителя. Она отнесла письмо в свою комнату и уселась на кровати со скрещенными ногами, с опаской разглядывая неоткрытое послание. Вот он, первый шаг на долгом пути. В безобидном кремовом конверте был заключен целый новый мир, куда ей раньше не хотелось заглядывать, неизвестный и устрашающий. Она сделала глубокий вдох и вскрыла конверт.

«*Дорогая мисс Инглис,*

Спасибо за ваш запрос относительно донора № 32. Согласно нашим записям, существуют трое других ныне живущих индивидуумов, связанных с этим донором: девочка 1980 г. р., мальчик 1983 г. р. и мальчик 1989 г. р. Помимо вас, в живых не существует других женщин, связанных с этим донором. Надеемся, эта информация будет полезной для вас.

С уважением,

Уигморская клиника по лечению бесплодия».

Робин выпустила письмо из рук.

Девочка.

Два мальчика.

Девочка.

Два мальчика.

Мальчик, родившийся в 1983 году.

Джек родился в 1983 году.

Все вокруг заледенело, когда этот факт обрушился на Робин.

Все сомнения в собственных страхах и тревогах внезапно испарились, оставив ее наедине с чистой и горькой определенностью. Где-то существовал двадцатисемилетний мужчина, который был ее братом. И вполне вероятно, что это ее любовник.

Робин сунула письмо в конверт, свернула его в тугой комок и запустила в стену своей спальни.

Мать Робин сложила вечернюю газету, которую читала за столом на кухне, и встала.

– Как насчет того, чтобы зарегистрироваться в реестре родственников по донорской сперме? – спросила она.

Робин пододвинула газету к себе и с недоумением посмотрела на мать:

– Зачем? Его там не будет. Он думает, что его отцом был сирота из приюта Барнарда, погибший в автомобильной аварии во Франции. Если он был зачат от донора, то все равно не знает об этом.

– Нет, я не о Джеке. Но если ты найдешь там двух юношей и девушку, то будешь знать точно. Ты убедишься, что это не он.

Робин передернула плечами. Ей была ненавистна мысль о другой женщине, разделявшей ее гены. Она не хотела встречаться с ней и знала, что возненавидит ее с самого начала. Но в словах матери был смысл. Если Робин зарегистрируется и обнаружит другого мужчину, который родился в 1983 году, то сможет метнуться на станцию, пробежать по Холлоуэй-авеню до дома Джека, упасть в его объятия и больше никогда, никогда не отпускать его.

– Ты права, – сказала Робин и отодвинула газету. – Ты совершенно права.

Робин задвинула подальше мысль о женщине, разделявшей ее гены, и направилась наверх, к своему лэптопу.

Переход по ссылке выглядел достаточно грозно. Робин загрузила информационный бюллетень и поразилась количеству информации, которую предстояло усвоить, прежде чем хотя бы приступить к процессу регистрации. Ее энтузиазм заметно поубавился, когда она поняла, сколько барьеров ей придется перепрыгнуть, пока она узнает хоть что-то о своих генетических родственниках женского или мужского пола. Сначала нужно будет заполнить формуляр, потом сдать тест на ДНК и ждать, пока агентство даст разрешение, чтобы кто-то из родственников по отцу мог поделиться с ней информацией о себе... и все это осуществлялось в письменной форме. Робин понадобится несколько дней или даже недель, чтобы узнать все необходимое. А между тем ключи от квартиры любимого человека по-прежнему будут лежать у нее в сумочке, а зияющая дыра останется в сердце. Робин вздохнула, пододвинула стул ближе к столу и начала делать то, что должна была сделать.

Через три дня пришло письмо. Робин даже не надеялась, что это может быть ответ из реестра родственников по донорской сперме. Выходные тянулись невыносимо медленно, и Робин как будто ступала по битому стеклу, когда представляла Джека, слоняющегося по своей светлой квартире и чувствующего себя потерянным и одиноким. Робин нетерпеливо вскрыла письмо и увидела результат. Одно совпадение: женщина. Робин не стала читать дальше. Письмо упало на пол, а она тяжело привалилась к нижней ступеньке лестницы. Робин чувствовала, что медленно сходит с ума. Две недели назад, пока она не увидела в отражении Джека собственное лицо, она пребывала в нирване. Две недели назад Робин точно знала, кто она такая и куда направляется, и рядом с ней был мужчина, который собирался помочь ей попасть туда. Теперь она сбилась с пути и упала лицом в придорожную канаву. Робин чувствовала себя искаженной и бесформенной, как будто все углы и нюансы ее внутреннего «я» внезапно пошли вкривь и вкось. Общество Джека уже ослабило ее прежнюю связь с родителями. Знакомство с ним открывало жизненные возможности за пределами бытия «дочери». А теперь она снова была в родительском доме, снова стала «дочерью». Это было не то место, где ей хотелось находиться. Она распробовала вкус взрослой жизни, но упустила добычу. Робин хотелось вернуться к Джеку, но она не могла. Она не могла даже рассказать ему, почему не может вернуться, поскольку это выведет его из себя. А между тем единственный шанс привести свой разум в порядок оказался большой пустышкой. Женщина. Проклятая, мерзкая, ужасная женщина.

Робин посмотрела на письмо, позабытое на полу. Она была озлоблена на реестр родственников по донорской сперме, но еще больше она злилась на женщину, называвшую себя ее генетической родственницей. Бесполезно. Бессмысленно. Какой-то вероломный сговор с целью разрушить ее жизнь. Потом Робин обозлилась на мужчину, который был донором спермы. Он был дрочилой. Буквально, фигурально, в любом смысле слова. Что за мужчина, который раздает свою сперму незнакомым людям? Что за мужчина, который позволяет воспроизводить свою ДНК и рассеивать ее по миру, даже не оглядываясь на то, что он сотворил? Что за мужчина, который может забросить своих потомков, швырнуть их в воздух, словно колоду карт, а потом уйти и даже не посмотреть, куда они упали?

Всю свою жизнь Робин была благодарна этому мужчине. Всю жизнь она возносила его на пьедестал, восхищалась им и поражалась его альтруизму. Аль-тру-изм: первое трехсложное слово, которое она усвоила в детстве. Она родилась благодаря альтруизму. Ну да, конечно. Этот парень был не лучше, чем какой-нибудь Ромео из маленького городка, разбрасывающий свое семя в соседней деревне без каких-либо мыслей о последствиях. Идиот. Самовлюбленный, недальновидный, тупой и жестокий кретин.

Пока эти сердитые мысли кружились у нее в голове, Робин обнаружила, что безутешно рыдает. Все поднялось на поверхность: ее несчастные сестры, ее родители, так и не избавившиеся от пережитых травм и затаенной печали, как бы Робин ни старалась сделать их радостными и гордыми; ее замечательный Джек, одинокий в своей квартире, которую он предложил ей, и гадающий, почему она больше не хочет любить его.

Робин проплакала около тридцати минут. Она не плакала с тех пор, как ей исполнилось семнадцать лет. Робин не любила плакать. Это было не в ее стиле. Но эти слезы давно запоздали и были явно необходимы, а в доме было пусто, поэтому она позволила им течь столько, сколько понадобится. Ее остановил звук дверного колокольчика. Она заморгала и уставилась на парадную дверь. Кто это мог быть? Днем Робин никого ждала, кроме почтальона, а он уже приходил. Она вытерла глаза салфеткой, критически изучила свое покрасневшее лицо в зеркале рядом с дверью, а потом осторожно спросила:

– Кто там?

– Робин? – Это был женский голос, громкий и ясный.

– Да. Кто это?

– Это Сэм, мать Джека. Ты можешь впустить меня?

– Ох, – прошептала Робин.

Она снова посмотрела на свое отражение. Да, она выглядела как девушка, которая проплакала полчаса. Нужно найти какой-то предлог.

– Подождите минутку! – обратилась она к запертой двери и поспешно подвела глаза и пригладила волосы. – Я сейчас!

Робин открыла дверь и изо всех сил постаралась изобразить нормальную улыбку.

– Привет, Сэм! – сказала она. – Что вы здесь делаете?

Сэм как-то странно, почти покровительственно посмотрела на нее.

– Ты знаешь, почему я здесь, – сказала она.

Робин нервно рассмеялась.

«Ну, вот оно, – подумала она. – Вот оно».

– Правда? – непринужденным тоном спросила она.

– Разумеется. Так ты собираешься пустить меня в дом или нет?

ДИН

Дин взял у Томми протянутую стопку и осушил ее одним глотком. На вкус это было как бензин, как парафин. Жидкость обжигала горло, выпускала пар из ноздрей, звенела в ушах. Она притупляла все мучительные отростки его сознания. Дин глубоко вздохнул и откинулся на спинку дивана, и мир снова отступил прочь от него, хотя бы на несколько мгновений.

Томми был его кузеном. Последние четыре года он служил в армии, а теперь вышел в отставку и вернулся в Лондон. Самое подходящее время. Дин и Томми выросли вместе, а такие люди, по мнению Дина, всегда могут хорошо поладить друг с другом. Сейчас он как раз нуждался в легком собеседнике. Томми был красавцем в их семье. Дину нравилось гулять с ним в городских пабах, поскольку сочетание смуглых, почти неземных черт с бойцовской геометрией лица (если честно, он не мог быть никем иным, кроме солдата) производило очень внушительное впечатление. В отличие от Дина, Томми любил беседовать с девушками, знакомиться с ними, льстить им и обхаживать. Дину нравились девушки, но он не любил болтовню и увещевания, обычно необходимые для того, чтобы получить желаемое. Вместе они с Томми составляли хорошую пару.

Весь день они говорили о службе Томми в Афганистане: пули, грязь, ночи под звездами, проведенные в гаданиях, удастся ли дожить до рассвета. В его речи было много жаргонных словечек: эвакуатор[1], СКАД[2], вертолето-вылет. Это мало что значило для Дина, зато он мог отвлечься от собственных забот. Последние два часа он прожил в мире, где младенцы погибали под пулями снайперов, а не ждали, пока их заберут домой из клиники, где мужчины были мужчинами, а женщины просто выпадали из поля зрения. Это было хорошее место. Но теперь, когда Томми замолчал и уставился куда-то перед собой, Дин понял, что военное шоу практически закончилось. После короткого молчания Томми вздохнул:

---

[1] Здесь – вертолет для эвакуации раненых.

[2] Неуправляемая реактивная ракета.

– Моя мама рассказала мне о том дерьме, которое здесь произошло. Хреново, парень, иначе не скажешь. – Он грустно покачал головой.

Дин кивнул.

– Сколько ей было?

– Скай?

Томми кивнул.

– Девятнадцать, – ответил Дин.

– Дерьмо. – Томми втянул воздух сквозь сжатые губы и скривился: – Бог ты мой! Знаешь, там такое случается постоянно. – Он сделал широкий жест, который, как предположил Дин, относился к Афганистану, а не к Юго-Восточному Лондону. – Там ты ожидаешь этого, но здесь... Современная эпоха и все такое. Ты просто думаешь, что они могли бы как-то остановить это. Молоденькая девушка, вся жизнь впереди. Черт, парень... – Кузен снова скривился и раздавил окурок в пепельнице. – А как насчет ребенка? – спросил Томми. – Мальчик, девочка?

– Девочка, – сказал Дин.

– Хорошо, а что там с ней? Моя мать говорит, она по-прежнему в клинике.

– Да, это верно. У нее особый режим, понимаешь, она в инкубаторе. Провода и прочая дрянь.

– Дерьмо, – повторил Томми.

– Тем не менее у нее все хорошо. Говорят, ее выпустят в следующем месяце.

– Ох, вот это хорошо. И с ней все в порядке, верно? То есть в смысле мозгов, ты меня понимаешь?

Дин вздрогнул. Он даже не думал об этом. Поскольку Скай сама была недоношенным ребенком, ему не приходило в голову, что недоношенный младенец может отличаться от стопроцентно нормального. Такое предположение слегка потрясло его.

– Да, насколько мне известно, – ответил Дин. – С ней все отлично.

– Вот и хорошо, – сказал Томми. – Вот и ладушки. А потом она будет жить здесь, да?

Он обвел вопрошающим взглядом квартиру, которая выглядела не особенно привлекательной, даже когда здесь жила Скай, но тогда она была хотя бы прибранным и относительно гигиеничным местом, где хранились такие вещи, как чистые банные полотенца и моющая жидкость. Сейчас, после одиночества и четырех самых тяжелых недель в своей жизни, Дин понимал, что квартира находилась в крайне запущенном состоянии. Он пытался навести порядок, когда Томми сообщил, что собирается навестить его, но на самом деле лишь распихал по углам вещи, в беспорядке разбросанные по полу. В квартире все равно пахло плесенью, затхлым дымом и одиночеством.

– Нет, – сказал Дин. – Не здесь.

– Где же тогда?

Дин пожал плечами. Он не видел свою дочь с того дня, когда она родилась, и не имел представления, что произойдет в следующем месяце, когда ее наконец выпустят из клиники. Его мать предложила забрать Айседору. Но, разумеется, то же самое заявляла Роза, мать

Скай, считавшая, что она имеет больше прав на ребенка, будучи его бабушкой по материнской линии. Дин понимал силу ее аргументов. В некотором смысле он даже хотел, чтобы ребенок остался на попечении у Розы. Она была моложе его матери, имела других внуков, жила в более просторном доме и без труда могла взять на себя такую ответственность. Мать Дина была другой: она любила жизнь такой, как есть. Она была независимой и всю свою взрослую жизнь особенно не думала ни о ком, кроме Дина. Она была не приспособлена для жизни с младенцем. Но, с другой стороны, мысль о ребенке, растущем под опекой чрезмерно властной женщины в ее претенциозном доме с глянцевыми журналами, тщеславными дочерями и их испорченными детьми, перед телевизором, откуда круглые сутки блеет музыка канала MTV, и с идиотскими пластиковыми эльфами в саду... Роза будет возиться с малышкой, как с куклой, положит ее в большую коляску с розочками и оборочками и будет катать ее по Пэкхэму, словно чудесное перевоплощение своей дочери-принцессы.

Дин поежился при мысли о том, что его дочь превратится в еще одну Скай. Эта женщина уже выпустила в мир четырех самовлюбленных принцесс, и ему не хотелось, чтобы она сделала это с очередным ребенком. Но Дин не хотел вешать ребенка на шею своей шестидесятидвухлетней матери. Что бы она ни говорила по поводу того, как будет рада сделать это для сына, он знал, что это не то, чего она хочет. А еще он знал, что Роза будет когтями и зубами бороться за право удержать ребенка при себе, и, возможно, у нее будет больше прав на это. Так что оставалось лишь одно иное решение. Но Дину стоило бросить взгляд на эту квартиру и на свое изможденное, серое и почти жутковатое лицо, чтобы свернуть очередную самокрутку и понять, что этого никогда не случится. Он не мог вынести встречу с собственной дочерью даже в надежном уюте современной больницы. Как он мог надеяться, что сумеет позаботиться о ней здесь, в этом зловонном месте, что найдет в себе волю окружить новорожденного младенца любовью и вниманием? Он понимал, что никогда не сможет стать настоящим отцом для своего ребенка. Дин был слишком маленьким для этого, как внутри, так и снаружи. Ему не хватало сил даже на самого себя. Он не был приспособлен к этому, в любом смысле слова.

– Не знаю, – наконец обреченно произнес он. – Думаю, у матери Скай. Знаешь, у нее есть все необходимое, и она просто рвется в бой. На самом деле в этом есть смысл.

– А как насчет тебя? – спросил Томми. – Ты ведь будешь навещать ее?

– Да, – сказал Дин. Он потянулся за бутылкой «Афтершока»[1] и налил себе очередную порцию. – Конечно, я буду навещать ее.

Его перекосило от этой лжи. Он не будет навещать

[1] «Афтершок» – линейка крепких ликеров, выпускается с 1997 года.

дочку. Он останется здесь и будет гнить и разлагаться, а потом, в один прекрасный день – лучше раньше, чем позже, – он умрет.

– Будь здоров, – сказал он и потянулся к стопке кузена. – Хорошо, что ты вернулся.

Они мрачно чокнулись. Оба ощущали, но не желали признать мощное подводное течение плотного, тяжелого, непостижимого дерьма, скрывавшееся за легкомысленным фасадом их разговора.

На следующее утро Дин проснулся в постели с девушкой по имени Кэт. У нее были рыжие волосы. Раньше ему не приходилось спать с рыжими девушками. Он захлопал слипшимися ресницами; его зрение было еще размытым после сна. Ее волосы были настоящего ярко-оранжевого цвета. Морковка. Это было одновременно тревожно и поразительно. Он захотел прикоснуться к ее волосам, но осознал, что его рука была поймана в ловушку ее неподвижным телом и, в сущности, совершенно онемела. Он дюйм за дюймом вытащил руку из-под Кэт, кривясь от неудобства. Наконец рука освободилась, и он энергично тряхнул ею, стараясь вернуть хоть какую-то чувствительность. Болезненное покалывание ненадолго отвлекло его от пульсирующей боли в голове. В его памяти не осталось намеков на путешествие, которое привело в постель к этой женщине с оранжевыми волосами.

Он знал, что вчера вечером Томми притащил его в паб. Он помнил, что там была девушка-диджей в школьной форме, с косичками, которая приплясывала в углу, и что он танцевал под песню «Как раз вовремя» в исполнении «Black Box»[1] с бутылкой «Будвайзера» в руке. Он помнил, что Томми высматривал подходящих девушек с того момента, как они пришли, и объявил их всех «долбаными шлюхами», но все-таки умудрился разглядеть что-то более или менее достойное среди девиц, собравшихся у стойки бара. Но Дин не помнил, откуда взялась эта девушка. Помнил лишь, что ее зовут Кэт, потому что так звали его бабушку. Он помнил, как сказал ей это вчера вечером: «Тебя зовут так же, как мою бабушку». Но не добавил, что еще это второе имя его дочери.

Он огляделся по сторонам. Комната Кэт была похожа на обычное студенческое жилье. Туалетный столик с дешевыми украшениями и фотографиями подруг, гитара у стены, лэптоп, женское сари, растянутое поперек окна наподобие занавески. А на тумбочке возле кровати стояла кружка с надписью «Дептфордский университет», наполовину полная холодного чая.

Девушка зашевелилась, и Дин затаил дыхание. Он понятия не имел, чего следует ожидать. Но когда девушка повернулась к нему, он с приятным удивлением убедился, что она симпатичная. Не такая хорошень-

---

[1] Black Box — итальянская музыкальная группа начала 1990-х годов. Автор ошибается, приписывая им композицию «Right in Time», — на самом деле их главный хит называется «Ride on Time».

кая, как Скай, но и не такая, как рыжухи из группы «Girls Aloud»[1]. У нее были изящные черты лица, аккуратные веснушки и губы клубничного цвета.

– Тьфу ты, господи, – сказала она, когда встретилась с ним взглядом. Потом она откатилась в сторону и застонала.

– Да, мне тоже очень приятно видеть тебя, – сказал Дин, призвав на помощь остатки юмора.

– Тьфу ты, господи. Не ты. – Она снова застонала. – Не ты. *Это.* – Она указала на свою голову. – Болит. Чертовски болит.

Дин сел и свесил ноги с ее стороны кровати.

– Я поищу обезболивающее. Где ты держишь таблетки?

Кэт молча указала на пластиковый контейнер, стоявший на туалетном столике. Дин открыл крышку и протянул ей пачку ибупрофена и стакан воды со стола.

– Спасибо. – Кэт с усилием приняла сидячее положение и откинула волосы с лица. Когда Дин смотрел на нее и оценивал, как он сам сейчас может выглядеть, ему пришло в голову, что оба остались в нижнем белье. Он был в семейных трусах, а Кэт даже сохранила на теле серую жилетку.

– Значит, – начал он, – мы с тобой не...

– Нет, мы этим не занимались.

---

[1] Girls Aloud – английская поп-группа, образованная в 2002 году из участниц конкурса талантов.

– Ну, ладно. – Он пытался выудить из глубины мозга хоть что-нибудь, напоминавшее о том, чем именно они занимались, но ничего не нашел.

Кэт положила таблетки на язык и жадно запила их водой.

– Помнишь, как мы разговаривали? – спросила Кэт.

– Мы разговаривали?

– Да. Сидели на моей кухне черт знает сколько времени и разговаривали.

– Ясно.

– А еще курили. Мы курили, как паровозы. У меня горло как будто набито толченым стеклом. – Она положила руку на горло и осторожно погладила кожу.

– Так о чем же мы говорили? О нас с тобой?

– Обо всем и обо всех. В основном о твоей мертвой подруге. И о твоем больном ребенке. Да, и о твоем отце, доноре спермы.

– Нет! – Дин развернулся и ошеломленно уставился на Кэт.

– Да, да, на самом деле. Я-то всего лишь хотела познакомиться с симпатичным парнем, может быть, немного пообжиматься. И вот, чертовски типично для меня, я оказываюсь с мистером Мертвая Подруга, который играет у меня на кухне в Джереми Кайла[1].

Ее слова звучали жестоко, но Дин видел, что она

---

[1] Джереми Кайл (р. 1965) – британский актер и ведущий телешоу со скандальными выпусками в стиле нашего телешоу «Пусть говорят».

говорит несерьезно. Теперь он начал вспоминать. Он помнил, как смотрел на ее симпатичное лицо при свете свечи, как она наполняла чайник и опускала в кружку чайный пакетик. Дин помнил сэндвичи с ветчиной на пластиковых тарелках и то, как он набивал и сворачивал десяток толстых самокруток, образующих колышущуюся дымовую завесу в воздухе между ними. И помнил, как говорил. Не болтал, а говорил всерьез. Еще он помнил, как произнес следующие слова: «Мне так легко разговаривать с тобой, как будто я знал тебя *всегда*».

Сегодня утром он не чувствовал, что знал ее всегда. Он чувствовал, что раньше никогда в жизни не встречался с Кэт. И ему было неловко от сознания того, что он раскрыл душу перед этой незнакомой девушкой с оранжевыми волосами и веснушчатыми плечами.

– Извини, – немного помолчав, сказал он. – Я не хотел грузить тебя.

Она улыбнулась, и ему понравилось, как выглядит ее лицо, когда она улыбается. На мгновение он понял, почему мог быть настолько откровенным с этой девушкой.

– Не проблема, – отозвалась она, откинув волосы назад и свернув их в беспорядочный узел. – Рада была помочь. Но мне страшно подумать, сколько ошибок мы наляпали в том формуляре, который отправили по электронной почте. Полный абзац. Должно быть, на другой стороне подумали, что его заполняли спятившие шестилетки.

Дин недоуменно улыбнулся.

– В каком формуляре? – спросил он со смутным беспокойством, которое зашевелилось в нем после того, как начала возвращаться память.

Кэт повернулась и посмотрела на него:

– Ты не помнишь?

– Чего?

– Как мы шарили ночью по Интернету?

Он посмотрел на лэптоп, стоявший у нее на столе, на пластиковый стул, придвинутый к нему, потом на деревянный табурет слева от стула. Да, он сидел на этом табурете и смотрел, как Кэт стучит по клавиатуре. Дин даже помнил, как подумал: «Она здорово печатает». Вслед за этим воспоминанием раскрылось и другое.

Кэт и он сидят на кухне. Кэт ставит кружки в раковину, наливает в стаканы водопроводную воду и говорит: «Пойдем наверх. Это в моей комнате».

Он помнил бледно-зеленые стены на лестнице и фотографию кошки в плаще и капюшоне, приклеенную скотчем к двери ванной. И теперь он вспомнил разговор, предшествовавший восхождению в комнату Кэт.

– Разве ты никогда не интересовался? Разве тебе не хотелось узнать?

– Что? Насчет братьев, сестер и всего остального?

– Да. Знаешь, о людях, которые состоят в родстве

с тобой. Господи, если бы я думала, что у меня где-то есть настоящие близкие родственники, то не смогла бы устоять. Я захотела бы выяснить, захотела бы все узнать про них.

– Знаешь, на самом деле меня это никогда не беспокоило. Как выяснилось в прошлом году, есть даже такое место, где можно узнать о своих генетических родственниках. Мама рассказала мне об этом, но я даже не удосужился проверить. Понимаешь, мы ждали ребенка, а после всего, что случилось потом, мне просто было наплевать на это.

– Как оно называется?

Он пожал плечами:

– Точно не знаю. Реестр родственников или как-то еще.

– Оно в Интернете?

– Да. Мама объяснила мне, что нужно сделать, если хочешь присоединиться. Нужно заполнить анкету в онлайне.

Он помнил свое волнение и ощущение будущих приключений, которое охватило его. Ощущение, что он находится в нужном месте, в нужное время и с нужным человеком. Этому было суждено случиться. Он вдруг увидел возможность другой жизни, скачущей ему навстречу по зеленому лугу его воображения. Он чувствовал себя легким и освеженным, словно дом, который много лет простоял запертым и внезапно оказался открытым для всех стихий. Дину показалось, что это самая блестящая идея, которая только могла прийти в голову. Он едва ли не бежал по лестнице в комнату Кэт, спеша перенестись в это новое место. «Да, – думал он, – давай сделаем это!» *Пусть будет рок-н-ролл.*

А потом он сидел на табурете и смотрел, как она делает это – ловко стучит по клавишам, печатая страницу за страницей личных сведений. Дин ожидал, что в конце произойдет нечто грандиозное. Прозвучат фанфары или сигнал горна, замигают разноцветные огни, и на экране появится серия фотографий мужчин и женщин с надписью «ТВОИ БРАТЬЯ И СЕСТРЫ!», набранной внизу заглавными буквами.

Дин пал духом, когда осознал, что ему придется ждать, что какие-то реальные люди должны будут прочитать его обращение, подтвердить подробности, убедиться в том, что все остальные будут рады сообщить ему о своем существовании и что даже тогда не будет никаких фотографий.

– Что за надувательство, – сказал он. – Что за долбаное надувательство!

– Да, но информация отправлена. Теперь она в системе. Ты сделал это. В следующие несколько дней ты узнаешь, есть ли у тебя братья или сестры или никого нет.

– Вот черт!

– Да, – сказала Кэт.

Потом они еще раз покурили и легли спать.

Теперь, сидя в резком свете яркого весеннего утра и ощущая запахи застарелого дыма и нечищеных зубов, Дин ужаснулся содеянному. Кэт надевала толстовку с капюшоном.

– Не могу поверить, что мы это сделали, – сказал Дин.

– Да, – с улыбкой отозвалась Кэт. – Круто, правда? По-любому круче спиритических досок!

– Но я могу... ну, изменить свое мнение? Что там сказано?

– Думаю, что да. Думаю, если там уже кто-то зарегистрирован, ему сообщат, что появился новенький, а потом спросят вас обоих, хотите ли вы поделиться друг с другом подробностями. На этом этапе ты всегда можешь отказаться. – Она повернулась и посмотрела на него, спрятав кулачки в рукавах слишком большой куртки. – Но ты этого не сделаешь, правда? – задумчиво спросила Кэт. – Ты не откажешься?

Дин пожал плечами. Сейчас он не мог принять окончательное решение.

– Не знаю. Думаю, это будет зависеть от того, что они скажут.

Кэт опустилась на край кровати рядом с Дином и взяла в ладони его подбородок.

– Ты должен рассказать мне, что будет дальше, понимаешь? Я не прошу номер твоего телефона, не набиваюсь тебе в подружки и все такое. Черт побери, да ты последний человек, с которым мне захотелось бы прогуляться под ручку. Ты выглядишь как полная автокатастрофа. Но, по крайней мере, ты можешь послать мне сообщение. Когда что-нибудь произойдет.

Дин рассеянно кивнул.

– Как я познакомился с тобой? – внезапно спросил он. – Вчера вечером?

Она рассмеялась. У нее были хорошие зубы.

– Так ты не помнишь?

– Нет. Я помню, как танцевал в пабе. Помню, как сидел у тебя на кухне. Но я не помню, в какой момент ты появилась.

– Я была послана темными неведомыми силами судьбы, чтобы навеки изменить ход твоей жизни, – замогильным голосом произнесла она.

Дин сконфуженно рассмеялся. Он не оценил ее юмора, но смог понять, что она умная и забавная. Умнее, чем он.

– Нет, правда, – сказал он.

– Правда? Твоего друга стошнило прямо мне на туфли. Ты помог мне отмыть их.

Дин рассмеялся, теперь уже от души.

– Ты имеешь в виду Томми?

– Да, того солдатика. Он пытался объяснить мне, что у него огромный стояк на рыжих девчонок и что он может целый час не кончать, а потом просто выблевал свое достоинство на меня. Оно было синее.

– Синее?

– Его блевота была синей.

Дин пережил очередное яркое воспоминание: он открывает качающуюся крышку мусорного бачка у Кэт и выбрасывает пару холщовых туфель, покрытых синими пятнами.

– Так ты возьмешь мой номер, мистер Мертвая Подруга? Сойдет текст из трех слов: «Есть отличная сестра», или «Нашелся классный брат», или «Изменил свое мнение». Просто, чтобы я знала.

– Да, конечно, – сказал Дин. – Конечно, я это сделаю.

– Вот и хорошо. – Она с довольной улыбкой похлопала его по руке. – Давай-ка спустимся на кухню и выпьем горячего чая.

Он последовал за Кэт вниз по лестнице, мимо фотографии кошки в дождевике, мимо бледно-зеленых стен, на кухню, где ночью принял решение, навсегда изменившее его жизнь.

МЭГГИ

Мэгги сквозь зубы втянула воздух, зажмурилась и скривила лицо. Ее подруга Джоанна Дженни оторвала ткань от ее кожи и бросила ворсистую полоску в маленькое ведро на полу. Мэгги прикусила губу, чтобы удержаться от вскрика. Дженни разгладила другую полоску на внутренней части ягодицы, и Мэгги снова приготовилась к боли.

– Подержи вон там, ладно, Мэгс? – сказала Дженни, указав на мясистую часть бедра. Мэгги ухватилась за полоску и держала ее натянутой, пока Дженни вырывала волоски из той части, о которой Мэгги старалась особенно не думать. Она тихо взвыла и спросила сквозь стиснутые зубы:

– Мы почти закончили?

Дженни изучила ее паховую область густо подведенными тушью глазами и провела пальцами по линии бикини.

– Да, – неопределенно отозвалась она – Почти закончили. Думаю, еще несколько минут.

Дженни уже двадцать пять лет делала Мэгги восковую эпиляцию. Никто из них не помнил, были ли они подругами до того, как Джении в первый раз удалила ей лобковые волосы, или же они стали подругами после этого, но они определенно были хорошо знакомы. Мэгги была не тем человеком, который позволяет многим видеть себя под таким углом.

Мэгги приходила домой к Дженни раз в месяц. На самом деле это было глупо, поскольку теперь никто не видел Мэгги обнаженной, и она даже не пользовалась городскими плавательными бассейнами, так как проводила все свободное время в хосписе. Какое-то время она надеялась, что Дэниэл в один прекрасный день снизойдет до созерцания ее обнаженной натуры, но теперь было ясно, что этого не случится. Однако для Мэгги было важно чувствовать себя ухоженной везде и повсюду. После восковой эпиляции она чувствовала себя чистой и здоровой.

Дженни наконец объявила, что она закончила, и смазала маслом бедра Мэгги.

– Как там твой друг? – спросила Дженни, стащив резиновые перчатки и отправив их в ведро.

Мэгги грустно улыбнулась. *Ее друг.* Это все, чем он

был теперь. Горе охватывало ее каждый раз, когда она думала о чудесном странствии, которое им с Дэниэлом было уже не суждено разделить.

– Дэниэл?

– Да.

– Ну, не очень хорошо. – Мэгги скатилась с процедурного стола и поболтала ногами. – Должна сказать, это странный опыт. Очень странно находиться рядом с человеком, который практически…

– Умирает?

– В общем, да. – Мэгги не оценила такую брутальною прямоту. Она была уверена, что есть лучший способ выразить это в словах. – Но это странно. В иные дни он выглядит так, как будто с ним вообще не стряслось ничего плохого. А иногда мне кажется, что я войду в его палату и увижу пустую кровать, аккуратно заправленную, со свежими подушками. Все готово для следующей несчастной души. – Мэгги зябко повела плечами. – Мне так жаль его. Все так затянуто и непредсказуемо. В некотором смысле было бы лучше…

– Если бы его сбил автобус?

– Нет! – Мэгги нервно рассмеялась. – Нет! Я имела в виду, что все это, в конце концов, чрезвычайно болезненно. И ты не можешь… уйти мгновенно. Ты можешь закончить свой век в инвалидном кресле. Или стать слабоумным. Нет! Но, может быть… знаешь, ведь есть швейцарский метод. Один маленький укол, и все кончено.

– Ну да. – Дженни вытерла руки бумажным полотенцем и сняла белый халат. – Именно этим они и занимаются в хосписе, разве нет? Паллиативная медицина? Целая куча мелких уколов, которые убивают тебя по кусочку раз за разом?

– Нет! – горячо возразила Мэгги. – Они просто помогают снять боль.

– Да, но они и не пытаются сохранить ему жизнь, верно? Они не пытаются улучшить его состояние?

– Нет, но это не значит, что они убивают его. Знаешь, он танцевал со мной. Правда. Он повел меня на прогулку в сад и попросил потанцевать с ним. То есть если бы его не вытащили в хосписе из полной безнадежности, то, конечно же, он бы не смог этого сделать. Это был бы постоянный упадок вместо редких приливов энергии. И еще...

Мэгги помедлила. Она уже почти неделю прожила в раздумьях о странном откровении Дэниэла. Она больше никому не говорила об этом, в основном потому, что практически ни с кем не говорила в последние дни. Ее жизнь была поглощена состоянием Дэниэла. Она посмотрела на старую знакомую, возможно, самого близкого человека, не считая детей, матери и Дэниэла, и слова невольно подступили к ее губам.

– Дженни, он поведал мне нечто потрясающее, – сказала Мэгги, натягивая черные брюки. – Я скажу тебе, но ты должна обещать, что ни одна живая душа не узнает об этом.

Дженни вскинула брови:

– Откуда я знаю, кто может интересоваться твоим

другом Дэниэлом, если никто из нас даже не знаком с ним?

Мэгги вскинула голову:

– Ну, никогда нельзя знать заранее. Ты должна дать обещание.

– Хорошо, я обещаю. – Дженни вздохнула и улыбнулась подруге.

– В восьмидесятых и девяностых годах он был донором спермы.

Выщипанные брови Дженни взлетели еще выше.

– Ого! – сказала она.

– И у него четверо детей. Два мальчика и две девочки. Одним около двадцати, другим далеко за двадцать.

– Боже ты мой. – Дженни подпихнула подушку у себя за спиной и уставилась на Мэгги.

– Знаю. И он не встречался ни с кем из них. Он ничего не знает о них, кроме пола и дней рождения. А теперь, когда он... теперь, когда ему осталось недолго, он говорит, что хочет увидеть их. И ясно, что в его нынешнем положении он мало что может предпринять в этом отношении.

– Так ты хочешь поучаствовать?

– Да, наверное, хотя я понятия не имею, с чего начать. Это все равно что искать иголку в стоге сена. На самом деле четыре иголки.

– Он сказал тебе, в какой клинике сдавал сперму?

– Нет, – ответила Мэгги. – Я не стала задавать вопросы после того, как он сказал главное. Мне не хотелось слишком давить на него, особенно в таком состоянии.

– Если ты всерьез собираешься заняться этим ради него, тебе нужно знать, с чего начать.

– Да, да. Конечно, ты права.

– Когда ты в следующий раз увидишься с ним?

– Сегодня, после шести вечера.

– И ты серьезно хочешь сделать это для него?

– Абсолютно.

– Тогда ты не можешь позволить себе слоняться вокруг да около. Возьми карандаш и блокнот и расспроси его обо всем. Если метастазы проникнут в его мозг, сегодня вечером у тебя может оказаться последний шанс.

Мэгги поежилась, но потом кивнула.

– Я знаю, – сказала она, ощущая неизбывную печаль при мысли о несчастном Дэниэле, чей мозг разрушался у нее на глазах. – Я сделаю это. Сегодня же. Вечером я поговорю с ним.

Медсестры развозили на тележках напитки, когда Мэгги пришла в хоспис.

– Вино? Пиво? Херес? – спрашивала добродушная женщина с розой в волосах. Такая же роза стояла в вазоне на тележке, рядом с шоколадными пирожными, усеянными серебряными шариками, подарком от анонимного благожелателя. Пирожные, книги и коробки вина. Мэгги дивилась тому, что на свете есть столько душевных людей, украшавших свежеиспеченные пирожные и паковавших их в пластиковые коробочки без какой-либо корысти или интереса к их дальнейшей судьбе, но приходивших на следующей неделе и собиравших такие же коробочки просто из-за обычной человеческой доброты.

Мэгги привыкла считать себя хорошим человеком. Она улыбалась каждому встречному, жертвовала на благотворительность и всегда говорила людям, что они замечательно выглядят. Она отправляла мусор на повторную переработку, брала на выходные чужих детей и снова жертвовала деньги, когда друзья устраивали благотворительные мероприятия. Несколько лет назад она даже участвовала в благотворительном пробеге. Всего лишь одну милю, в красном спортивном костюме. Для помощи больным раком груди. Но тем не менее ей нравилось думать о себе как о солнечном зайчике в человеческом облике, как о человеке, который делает хмурый день ясным, как о распределителе хорошей кармы. Но теперь она сомневалась в этой оценке, ежедневно сталкиваясь с необходимостью отдавать все больше сил, забот, физической и духовной энергии на труд в хосписе.

– Выпьете бокал вина, мистер Бланшар? – ласково осведомилась дама с розой в волосах, бочком протиснувшаяся в палату.

Дэниэл улыбнулся.

– Да, – радостно объявил он. – Думаю, сегодня я с удовольствием выпью бокал вина. Что у вас есть?

– Красное или белое? – ответила дама, на чьей табличке, как заметила Мэгги, было написано «Эйприл».

Дэниэл снова улыбнулся своей особенной улыбкой, которой пользовался, когда англичане забавляли его каким-то непостижимым образом. Он часто изображал эту улыбку. Мэгги перестала спрашивать, чему он улыбается; он так и не смог объяснить ей.

– В таком случае, – продолжал он, – разрешите попросить бокал вашего *лучшего* белого вина. Спасибо.

Эйприл налила вино в небольшой бокал из тех, какие подавали в винных лавках в былые дни. Стекло было поцарапанным и мутноватым, а вино на вид не производило впечатление лучшего. Тем не менее, подумала Мэгги, когда ты прикован к своей кровати в хосписе, бокал вина – это бокал вина. Если бы она лежала в этой кровати и рак пожирал ее внутренности, она бы целыми днями пила вино, дешевое или любое другое. Какая разница?

Эйприл налила Мэгги немного красного вина и оставила каждому из них по сказочному пирожному на бумажной салфетке. И Мэгги, и Дэниэл знали, что не прикоснутся к пирожным.

Несмотря на свой энтузиазм, Дэниэл не производил впечатления человека, которому хочется пить вино, и на самом деле едва прикоснулся к нему. Его лицо еще немного обмякло за прошедшую ночь, а волосы казались более тонкими и хрупкими. Даже его силуэт казался плоским, словно у персонажа из мультфильма, по которому проехался асфальтовый каток. Его тело как будто вобрало в себя формы и очертания кровати, словно они каким-то образом склеились вместе, подобно слоям компоста. Дэниэл поставил свой бокал на поднос, и Мэгги пришлось вскочить, чтобы удержать его, поскольку он опасно зашатался в его нетвердой руке.

– Спасибо, Мэгги. Мои руки стали похожи на веточки. Не могу поверить, что когда-то я носил тяжелые книги. Этими руками я построил садовую стену. На этих руках я носил свою мать, вверх на два лестничных пролета. А теперь... – Его голос пресекся.

Мэгги хотелось уцепиться за эти факты и спросить: «Когда? Какие книги? Что за стена?» Но она ощущала слабость Дэниэла и понимала, что может заставить его думать только о жизненно важных вещах, а сейчас подробная история строительства садовой стены была далеко не самой важной.

– Послушайте, – начала Мэгги, закинув за ухо выбившуюся прядь волос и достав из сумочки блокнот и карандаш. – О чем вы мне говорили тогда, в саду? Насчет того, что вы были донором спермы? И о детях?

Мэгги озабоченно смотрела на Дэниэла, желая, чтобы он вспомнил. В его глазах блеснуло понимание, и она облегченно вздохнула.

– Да, – ответил он. – Конечно, я помню. Нелегко забыть, когда ты в первый раз доверяешь другому человеку свою самую старую и глубокую тайну.

Мэгги кивнула, благодарная за его доверие.

– Хорошо, – сказала она и взяла его за руку. – Я рада. Послушайте... Меня интересует одна вещь, но вы в любой момент можете отказаться...

– Да, – перебил он. – Да, я хочу, чтобы вы это сделали.

– Что? – удивленно спросила Мэгги.

– Найдите их, если сможете. Я хочу, чтобы вы нашли их. Я хочу знать, что они счастливы, что они выросли умными и красивыми и что они рады своему появлению на свет. Понимаете, что они не сердятся на меня за это. И даже если сердятся, я все равно хочу знать.

– В самом деле? – Мэгги разгладила страницу открытого блокнота. – Это просто замечательно. Я уже несколько дней собиралась расспросить вас, но опасалась, что вы больше не захотите говорить об этом. Последнее, чего я хочу, это расстроить вас.

– Ох, Мэгги. – Дэниэл улыбнулся и слабо пожал ее руку. – Как вы можете меня расстроить? Я и представить не могу, что вы кого-то расстроили за всю вашу жизнь!

Мэгги улыбнулась, гордясь осознанием того, что он, скорее всего, совершенно прав.

– Да, – продолжал он. – Я даю вам свое разрешение. Думаю, у меня еще есть время. Само знание того, что это возможно... в общем, я постараюсь успеть. В прошлом году я прочитал статью о новом сайте для детей, родившихся от отцов-доноров. Несколько дней назад я внезапно вспомнил об этом во сне. Полагаю, есть вероятность, что мои дети зарегистрировались на этом сайте и, может быть, даже встречались друг с другом. Возможно, сейчас они собрались где-то и пьют чай или теплое белое вино из крошечных бокалов... – он рассмеялся, – и гадают, каков из себя их так называемый отец. На это стоило бы посмотреть. Но все эти годы я считал, что это не имеет значения, а теперь я одной ногой в могиле, и остается ужасно мало времени. Я чувствую это. Но даже если вы найдете хотя бы одного... хотя бы одного! Может быть, узнаете цвет волос, или имя, или работу, которую они выбрали. Хотя бы один факт, пусть даже самый незначительный. Это будет огромным подарком, который я заберу с собой. Это будет лучшее, что кто-либо сделал для меня.

Он улыбнулся, глядя на их переплетенные руки, лежавшие на простыне. Его глаза снова увлажнились, и Мэгги сморгнула собственные слезы. Она не стала спрашивать, каково ему будет, если ей не удастся никого найти. Он не стал ее спрашивать, что она будет делать, если найдет кого-нибудь, но к тому времени его разум помрачится настолько, что он не сможет никого узнать.

Мэгги с улыбкой погладила его руку и сказала:

– Предоставьте это мне, Дэниэл. Я сделаю все, что смогу.

Квартира Дэниэла располагалась на двух верхних этажах большого, отдельно стоящего дома на окраине города. Дом стоял в конце гравийной дорожки, ранее предназначавшейся для конных экипажей, и представлял собой довольно уродливый образец эдвардианской архитектуры. Тем не менее он сохранил несколько приятных черт, таких, как декоративное витражное стекло на парадной двери, свинцовые оконные рамы и до блеска отполированную латунную табличку с вмонтированными в нее шестью стеклянными кнопками, к каждой из которых прилагался дверной колокольчик. Надпись рядом с кнопкой Дэниэла гласила «Доктор Бланшар». Естественным желанием Мэгги было нажать на кнопку, но в ее сумочке лежал набор ключей. Дэниэл вручил их ей в хосписе вчера вечером вместе с подробной инструкцией о дополнительном ключе, который должен был висеть на вбитом в стену гвозде за письменным столом. Этот ключ подходил к маленькому ящику, где лежала зеленая папка с надписью WFC, в которой Мэгги найдет все необходимое для связи с клиникой по лечению бесплодия и авторизованного доступа к реестру родственников по донорской сперме. Мэгги уже бывала на квартире у Дэниэла. Один раз, когда выдался особенно красивый сентябрьский вечер, они пили шампанское у него на балконе («Это может быть наш последний шанс по-настоящему побыть вдвоем, и мы не можем его упустить»), и еще раз, чтобы помочь ему собрать вещи для переезда в хоспис. Мэгги очистила его холодильник, открыла ящики и отключила от сети телевизор, но все это было сделано под наблюдением Дэниэла. Теперь, когда она пришла одна, она чувствовала себя взломщицей.

Воздух в квартире был плотным и неподвижным. Уборщица приходила за последний месяц два раза, так что все выглядело немного иначе, но все равно Мэгги чувствовала себя незваной гостьей, когда проходила по следам от пылесоса, оставшимся на ковре. Было почти невероятно, что Дэниэл когда-нибудь вернется сюда, но если Бог сотворит чудо и он все же вернется (случаются и более странные вещи), то ему будет приятно обнаружить свою квартиру нетронутой и ожидающей хозяина, словно старый пес.

Квартира Дэниэла больше напоминала не жилище француза средних лет, а квартиру пожилого англичанина. Окна были закрыты кремовыми жаккардовыми занавесками, а диван выполнен в стиле честерфилд. На книжных полках выстроились произведения британских классиков, а на кухне пахло английскими крекерами. Сухая голубая тряпочка для столешниц жестко свисала с лебединой шеи водопроводного крана. Это была приятная квартира. Давным-давно, когда Дэниэл был просто серьезным мужчиной с больной спиной, Мэгги представила, что когда-нибудь будет жить здесь. Все лампы были включены, воздух трепетал от птичьих трелей, и она испытывала приятное вдохновение от шампанского и близости самого симпатичного мужчины в Бери-Сент-Эдмундсе. Тогда все казалось возможным.

Она положила сумочку на маленький стол и развернула длинный шелковый шарф. Потом она огляделась по сторонам в попытке определить, где находится «небольшой ореховый стол». Она нашла его за большим, тяжело нагруженным креслом. Оно вмещало коллекцию стеклянных пресс-папье с завитками зеленовато-желтого и алого цвета и черно-белые обрамленные фотографии людей (как Мэгги полагала, родителей Дэниэла), справлявших свадьбу много лет назад. Она наклонилась к проему между тумбами и ощупала стену за письменным столом, пока не наткнулась на ключ, подвешенный на синей ленточке. Потом Мэгги нашла маленький ящик, скрытый внутри другого ящика за тайной панелью, и увидела обещанную светло-зеленую папку, отсыревшую и выцветшую, отмеченную буквами WFC.

Мэгги отнесла папку к креслу и прислонилась к плотной обивке. Глядя на папку, лежавшую у нее на коленях, Мэгги ощущала тяжесть возложенной на нее задачи и полноту доверия Дэниэла. В этой папке находились чьи-то жизни. Люди. Истории. И, что важнее, там находились чьи-то секреты. Мэгги не любила секреты так же, как не любила ложь. Ее склад ума не позволял жонглировать необходимым реквизитом — вещами, о которых не следует говорить, людьми, о которых не стоит упоминать, невысказанными словами и событиями, которые никогда не происходили. Все это было слишком запутанным и нервным занятием. Жить без лжи и секретов было гораздо проще. В этой папке находились жизни, отягощенные такими сложностями, что у Мэгги начинала кружиться голова от одной мысли об этом.

У Дэниэла не было компьютера. «Кому я буду посылать электронные письма? – спросил он. – Что такого есть в Интернете, чего я не мог бы найти у себя на книжных полках? Что?»

«Но вы могли бы бронировать билеты и номера в гостинице для отпуска», – возразила Мэгги.

«Отпуск! – отозвался Дэниэл. – Ну да, разумеется. У меня не бывает отпусков. Море находится в часе езды от моей двери, и я живу в одном из самых красивых городов в этой стране. Я провожу отпуск у себя на балконе».

Он улыбнулся, и Мэгги улыбнулась в ответ и подумала, что она никогда не встречала человека, который одновременно был бы таким обаятельным и совершенно прозаичным, как Дэниэл.

Ей нужно было отнести бумаги к себе домой и включить свой компьютер. Ее работа здесь была сделана. Но Мэгги пришло в голову, что, вероятно, она сможет сделать кое-что еще. Она может больше не вернуться в эту квартиру. Она не имела законного права входить сюда и не имела отношения к официальной документации Дэниэла. Существовала возможность, что Мэгги придется разбираться с его делами, когда его не станет, но это было лишь предположение, а если кто-то из детей захочет вступить в контакт с Дэниэлом, но будет уже слишком поздно? Что она сможет рассказать им о человеке, с которым они хотели познакомиться?

Она могла опереться на собственные воспоминания о нем и рассказать им несколько забавных историй, но этого будет недостаточно. Она слишком мало знала о нем; он был слишком уклончивым и почти неприступным. Она знала, что у него есть пожилая мать и холостой брат, что Дэниэл когда-то был врачом и оставил работу из-за того, что плохо себя почувствовал. (Он не распространялся на эту тему, но Мэгги предполагала, что сначала его нездоровье было психическим, а не физическим. Люди обычно любят говорить о своих физических недомоганиях. С другой стороны, психические расстройства...) Она знала, что у него есть небольшая яхта под названием «Кларисса», стоявшая у причала в Олдборо. (Мэгги было неизвестно, почему он выбрал такое название, и она не имела возможности увидеть яхту, так как Дэниэл перестал выходить в море после того, как его начала беспокоить спина, то есть примерно в то время, когда он появился в жизни Мэгги. При мысли о том, что она лишь немного не успела познакомиться с Дэниэлом в его лучшие дни, у нее снова сжалось сердце.)

Мэгги знала, что он любит почитать, вкусно поесть и выпить хорошего вина, что в большинстве местных ресторанов и окрестных деревушек его знают по имени и тепло приветствуют, когда он приходит в какое-нибудь заведение. Ей было неизвестно, каким образом он мог позволить себе регулярно питаться в ресторанах, или со вкусом обставить свою просторную квартиру в старинном доме, или платить за шампанское, дорогие вина, элегантную одежду и частную физиотерапию. Мэгги не знала об этом человеке ничего такого, что на самом деле могло бы помочь ребенку, который задает вопросы, и все в ней бунтовало против мысли о том, что ей придется обнаружить свое невежество и оказаться не в силах дать нечто большее, чем смутное представление о человеке, с которым ребенок так и не успел познакомиться.

Поэтому она направилась на кухню, где нашла стопку аккуратно сложенных полиэтиленовых сумок, и начала заполнять их памятными вещами. Казалось ужасным, что она делает это, уносит внутреннюю сущность человека из его дома без его разрешения. Это было совсем не то, что Мэгги в другое время посчитала бы обычным для себя, но и ситуация была необычной. Обычные правила здесь не действовали.

Она положила в сумку две маленькие фотографии в рамках и представила, как говорит потрясенному юноше или девушке: «Это фотография родителей твоего отца. Твои дедушка и бабушка». Мэгги положила туда же его лосьон после бритья (с запахом огурца и скошенной травы). Она нашла старые фотоальбомы с фотографиями Дэниэла в разной обстановке: на скамье его яхты вместе с какой-то подругой; на регате в Хэнли, где он был в соломенной шляпе и держал на коленях кокер-спаниеля. Мэгги быстро перебрала фотографии, не желая подробно изучать их без разрешения владельца. Потом она выбрала альбом с маленькими черно-белыми фотографиями давно умерших родственниц и родственников в платьях-чарльстонах и за рулем длинноносых автомобилей. Она взяла записные книжки, собранные на полке, хотя и не стала заглядывать в них, понимая, что это будет уже слишком большим нарушением приличий. Она сняла со стены карту в рамке, акварельное изображение окрестностей Дьеппа, где он родился, и маленькую записную книжку с телефонного столика. Потом Мэгги выровняла подушки кресла, чтобы скрыть отпечаток своего тела, бросила на квартиру последний взгляд и тихо, почтительно закрыла дверь, направившись к себе домой.

ЛИДИЯ

Лидия приобрела кошку – голубую, с приплюснутой мордочкой и толстыми щеками. Она купила ее у заводчицы, которая разводила кошек в двухквартирном доме в окрестностях Кеттеринга. Дом был некрасивым и холодным, но хозяйка оказалась доброй и любящей женщиной и едва ли не со слезами распрощалась с похожей на медвежонка кошкой, которую назвала Сансарой. Это была британская голубая. Лидия увидела такую кошку на рекламе дезодоранта и мгновенно влюбилась в нее. Голубая кошка и впрямь была похожа на медвежонка. Лидия всегда предпочитала собак, но теперь решила стать кошатницей. Это имело свой смысл. Все вокруг нее буквально кричало: «Заведи кошку!» Ее огромный пустой дом, ее страсть к гомосексуальному личному тренеру, ее ненадежная дружба с единственной настоящей подругой, ее напряженная работа. *Кошка, кошка, кошка.*

Она назвала кошку Куини. Ей было примерно три года от роду. Заводчица сохранила ее от предыдущего помета, но она оказалась бесплодной и не могла окупить свое содержание. Это также означало, что она была приучена к кошачьему туалету и уже не была одержима клубками и другими видами кошачьих игр. С того момента, когда Лидия выпустила Куини на волю, стало ясно, что она нашла себе правильную зверушку. Куини изящно отряхнула каждую лапку по очереди, изучила комнату, обратила внимание на модульный диван, обитый белой кожей, и немедленно запрыгнула на него, на самый дорогой предмет мебели в доме. Солнце озарило ее, окрасив шубку в зеленовато-голубой цвет, и Лидия была уверена, что она видела, как кошка довольно улыбнулась, словно говоря: «Наконец-то я оказалась там, где обстановка соответствует моему статусу маленькой голубой богини».

Присутствие домашней кошки сгладило острые углы одинокого существования. Ночью Куини спала в постели Лидии и аккуратно будила ее поутру, прикасаясь носом к носу и похлопывая по груди хозяйки мягкими лапками. Потом кошка сопровождала ее от кровати в душевую, из душевой в гостиную, из гостиной на кухню и из кухни в рабочий кабинет.

Джульетта возненавидела кошку. Она отпрянула в ужасе, когда увидела Куини, с надменным видом восседавшую на ослепительно-белом диване, а затем деловито облизавшую свой анус. Кошка и Джульетта обменялись понимающими взглядами; потом Джульетта прижала руки к груди, пробормотала по-тагальски нечто весьма похожее на проклятие, повернулась и вышла из комнаты.

Лидия взяла на себя уход за поддоном для кошачьего туалета и пластиковыми мисочками, из которых Куини ела свой сухой корм. (Лидия любила смотреть, как кошка ест сухой корм, и особенно ей нравился сочный хруст, когда Куини пережевывала их своими крошечными зубками.)

Сейчас Куини сидела в кресле в уборной Лидии и с интересом наблюдала, как хозяйка старается изучить профиль своих ягодиц в зеркале. Большую часть жизни Лидия не особенно заботилась о своих ягодицах, но сегодня она надела новые тренировочные брюки. Они были очень плотными, с массой швов и контуров, сшитые из высокотехнологичной ткани с легким отливом. В общем, они были не для слабовольных, а Лидия могла быть очень слабовольной, когда дело касалось ее внешности. Она обратилась к кошке (какой смысл держать кошку, если нельзя поговорить с ней?):

– Думаю, сойдет. А ты? То есть я не считаю себя жирной. Кое-где выпирает, только и всего. Но, если честно, какое это имеет значение. Он гей, правильно? Как ты думаешь, он гей? Ты же видела его. Каково твое мнение?

Куини в некотором замешательстве посмотрела на нее и отвернулась.

«Разумеется, она сконфужена, – подумала Лидия. – Все-таки я женщина, а она – кошка». Она вздохнула и в последний раз провела ладонями по ягодицам. Если Бендикс окажется геем (несомненно, так оно и есть), то его не смутит вид нескольких выпуклостей ее фигуры, но он *будет* доволен, что она выбросила мешковатые спортивные брюки с растрепанной резинкой на талии. Лидия свернула темные волосы в тугой узел на затылке и напоследок посмотрелась в зеркало, прежде чем спуститься к парадной двери вместе с Куини.

Сегодня внешность Бендикса оставляла желать лучшего. Он выглядел менее ухоженным. Он явно не брился с утра и не мазал лицо питательным кремом. Его брови не были аккуратно выщипанными и причесанными, и он не пользовался косметическим карандашом, отчего глазницы казались серыми и запавшими. Волосы нуждались в стрижке, и от него – видимо, для разнообразия – пахло потом.

– Добрый день, Лидия, – сказал Бендикс. – Как ваши дела? – Он сразу же опустился на корточки и погладил кошку, которая уже терлась об его ноги. – А вы, мисс Куини? Как вы поживаете?

Он почесал кошку за ухом, и уже довольная мордочка Куини расплылась в улыбке. По-видимому, вкусы Лидии и ее кошки совпадали во всем, от дивана и музыки до мужчин. С другой стороны, улыбка Бендикса была слабой и неубедительной. Если бы Лидия не знала, что он родом из Восточной Европы, то могла бы заподозрить, что он недавно плакал.

– Как вы? – спросила она, когда он встал.

– О, все замечательно... понимаете?

В это жалобном «понимаете?» Лидия усмотрела возможность для того, чтобы обратиться к причинам его расстройства.

– Вы выглядите... – начала она.

– Знаю, – грустно произнес он. – Я выгляжу ужасно. Когда вы выглядели не лучшим образом, я говорил об этом, поэтому с вашей стороны нормально вернуть мне комплимент. Я не спал. Фактически я даже не ложился в постель.

– Да, вы выглядите очень усталым, – согласилась Лидия. – Все в порядке?

– Нет. – Он вздохнул. – Все не в порядке. Все отвратительно.

– О боже. – Она старалась не выглядеть слишком увлеченной его бедственным состоянием. – Заходите, заходите же. Вы чего-нибудь хотите – чаю, кофе?

– Ха! Думаю, лучше было бы выпить водки.

– Что, в самом деле?

– Нет. – Он хрипло рассмеялся. – Нет. Это последнее, что мне сейчас нужно. Впрочем, будет приятно выпить кофе.

Лидия заглянула на кухню и с извиняющимся видом попросила Джульетту сделать два двойных эспрессо, а затем проводила Бендикса на заднюю веранду, где весеннее солнце играло на дощатом полу и нагревало кремовые подушки на ротанговой мебели. Бендикс опустился на диван, и Куини грациозно запрыгнула ему на колени, где три раза обернулась вокруг себя, прежде чем свернуться в клубок и удовлетворенно посмотреть на Лидию. Бендикс уткнулся подбородком в грудь, а потом прижался лицом к кошке.

– Вот черт, – произнес он, снова поднял голову и помотал ею из стороны в сторону. – Тяжело, тяжело, тяжело!

Его голос едва не сорвался на крик, и Лидия застыла. Сейчас она была не готова к чужим слезам. Она смотрела на него и ждала, когда он снова заговорит.

– Сегодня я стал банкротом, – наконец произнес он.

Лидия распахнула глаза.

– Сегодня я был в суде, где мне сообщили, что я банкрот. Все, что я имел, больше мне не принадлежит. Мне больше не разрешают работать тренером, и все мои кредитные карточки будут ликвидированы. Сегодня я перестал существовать.

– Господи, Бендикс, это ужасно!

– Знаю, знаю. – Он вздохнул и закрыл руками напряженное лицо. – Это совершенно ужасно. Я уничтожен.

– Бедный вы, бедный. Как это случилось?

Бендикс пожал плечами и с безутешным видом погладил кошку.

– Кредитные карточки. Перерасход средств, обычное дело. Я оказался тупицей, настоящим тупицей. Просто идиотом.

– Но разве банкротство не хорошая вещь для должника? – осторожно начала Лидия. – То есть теперь ведь можно все начать заново.

Он снова пожал плечами:

– Только не там, откуда я родом. Меня низвели до положения ребенка. Больше никаких кредитов, никакой самостоятельной занятости. Мне придется вернуться в какой-нибудь фитнес-центр, снова стать наемным работником. И придется отказаться от квартиры.

– Но почему?

– Потому что она слишком дорогая. Это было еще одно глупое решение. Я выбрал квартиру, которая мне нравилась, а не ту, которую мог себе позволить. Понимаете, я начал жонглировать средствами и жить в кредит, чтобы тратить свои заработки на эту дурацкую красивую квартиру. А теперь мне придется жить только на заработки. Так что прощай, красивая отдельная квартира в Вильсдене, здравствуй, паршивая квартира с подселением в Уэмбли.

– Вы уже нашли человека, с которым могли бы делить аренду?

– Пока нет, но мне придется это сделать. Возможно, кого-то из спортивного центра. А я видел их квартиры: это настоящие вонючие дыры. – Он слегка поежился и печально уставился в пол.

Лидия в отчаянии глядела на него. Раньше она бы посчитала невозможным так сильно переживать за чужого человека. Ее сердце было в целом уравновешенным органом. Оно вело себя тихо и исправно качало кровь по ее телу. Иногда оно устремлялось вверх при виде привлекательного животного или красивого мужчины. Иногда оно тупо ныло из-за одиночества или неясного томления. Однажды оно даже было готово выскочить из груди из-за нервозного предвкушения, которое она испытала, будучи студенткой, при подготовке к радиоинтервью в прямом эфире. Но большую часть времени ее сердце ничего не чувствовало и размеренно билось в грудной клетке под защитой ребер, отсчитывая моменты ее жизни. Так что это новое ощущение, которое называлось состраданием, было чем-то новым для Лидии. Бендикс, сидевший на ее ротанговом диване, выглядел сломленным человеком. Он был похож на ребенка, чье детство только что признали недействительным. Для нее была невыносимой мысль о том, как он пакует свои вещи в коробки и переезжает вместе с ними в промозглый дом, полный людей, в каком-нибудь дальнем углу Лондона. Лидии хотелось, чтобы Бендикс не упал в собственных глазах. Ей хотелось, чтобы он сохранил какую-то гордость, поскольку гордость была одним из его наиболее привлекательных качеств.

– Поживите здесь, – сказала Лидия, и слова повисли в воздухе между ними, прежде чем она успела спросить себя, что делает.

– Что?

– Я могу сдать вам комнату за ту же цену, которую вы заплатили бы за паршивую квартиру с соседом. У вас будет собственная ванная и право хозяйствовать на вашей территории. Уходите и приходите, когда вам удобно... пока вы не выпутаетесь из нынешнего положения.

На лице Бендикса появилось выражение тихого изумления.

– Нет, – сказал он, прижав руку к груди. – Вы серьезно?

– Да. – Лидия кивнула. – Почему бы и нет? Я хочу сказать, этот дом все равно чересчур большой для меня.

– Но, Лидия, ваша приватность, ваше жилье… я не хочу посягать на это.

– Все в порядке, – настаивала она. – Я все равно провожу большую часть времени в своем кабинете. Вероятно, мы практически не будем видеть друг друга. – Она завершила свою речь коротким, резким смешком. Уже сейчас она просчитывала всевозможные опасности своего поспешного предложения. Неловкие встречи по утрам на кухне, когда она еще не почистила зубы, волосы растрепаны, а на лице остались следы от подушки. Столкновения в коридорах в откровенной домашней одежде. Вероятность появления в доме незнакомых мужчин или женщин и звуки совокупления, доносящиеся из-за стен поздней ночью. И хуже того, ужасная перспектива вынужденных разговоров, ненужной болтовни, неожиданных стечений обстоятельств. В своей повседневной жизни Лидия привыкла обходиться очень немногими словами: ей так нравилось. По ее мнению, люди сильно переоценивали важность разговоров.

Ее улыбка постепенно увяла, когда эти опасения поочередно предстали перед ней. Будет ли явное преимущество каждый день видеть благоухающего Бендикса в неформальной и даже интимной обстановке быстро омрачено явными недостатками вынужденного сожительства с мужчиной, которого она едва знает?

Казалось, он заметил ее застывшую улыбку и задумчиво смотрел на нее.

– Вы не подумали как следует, правда?

– Нет! – машинально откликнулась Лидия. – Я подумала, все в порядке!

– Послушайте, Лидия, – сказал он. – Вы знаете, что мне нравится этот дом. И мне бы очень хотелось остаться здесь, рядом с вами. Это решило бы все мои проблемы. Это было бы идеально. Но я ни при каких обстоятельствах не хочу, чтобы вы чувствовали неудобство по этому поводу. Пожалуйста, не бойтесь сказать, если вы не хотите, чтобы я оставался здесь.

Улыбка Лидии снова смягчилась. Нет, это будет хорошо. Это должно быть хорошо. Просто потому, что она не могла отказать этому красавцу.

– Честно, – сказала она. – Я хочу, чтобы вы остались. Я действительно хочу этого.

Бендикс просиял.

– В таком случае я с радостью принимаю ваше предложение, – сказал он. – Спасибо, Лидия. Вы сделали меня очень, очень счастливым человеком.

Лидия не могла припомнить, когда она в последний раз делала кого-то счастливым человеком. Она шла по жизни, ни к кому не прикасаясь, не оставляя следов. И вот произошло маленькое, странное чудо.

Десять минут назад, когда этот человек вошел в ее дом, он выглядел потерянным и посеревшим от беспокойства. Теперь на его лицо вернулись краски, осанка стала энергичной и пружинистой. И это сделала она, Лидия, одним поспешным, незапланированным жестом. Теперь, глядя на Бендикса, она ощутила нечто большее, чем сострадание. Она напомнила себе, что этот мужчина понимает ее. Он приехал в Лондон из далекой страны и сам зарабатывал себе на жизнь. Она чувствовала себя в его обществе непринужденно, и если подумать, то он был тем человеком, с которым ей было приятно находиться рядом посреди необычных и раздражающих событий, вторгавшихся в привычное течение ее жизни.

Потому что теперь в реестре родственников по донорской сперме рядом с ее записью появилось еще две.

Два человека.

Мужчина и женщина.

Мужчина появился вчера ночью.

Женщина до сих пор не ответила на ее запрос о контакте. Прошло уже три недели после первой попытки, но ответа до сих пор не последовало. Лидия очень старалась не принимать это близко к сердцу. Зачем регистрироваться в агентстве, если ты не имеешь желания связаться со своими родственниками? Это не имело смысла. Нет, рассуждала она, наверное, эта девушка куда-то уехала на каникулы. Ее проєто не было в городе. Ей восемнадцать, поэтому она, возможно, взяла академический отпуск. Или учится за границей.

Лидия представила себе девушку, сидящую в интернет-кафе где-нибудь в Дели и просматривающую свою почту. Она видит сообщение из реестра, говорит своей подруге: «Эй, смотри-ка, у меня есть сестра!», а потом идет на экскурсию в Тадж-Махал или куда-нибудь в этом роде.

А может быть, она больна? Может быть, она внезапно заболела и сейчас находится где-то в больничной палате, опасаясь за свою жизнь и ничего не зная о попытке контакта? Может быть, встревоженная мать не позаботилась упомянуть об этом в ее нынешнем состоянии? А может быть, у нее сейчас просто нет выхода в Интернет. Может быть, она уехала в захолустье и живет с пожилой тетушкой. Или она прямо сейчас заполняет формуляр и дает агентству разрешение поделиться своей личной информацией? Лидия, как одержимая, продолжала проверять свою почту. Желание узнать что-то новое о своей сестре вытеснило прежнее желание дождаться хотя бы одного генетического совпадения. Неужели это было предопределено? – гадала она. Ожидание, ожидание и ничего, кроме ожидания?

И вот теперь, как только она вписала в ткань своего бытия эту безнадежную игру в ожидание, выдумывание предлогов и все более невероятных сценариев для отсутствия контакта, появился еще один. На этот раз мужчина, двадцати одного года от роду. Нервы Лидии были на пределе. Она не могла ни на чем сосредоточиться больше чем на полчаса, эти переживания возвращались к ней снова и снова. Брат. Сестра. Ожидание. Лидия почти жалела, что зарегистрировалась на сайте. Она не ожидала, что всё так получится. Не ожидала, что это окажется сущим мучением.

Джульетта вышла на веранду с двумя маленькими чашками и блюдцами, балансировавшими на подносе вместе с разными бисквитами и двумя стаканами воды. Лидия вскочила, чтобы взять у нее поднос, но Джульетта добродушно цыкнула и сказала:

– Нет, садитесь. Садитесь.

Лидия испытала некоторое замешательство от чрезмерно формального и внимательного обращения к ней. В этом не было необходимости, и она не ожидала такой официальной претенциозности. Лидия всего лишь хотела, чтобы кто-то содержал ее дом в чистоте.

– Джульетта, – сказала она, стараясь убрать неловкость и придать происходящему более человечный оттенок. – Кажется, я еще не представила вас как следует. Это Бендикс. Он мой личный тренер по фитнесу. Бендикс, это Джульетта. Она заботится обо мне. – Лидия завершила свою речь нервным смешком. Слова «она заботится обо мне» выставляли ее в образе слегка помешанной старой девы, подверженной приступам лунатизма и выходящей из дома в ночной рубашке.

Джульетта недоверчиво улыбнулась Бендиксу и едва прикоснулась к его протянутой руке.

– Приятно познакомиться, – сказал он.

– Да, – неопределенно отозвалась Джульетта, прежде чем развернуться и направиться обратно в дом.

Бендикс рассмеялся.

– Она чрезвычайно заботливая, – сказал он.

Лидия немного подумала и рассудила, что, наверное, он прав. Лидия платила Джульетте за то, чтобы она присматривала за ней и ее домом, и все, что не вписывалось в первоначальную договоренность, включая кошек и гостей дома, отметалось с порога.

– Да, – согласилась Лидия. – Но Джульетта хорошо, очень хорошо выполняет свою работу. Мне кажется, это правильное капиталовложение. Я плачу ей за содержание дома, чтобы он выглядел точно так же, как в тот день, когда я приобрела его. Если бы я жила здесь сама по себе, то он был бы похож на студенческое общежитие. Знаете, я прожила здесь уже целый год и не видела ни пятнышка известкового налета. Все это позволяет сохранять ценность дома на прежнем уровне, если я вдруг решу продать его.

Бендикс улыбнулся.

– Все в порядке, – заверил он. – Я не англичанин, и вы не обязаны объяснять мне подобные вещи. Там, откуда я приехал, домохозяйку может позволить себе любой человек со средствами. Там люди считают тебя сумасшедшим, если у тебя есть деньги и ты этого не делаешь. Вы, англичане, очень странно относитесь к таким вещам. Вы как будто стыдитесь своих денег и успеха. Вам нужно радоваться и праздновать свой успех! Прекрасная молодая женщина, которая всего добилась сама, решительная и целеустремленная! Ого, да вам нужно кричать об этом с крыши! Вы должны гордиться собой!

Лидия заморгала, глядя на него. «Что он только что сказал?» – думала она. Он назвал ее прекрасной? Лидия понятия не имела, насколько она прекрасна. Каждый раз, когда она смотрелась в зеркало, оно сообщало ей разные вещи. С другой стороны, еще никто не называл ее красавицей. Ей оставалось лишь делать собственные выводы, но тут она терялась в догадках. Однако комплимент от Бендикса был маленькой гирькой на весах, склонявшей Лидию к вере в свою красоту. Он не имел причин говорить ей это. Он не имел от этого никакой выгоды.

Когда Лидия сидела на веранде и солнце грело ей лицо, кошка сонно улыбалась, лежа на коленях у Бендикса, а сам Бендикс смотрел на Лидию со смешанным выражением гордости и приязни, у нее крепло ощущение, что в конце концов она не так уж оторвана от остальных людей, и впервые в жизни фрагменты ее личной головоломки начали складываться в одно целое. Кошка, тренер, тот факт, что она никогда не разделяла свою ДНК с ненавистным человеком, даже этот дурацкий большой дом – все это как будто означало нечто важное. Сцена была подготовлена. Расчет времени был правильным. Теперь Лидия нуждалась лишь в том, чтобы кто-то связался с ней и сказал, что хочет встретиться.

РОБИН

Сэм посмотрела на Робин, костяшки пальцев упирались ей в подбородок. Глаза были грустными и серьезными. У локтя стояла чашка чая с перечной мятой, и Робин уже знала, что она не будет пить. Им предстояло объяснить слишком многое.

– Почему ты мучаешь моего сына? – тихо спросила Сэм.

Робин вздрогнула. Она не ожидала таких слов. Она думала, что Сэм точно знает, почему она мучает ее сына. «*Потому что он мой брат, разве не ясно?*»

– Разве вы не знаете? – Робин стала дергать выбившуюся нитку на скатерти, не в силах выдержать напряженный взгляд Сэм.

– Что именно? – спросила мать Джека.

– Я думала, вам все известно, – пробормотала Робин.

– Юная леди, я скажу, что мне известно: мой сын ни к кому не испытывал таких чувств, какие он испытывает к тебе. Он впечатлительный человек, красивый, ласковый, замечательный, и он преподнес тебе свое сердце на тарелочке. Он думал, и я тоже думала, что ты испытываешь к нему такие же чувства. Мне было ясно, что вы оба без ума друг от друга... а теперь ты оставила его в преддверии ада. Я знаю, что он взрослый человек; я понимаю, что это не мое дело и я не должна здесь находиться, но я просто не могу иначе, потому что он мой единственный мальчик. Я очень люблю его и не могу вынести того, что ты делаешь с ним. Я этого *не вынесу*!

Голос Сэм пресекся на последних словах, и Робин посмотрела на нее. Сэм плакала. Робин снова отвернулась.

– Послушайте, все не так просто, – начала она. – Это… я думала, вы знаете. Вы правда не знаете?

– Что?

– Отец Джека… он на самом деле был сиротой из приюта Барнардо? Он на самом деле погиб в автокатастрофе?

Сэм сморгнула слезы и непонимающе уставилась на нее.

– Что? – повторила она.

– Это правда? История про отца Джека?

– Разумеется, это правда.

Уже когда она заговорила, Робин поняла, что это правда, и почувствовала, как все внутри ее рушится и течет, словно поток воды из открытого шлюза плотины. У нее подкосились ноги. Сердце почти остановилось, но потом возобновило свой ход, и Робин ощутила почти непреодолимый порыв маниакального смеха, нараставший у нее в груди. Она тяжело сглотнула и хладнокровно улыбнулась Сэм.

– В самом деле? – спросила она.

– Разумеется. Какой мне смысл лгать об этом? И какое отношение это может иметь к твоим отношениям с Джеком?

Смех снова закипел в груди Робин. Ее улыбка расширилась.

– Я думала... Сейчас вы решите, что я сошла с ума... но я думала, что он мой брат.

– Что?!

– Понимаю, это звучит безумно. Но было так много вещей... Мы очень похожи друг на друга, а потом я зарегистрировалась в реестре родственников по донорской сперме и узнала, что у меня есть брат, родившийся в 1983 году. И тогда я подумала... А вы! – Робин вдруг вспомнила. – Вы так необычно вели себя в тот вечер, когда мы пришли в гости и я рассказала, что родилась от анонимного донора. Вы так странно смотрели на меня...

Сэм заморгала и покачала головой.

– В самом деле?

– Да! Как будто это совпадало с вашими мыслями. Как будто вы сами брали сперму от анонимного донора.

Сэм рассмеялась.

– Ничего себе! – сказала она. – Честно говоря, я не помню. Но если я странно смотрела на тебя, то, наверное, потому, что меня интересует все, связанное с родословной. Потому что у Джека нет отца. Наверное, я всегда подсознательно ищу подтверждение, ищу другие взгляды, другие способы смотреть на вещи. Я всю жизнь чувствовала себя виноватой в том, что он рос без отца.

Ее суровое лицо смягчилось, и она положила большую, грубоватую руку на руку Робин.

– Ох, милая, – ласково заговорила Сэм. – Милая девочка. Не могу поверить, что ты так долго терпела и при этом считала, что все делаешь неправильно. Тебе нужно было сразу же обратиться ко мне. Я бы уже давно успокоила тебя на этот счет и избавила от всех этих страданий. Потому что вы с Джеком идеально подходите друг другу. И поверь, я сделаю все необходимое, чтобы поддержать вас. Я верю в вас, а мне трудно говорить подобные вещи. Это мой мальчик, мой единственный ребенок, и никто не может быть достаточно хорош для него. Но ты можешь. Я искренне верю в это. А иначе зачем бы я пришла сюда?

Она немного помедлила, слегка приоткрыв рот после окончания своей речи и широко раскинув руки. А потом откинулась на спинку стула и рассмеялась.

Робин улыбнулась. Наконец-то все закончилось. Она почувствовала, как все плохое, подтачивавшее ее изнутри, уходит без следа. Она не спала со своим братом. Она не была извращенной дурой. Она была нормальной. Она была совершенно, абсолютно, великолепно нормальной.

– Ну, – продолжала Сэм, снова наклонившись к столу, – как ты теперь себя чувствуешь? Ты больше не сомневаешься?

– Нет. – Робин улыбнулась. – Но, пожалуйста, пообещайте мне одну вещь.

Сэм испытующе посмотрела на нее.

– Не рассказывайте Джеку. Пожалуйста, не говорите ему. Мне становится плохо, когда я думаю, что он узнает обо всех этих мерзостях, с которыми я носилась. Я просто хочу, чтобы у нас снова все было нормально.

Сэм улыбнулась и кивнула.

– Не беспокойся, – заверила она. – Твой секрет в надежных руках.

Полчаса спустя, после ухода Сэм, Робин первым делом позвонила Джеку.

– Прости меня, – сказала она. – Прости. Я психанула и вела себя как безумная. Но теперь я совершенно нормальная. Я скучала по тебе. Я люблю тебя. Сейчас я держу в руке ключи и готова приехать. Я еще могу переехать к тебе?

После секундного ошеломленного молчания Джек рассмеялся:

– Что, сейчас?

– Да, – ответила Робин и затаила дыхание. – Почему бы нет? Я могу собраться и быть у тебя к вечеру.

Джек снова рассмеялся.

– Вот это да, – задумчиво произнес он.

– Ты в порядке?

– Да, – ответил он. – Я велик и могуч. Просто я... Черт, я не знаю. Я так... Господи, даже не могу выразить это в словах. Я совсем отчаялся. Мне так не хватало тебя. Я думал... – Он помедлил и вздохнул: – Я думал, между нами все кончено.

Она улыбнулась и страстно подышала в трубку.

– Я ненавижу себя, – заявила Робин. – Просто ненавижу. И это... это была не я. Честно. Я так не поступаю. Но, с другой стороны, еще никто не предлагал мне жить вместе с ним.

– Это я виноват. Я понял это в ту же минуту, когда сказал о ключах. Я понял, что это слишком. Ты еще так молода. Мы лишь недавно познакомились. Я поступил по-идиотски.

– Нет! – воскликнула она. – Нет, ты не был идиотом. Это я была идиоткой, когда решила, что это не очень хорошая идея. Я была просто больной. Я потеряла шесть килограммов и теперь выгляжу ужасно. Но я люблю тебя, правда люблю. Сейчас я начну собирать вещи. Увидимся через несколько часов. Я люблю тебя.

– Я тоже тебя люблю, – рассмеялся Джек.

– Ш-ш-ш! Отпусти меня. Я люблю тебя.

– Я тебя люблю.

– Перестань говорить, что любишь меня! Это я тебя люблю!

– Я тебя люблю еще больше.

Она вздохнула:

– Ты победил. Скоро увидимся.

Она выключила телефон, положила его на кухонный стол и торжествующе улыбнулась. Потом попыталась перестать улыбаться, но ничего не вышло. Улыбка приклеилась к ее лицу. Робин обвела взглядом родительскую кухню, посмотрела на кремовую плитку с пурпурными виноградными гроздьями, на пузатые керамические банки с надписями «Чай», «Кофе» и «Сахар», закрытые пробковыми крышками, на магнитную доску объявлений, усеянную счетами от водопроводчика, записями на прием у стоматолога, квитанциями на тележки и автомобильные аккумуляторы, на створчатую дверь, увешанную старыми фартуками и ржавыми вилками для барбекю. Робин знала эту кухню с самого рождения. Кухня не изменилась ни на йоту, только закоптилась, выцвела и стала более захламленной. Но Робин изменилась. Не постепенно, не едва ощутимыми шажками, а за одну ночь после встречи с Джеком. И теперь эта перемена уводила ее прочь отсюда, прочь из Эссекса и из родительского дома. Теперь Робин была готова, готова стать взрослой. Готова для Джека.

Правда, это было нелегко, потому что где-то посреди суматохи и хаоса последних двух недель в ее мир попали два новых человека. Брат и сестра. Робин ничего не хотела знать о них. Она не испытывала интереса к этим людям. «Сестра» запросила информацию о ней. А теперь появился «брат». Он зарегистрировался только на прошлой неделе. Это был младший из двух братьев. И вот они проступили в черно-белом цвете: реальные люди, переместившиеся из царства призрачных теней в два измерения, в одном виртуальном шаге от того, чтобы предстать перед Робин со своими голосами и запахами, с достоинствами и недостатками, желаниями и потребностями. Она пыталась запихнуть их обратно в сундук своего прошлого, но они отказывались уйти, вырываясь наружу, как избыток одежды выползает из переполненного чемодана. Робин вдохнула жизнь в этих людей, и теперь, когда она сделала это, они отказывались умирать. Сестра. *Брат.* Схематичные, неопределенные, зловещие, как призраки.

– Что ты собираешься предпринять насчет них? – спросила мать вчера вечером.

– Ничего. – Даже отвечая, Робин понимала, что это неправда, как бы ей ни хотелось обратного.

Мать размешивала мясную подливку в чашке на кухонном столе, и Робин увидела, как мама глубоко вздохнула, подавляя естественную реакцию. Момент миновал, и мать снова принялась размешивать подливку. Она явно пыталась подобрать нужные слова.

– Ну что же, – наконец сказала мать и поставила подливку в центр стола. – Может быть, не сейчас. Может быть, потом, когда ты обустроишь свою жизнь.

Робин выслушала слова матери и сделала вид, что размышляет над ними, прежде чем ответить, осторожно, но с некоторым чувством:

– Да, может быть, немного позже. Возможно, уже скоро.

Разговор закончился, когда подали обед.

ДИН

Он слышал ее где-то на заднем плане. Тихий, жалобный звук, как чириканье птички на подоконнике. Это поразило его. Дин никогда не слышал, как она плачет. Первый (и до сих пор последний) раз, когда он видел ее, она была немой из-за подключенных к ней трубок и аппаратов. Когда ее доставали из материнского живота, не было никаких раздраженных воплей, лишь скорбное молчание. Этот новый звук одновременно встревожил и ободрил Дина.

– С ней все в порядке? – спросил он у Розы.

– Да, все прекрасно. Просто она хочет, чтобы ее обняли. Правда, солнышко?

Он слышал, как Роза наклонилась ближе к жалобному звуку, потом в трубке раздалось шарканье и шипение; жалобные звуки прекратились, и Дин снова услышал голос Розы:

– Ну, ну, моя красавица. Вот, мой ангел. Так лучше, правда? Вот.

В тоне Розы скрывалось полдюжины других чувств, которые мог различить Дин. «*Послушай,* – говорила она, – *это голос твоей осиротевшей дочери. Я много раз делала это раньше, и я справляюсь гораздо лучше, чем ты или твоя тщедушная мать. Послушай, как я это делаю, ведь это ты должен был успокаивать плачущего ребенка*». Но другой контекст гласил: «*Я не хочу видеть тебя возле этого ребенка, слышишь? Это мой ребенок. Ребенок моего ребенка. Ты потерял право на этого ребенка из-за своего безвольного и эгоистичного поведения в последние два с половиной месяца*».

Хотя Дин недолюбливал мать своей покойной подруги, приходилось признать, что в ее словах был смысл. Он позвонил только потому, что совет местного самоуправления связался с ним и потребовал отдать квартиру, зарегистрированную на Скай, и Дину нужно было свидетельство о рождении ребенка, чтобы зарегистрировать квартиру на свое имя. Это был трусливый и безответственный шаг, поскольку Дин прекрасно понимал, что не собирается когда-либо жить здесь вместе с ребенком. Лучшим, что Дин мог представить, была возможность остаться с ребенком на ночь, если Розе понадобится куда-то уехать. Но на самом деле эта квартира никогда не будет домом для его дочери. А он никогда не сможет стать ее отцом. Правда заключалась в том, что Дин пользовался фактом существования ребенка с целью избежать выдворения из дома по решению властей. Он был неудачником. Сейчас он представлял Скай с большим распухшим животом, сидевшую на стуле напротив и приговаривавшую: «Ты понимаешь, что выглядишь жалко? Ты жалкий неудачник». И она была права.

– Зачем тебе нужно ее свидетельство о рождении? – недоверчиво спросила Роза.

– Оно мне нужно... э-э-э... для налогового вычета по рождению ребенка. Я получил письмо от властей.

– Перешли его мне, – отрезала Роза. – Я во всем разберусь.

– Нет. Здесь сказано, что это должен быть один из зарегистрированных родителей ребенка. Я должен обратиться лично.

– Хм-м, – с сомнением протянула она. – Не припомню ничего такого с остальными детьми. Эй, Сэффрон, тут у меня Дин на телефоне: скажи, ты когда-нибудь отправляла свидетельство о рождении ребенка для получения налогового вычета?

Дик задержал дыхание и услышал на заднем плане слова сестры Скай:

– Понятия не имею. Нет, не думаю. Полагаю, власти и так получают всю информацию через компьютеры или как-то еще.

– Нет, – обратилась Роза к Дину. – Я не отдам тебе ее свидетельство о рождении, и точка.

– Но это мой ребенок. В ее свидетельстве стоит мое имя.

– Да, тут тебе повезло. Откровенно говоря, я была готова сказать «Отец неизвестен», потому что, между нами, Дин, с таким же успехом ты мог бы вообще не существовать.

Она повесила трубку.

Дин какое-то мгновение смотрел на телефон. Он не был удивлен. Учитывая обстоятельства, это было почти вежливо с ее стороны. А у Дина не было сил или чего там еще, чтобы ответить ударом на удар. Да будет так. Значит, эту квартиру отберут, и он вернется к своей маме. Где-то в глубине души Дин даже радовался этому. Этот переезд, заботы о будущем ребенке, необходимость ухаживать за собой… это всегда казалось неправильным. Все происходило слишком быстро. Дин положил телефон на стол и обвел взглядом убогую квартиру. *Да*, подумал он, *да*. Разговор с Розой подвел итог. Он съедет отсюда и вернется к матери. Он сделает вид, что событий последнего года как бы не существовало. Он начнет все заново. И может быть, начав с чистого листа, обнаружит, в чем заключается смысл его существования.

Дин и Томми сидели бок о бок в баре «Альянс» как раз напротив отделения по выплатам пособия по безработице. Томми только что зарегистрировался там.

– Это впервые в моей жизни, – безутешно пробормотал он.

Дин тоже зарегистрировался, уже далеко не в первый раз. Он оставался без работы около года. Когда он стал жить вместе со Скай и устроился работать водителем, дело немного сдвинулось с места. Но, в сущности, ради себя не стоило отрывать задницу от стула. Мать каждую неделю давала Дину несколько фунтов, и в прошлом он даже экономил, откладывал на будущее. По злой иронии судьбы, именно в тот момент, когда он начал копить на будущее, он все потерял. Как будто знал, что у него нет будущего.

Было 15.35, и на столе перед ними стояли две пинты голландского лагера и два пакета с сухариками, разорванных сверху донизу и обнажавших серебряные маслянистые внутренности. Кузены в молчании смотрели в пространство. Томми был человеком типа «все или ничего». Либо из него слова не вытянешь, либо не заткнешь. Оба варианта Дина совершенно не беспокоили.

Он позволил молчанию затянуться и собрался

с мыслями. Было кое-что, о чем ему хотелось поговорить, но он никак не мог понять, с чего начать. Поэтому он начал с того места, которое, как он знал, будет наиболее интересным для Томми.

– В пятницу вечером я отправился домой к этой рыженькой, – сказал Дин.

– Ага, я так и думал. – Томми подмигнул ему: – Ну, как оно было?

– Да нормально. Она умница.

– Умная девочка, так?

– Да. Она студентка.

– Ну и ну. Так о какой же хрени вы говорили?

Дин рассмеялся.

– А, понятно. Разговоров не понадобилось, да?

– Нет, не так. Мы даже не... Понимаешь?

– Что, серьезно?

Дин пожал плечами. Томми поднял свою кружку.

– Ну, ладно, – сказал он. – Как я понимаю, это достаточно справедливо. Наверное, еще слишком рано. Слишком рано для такого. Пожалуй, ты поступил благоразумно, раз не стал связываться с ней.

– Да, но, кроме этого, было кое-что еще. То есть она мне понравилась. Она оказалась клёвой. И кое-что случилось. – Дин набрал воздух в легкие и быстро покосился на Томми, вопросительно глядевшего на него.

– Ну, и?..

– На самом деле, это странная штука, и я не рассказывал тебе о ней, но, пока тебя не было, мама кое-что мне сообщила. Она сказала, что мой отец был не тем, о ком она говорила раньше. Что мой отец был...

– Донором. Я знаю, моя мать уже давно мне рассказала.

– Так ты знал?

– Да, но поклялся молчать. Лучше бы она мне не рассказывала.

– Дьявол тебя раздери! Не могу поверить, что ты все это время знал и ничего не говорил.

– Слушай, я сто раз был близок к этому. Мне вообще не следовало этого знать. Но здорово, что твоя мама наконец раскололась.

– Да, пожалуй. Правда, мне от этого было ни жарко ни холодно. Просто кое-что прояснилось. Но в ту ночь мы с Кэт только курили и болтали, как безумные. А потом совсем сдурели, вышли в Интернет, и она подписала меня на этот донорский реестр.

– Да, ну и дела. А дальше?

– А дальше нашлось два совпадения. Девушки. Женщины. Сестры. Одной восемнадцать лет, другой – двадцать девять.

– Твою ж мать! – произнес Томми. Он поставил свою кружку на стол и уставился на Дина широко распахнутыми глазами.

– Да, знаю. Я не собирался этого делать. А теперь одна из них хочет связаться со мной.

– Да ни за что! Какая?

– Та, которой двадцать девять. Она живет в Лондоне, где-то на севере. Она одинока, детей нет, живет одна. Ее зовут Лидия.

– Лидия? – Томми попробовал имя на вкус, словно

проверяя его удобоваримость. Потом одобрительно кивнул: – Звучит шикарно.

– Вроде бы она из Уэльса.

– Ох! – разочарованно произнес Томми, отвергая свою теорию.

– Да, и она хочет встретиться.

Томми заморгал.

– Проклятье, старина, – только и сказал он.

– Понимаю. Но просто… я не знаю. Какая-то часть меня на самом деле хочет этого. Но другая часть испугана до чертиков.

– Ты уже сказал своей маме?

– Да. Она считает, что я должен немного подумать и все взвесить. Ты знаешь, какая она: никогда не говорит напрямик.

– Да, знаю. Но, черт побери, это мощная штука. Очень мощная.

– Знаю, знаю. – Дин глотнул пива и собрал кончиками пальцев сухие крошки из пакетика. – Что бы сделал ты? – наконец спросил он и с надеждой посмотрел на кузена.

– Черт, я бы пошел. Да, однозначно пошел бы. Но, с другой стороны, я как раз готов к таким поворотам. Я не такой чувствительный, как ты. Но на твоем месте я бы сделал это. То есть это же твоя кровь! У тебя больше общей крови с этой женщиной, чем со мной. Худшее, что может случиться, это если вы не поладите друг с другом. Лучшее, что может случиться, ты обретешь сестру. И все это стоит одной поездки на подземке и нескольких часов потраченного времени. Да, на твоем месте я бы пошел. Чего тебе терять?

Дин кивнул. Он знал, что Томми так и скажет. И в глубине души сознавал, что кузен прав. Он должен это сделать. Должен встретиться с этой женщиной, Лидией. И должен попытаться выйти на связь с другой, которой еще не исполнилось двадцати лет. Его жизнь сорвалась со всех якорей. Подруга умерла, работы не было, а дочь забрала к себе женщина, которую Дин терпеть не мог. Возможно, должно было произойти нечто такое, чтобы указать, в чем заключается смысл его жизни. Потому что сейчас, на этом самом месте, было очень трудно разглядеть хоть какой-то смысл.

Когда Дин кивнул, его взгляд переместился из комнаты в раннюю вечернюю хмарь на улице. Он подумал о другом баре на другом берегу реки, может быть, таком же, как этот, а может быть, модном гастрономическом баре. Дин подумал о сестре: он представлял ее высокой и царственной, облаченной в черный макинтош. Он представил, как приближается к ней, глядя на ее элегантный орлиный профиль. Он увидел, как она поворачивается к нему, улыбается и говорит голосом девушки из «Гэвина и Стейси»[1]: «Привет, Дин, я Лидия. Очень приятно познакомиться с тобой».

А потом образ пропал, и Дин снова оказался

---

[1] «Гэвин и Стейси» – современный комедийный телесериал, который считается образцом английского юмора.

в Дептфорде, рядом со своим кузеном Томми, сжимая в руке кружку и по-прежнему не зная, как следует поступить дальше.

«Дорогая Лидия,

Меня зовут Дин. Мне двадцать один год, и я живу в Дептфорде, в Юго-Восточном Лондоне. Сейчас я не работаю. У меня был тяжелый год. Я только что переехал со своей прежней квартиры к матери. Мама рассказала мне об отце три года назад. Тогда мне исполнилось восемнадцать. Это было небольшим сюрпризом для меня. Я привык думать, что мой отец был человеком, с которым она познакомилась в отпуске, когда ей был сорок один год. Но меня это особенно не обеспокоило. Вообще-то я подумал, что это довольно круто. А как вы узнали? И что думаете об этом? Так или иначе, я думаю, что готов встретиться с вами, если вы готовы. А поскольку я не работаю, у меня куча свободного времени. Может быть, где-то в вашем районе? Я мог бы приехать туда. Или где-нибудь в центре? Сами скажите. Вот и вся информация обо мне. Я не очень люблю говорить по телефону, так что лучше отправить сообщение или как-то еще. Дайте мне знать.

Искренне ваш,

Дин Хиггинс».

Дин перечитал электронное письмо. Он подумал, что слог довольно хорош. Дружеский, но не навязчивый. Интеллигентный, хотя Дин не прикладывал больших усилий для этого. И немного информации, но не столько, чтобы было не о чем поговорить, когда они встретятся.

– Мама, – позвал он через плечо. – Что ты думаешь?

Мать вошла в комнату, почти полностью одетая для свидания с мужчиной, с которым познакомилась по Интернету. Ее прямые волосы были гладкими и блестящими после визита к знакомой парикмахерше, она надела черно-белое платье без рукавов, с глубоким вырезом. Дину казалось, что ее руки, пожалуй, слишком дряблые и мясистые для платья без рукавов, а ложбинка между грудями знавала лучшие дни. Но мать выглядела достаточно эффектно с искусно наложенным макияжем и длинными жемчужными сережками.

– Все нормально, – сказала она. – Я собираюсь надеть кардиган.

– Нет, – сказал Дин. – Ты выглядишь классно. Правда, действительно классно.

Мать улыбнулась и сжала его плечо.

– Спасибо, – сказала она. – Будешь и дальше говорить такие вещи, сможешь остаться подольше.

Она без большого энтузиазма отнеслась к известию о его возвращении.

– Полагаю, – сказала она, – это временно, пока ты не разберешься в своей жизни. Почему бы и нет?

Дин был удивлен. Он воображал, что матери живется без него одиноко и что она будет рада его возвращению. Но оказалось, что за год, пока его не было, здесь многое изменилось. В том числе отношение матери к свиданиям с мужчинами.

– Давай-ка посмотрим, – сказала она и пододвинула другой стул к его столу. Она прищурилась, глядя на экран. – Замечательно, – наконец сказала она. – Возможно, следует запустить проверку орфографии. Но в целом отлично.

– Отлично?

– Да, мой милый. Просто замечательно.

– Хочешь сказать, можно было бы и получше?

– Нет. Правда, все хорошо. Я хочу сказать, нет надобности добавлять что-то еще, верно? Полагаю, вы все сможете обсудить, когда встретитесь.

– Думаешь, я написал кучу ерунды?

– Нет, я так не думаю. Возможно, здесь маловато информации, но не более того. Повторяю, у вас будет масса времени познакомиться поближе, когда вы встретитесь во плоти.

Дин вздохнул. Он был лишь наполовину убежден в том, что это хорошая идея. Тем не менее сделал все необходимое, потому что люди, чьим мнением он дорожил больше всего – мать, кузен и рыжая Кэт, – считали, что он должен так поступить. Но в самом деле, что может быть общего у него с этой шикарной женщиной по имени Лидия? Она была ученым. Он – безработным водителем фургона. Она была валлийкой. Он – англичанином. Скорее всего, это будет катастрофа.

Дин проверил письмо на орфографию и потом со странным трепетом, восторгом и головокружением отправил его. Перед его мысленным взором предстала дама с орлиным профилем, сидевшая в тишине своего просторного и величественного таунхауса. Она носила плотную белую блузу со стоячим воротничком и перебирала нитку жемчуга на шее. Дин увидел, как она открывает письмо и читает его с легкой усмешкой на губах. Он пытался представить, что происходит у нее в уме, когда она читает его слова. Он гадал, будет ли она нервничать так же, как он, или не ощутит ничего, кроме холодного презрения к этому малограмотному типчику из Дептфорда.

– Все хорошо, милый, – сказала мать, обувшая синие сандалии на ремешках и надевшая белый кардиган с серебристыми пуговицами. – Я ухожу.

От нее пахло так, как никогда раньше. Сначала Дин подумал, что это духи, но потом осознал, что это нечто иное: энергия, предвкушение, нервозность.

– Ты в порядке? – спросил он, повернувшись на стуле.

– Ну, разумеется, – беспечно ответила мать.

– А этот мужик... он нормальный, да?

– Он хороший, Дин. Честно.

– И вы будете в обществе?

– Да. Это всего лишь второе свидание. Ладно тебе. – Она рассмеялась и пожала его плечо. – За кого ты меня принимаешь? А с тобой все будет в порядке?

Дин повернулся и посмотрел на монитор.

– Да, – сказал он. – Да, все в порядке.

Она нежно улыбнулась:

– Ох, Дин...

Дин посмотрел на мать и с тревогой заметил, что она близка к слезам.

– Я никогда не думала об этом. Не думала, что это произведет на тебя такое впечатление... Мне стыдно.

– Почему?

– Из-за этого. – Она показала на письмо, оставшееся на экране. – Из-за того, что тебе пришлось пережить все это. Должно быть, ты напуган, и в этом виновата я.

Дин с любовью посмотрел на мать.

– Что ты такое говоришь? – Он рассмеялся.

– Я хочу сказать, что двадцать два года назад я приняла очень эгоистичное решение, – со вздохом сказала она. – И теперь тебе приходится платить за это.

Дин снова рассмеялся.

– Честно, мама, это же замечательно.

Она внимательно посмотрела на него.

– В самом деле? – спросила она. – В самом деле замечательно? Потому что, сказать по правде, Дин, я часто чувствую себя виноватой.

Дин заморгал и с шумом выдохнул воздух.

– Правда. Я дала тебе жизнь, и это до сих пор не принесло тебе ничего хорошего. Иногда я просто думаю, что я сотворила... Думаю, что могла побольше заниматься тобой, давать тебе больше возможностей, и тогда, быть может... Ох, я не знаю... Просто мне кажется, что я все сделала неправильно.

Дин вздохнул и взял мать за руки. Они были мягкими и влажными.

– Мама, – сказал он, – я люблю тебя, понимаешь? Я люблю тебя и рад тому, что ты сделала. Мне нравится быть живым. А это... – он указал на экран, – это тоже хорошо. Это будет великолепно. Это же часть жизни, верно? Той жизни, которую ты мне подарила.

Мать благодарно улыбнулась и сжала его руки.

– Твое рождение было лучшим, что случилось со мной в жизни, – сказала она. – Правда-правда. И я горжусь тобой.

Она наклонилась и поцеловала его в щеку. Потом выпрямилась и смерила его любящим взглядом.

– Я рада, что ты вернулся, – сказала мать. – Мне не нравилось, что ты жил там сам по себе. Одинокий, со всеми воспоминаниями. Оставайся здесь, сколько понадобится, ладно?

Она снова наклонилась, чтобы обнять сына, и он обнял ее в ответ. Свою чудесную маму. Лучшую женщину на свете. Он смотрел, как она уходит: ее широкие бедра проступали под натянутой тканью платья, массивные лодыжки плохо сочетались с изящными туфлями. Она направлялась на второе свидание с мужчиной по имени Алан. Сердце неожиданно заныло от нежности к ней, и Дин тихонько улыбнулся. Он подождал, пока закроется парадная дверь, а потом вышел в сад через заднюю дверь и достал сигарету. Он курил медленно, глубоко затягиваясь и выдыхая струйки дыма. Он представлял, как они пересекают лондонское небо с юга на север, словно предложение трубки мира, проходят через высокие окна высокого дома и проникают в личные покои дамы по имени Лидия Пайк.

МЭГГИ

Мэгги пригласила свою подругу Дженни на ужин. Приглашение было сделано по трем причинам: во-первых, она хотела сделать педикюр, во-вторых, потому, что ее полуторагодовалая внучка Матильда оставалась на ночь у бабушки, а поскольку Мэгги самостоятельно родила и вырастила двоих детей, она по-прежнему ощущала себя немного скованно, когда оставалась наедине с ребенком, которого произвела на свет не собственными силами. А в-третьих, что самое главное, ей нужна была помощь подруги, чтобы зарегистрировать Дэниэла на донорском сайте. Мэгги ненадолго зашла на этот сайт вчера вечером, когда вернулась из его квартиры, и быстро отключилась. Все выглядело ужасно запутанным, и Мэгги не знала, с чего нужно начать, чтобы сопоставить информацию из папки Дэниэла с информацией, необходимой для заполнения формуляра.

Было 19.30, и Дженни находилась наверху с Матильдой, предложив почитать ей сказку на ночь, пока Мэгги готовила ужин. Она слышала, как Матильда носится взад-вперед по коридору, визжа от восторга, и понимала, что Дженни попалась в старейшую ловушку из учебника: пытаясь сблизиться с ребенком, она заставляла девочку смеяться и втягивала ее в бесконечный цикл, который неизбежно заканчивался истерикой и слезами. Мэгги приподняла брови и улыбнулась. Приятно было слышать звуки жизни в своем доме. Она наслаждалась одиночеством, но случались моменты, когда она вспоминала, как чувствовала себя, когда ее дом был наполнен другими людьми.

Коронным блюдом был петух в вине, хотя Мэгги полагала, что в наши дни это звучало несколько старомодно; более уместно было бы говорить о курице, тушенной в винном соусе. Мэгги положила несколько зеленых листочков в белую миску (она избавилась от расписной посуды после того, как рассталась с мужем, и заменила ее вместительными белыми тарелками и чашками, какие подают в модных барах). Она открыла бутылочку французского соуса и нарезала толстую французскую булку, – «в деревенском стиле», как гласила сопроводительная надпись в «Waitrose»[1], – на овальные ломтики. Мэгги развернула на кухонном столе яркую пятнистую скатерть и выставила белые тарелки с пятнистыми бумажными салфетками.

Она уже открыла бутылку вина. Это было одно из тех вин, которые Дэниэл рекомендовал ей много месяцев назад, – разумеется, французское, – и Мэгги полюбила его. Впрочем, это чувство относилось не столько к вину, сколько к воспоминанию о чудесном лунном

---

[1] Waitrose – сеть британских супермаркетов со свежей выпечкой.

вечере в бистро рядом с Олдборо, где подавали свежих морских черенков и критмум[1], где мерцали красные свечи, а медленная и сладостная обратная прогулка до автостоянки сопровождалась криками чаек, круживших наверху в почти полной темноте.

Сегодня Мэгги провела в хосписе почти три часа. Дэниэл выглядел мечтательно-удивленным, и легкая улыбка не сходила с его лица большую часть ее визита. Мэгги нравилось думать, что это состояние было отчасти вдохновлено ее присутствием, успокаивающей размеренностью ее речи, но она понимала, что на самом деле это всего лишь следствие приема лекарств. Он не хотел говорить ни о чем серьезном, а Мэгги была не в настроении затрагивать тему реестра доноров. Медсестры были рады видеть его в таком состоянии. Они говорили, что оно вполне стабильно. Это наводило на мысль о мчащемся автомобиле, затормозившем в нескольких футах от обрыва и замершем на холостом ходу, пока водитель постукивает по рулевому колесу, прежде чем надавить на педаль газа. Она надеялась, что двигатель Дэниэла останется на холостом ходу достаточно долго, чтобы она смогла установить связь с хотя бы одним из его утраченных детей.

Через полчаса Дженни наконец спустилась на кухню. Она раскраснелась, а ее волнистые волосы были

---

[1] Морской черенок – вид морских двухстворчатых моллюсков из семейства *Cultellidae.* Критмум, или морской укроп, – растение семейства зонтичных.

растрепаны. Она сразу же взяла бокал, стоявший на столе, и наполнила его до краев.

– А я-то думала, что готова стать бабушкой! – со смехом сказала она.

Мэгги тоже рассмеялась.

– Утомительно, правда? Особенно в нашем возрасте. Не знаю, как справляются «пожилые мамаши», знаешь, те, кто рожает после сорока лет. По-моему, это занятие для молодых женщин.

– Для очень молодых женщин, – согласилась Дженни. – Твое здоровье. – Она протянула к Мэгги руку с бокалом. – За бездетную старость!

– Ну да, разумеется. – Мэгги улыбнулась и чокнулась с Дженни. – Ты тоже будь здорова. Спасибо, что пришла, и отдельное спасибо за чудесный педикюр.

– Заниматься вашими ножками – сплошное удовольствие, миссис Смит. Самые красивые из тех, что я знаю.

Подруги сели за стол и насладились трапезой из тушеной курицы с хлебом; звуки дыхания спящей Матильды на детском мониторе сопровождали их непринужденную беседу. Они говорили о Дэниэле, о своих детях и об итальянских каникулах, которые Дженни этим летом провела в обществе своего нового ухажера. После ужина они отнесли полупустые бокалы в гостиную Мэгги и устроились перед ее лэптопом (сын купил и настроил его для матери на последнее Рождество. Это был Apple MacBook темно-розового цвета; Мэгги очень любила его).

На столе перед ними лежали документы Дэниэла, разложенные на стопки по степени важности. Мэгги заранее отделила самые личные материалы, включая фотографии, и убрала их. Это не для Дженни, а только для детей Дэниэла. Затем подруги вместе заполнили формуляр, который должен был заполнить мужчина, медленно угасавший на большой белой кровати в современном здании, расположенном в полумиле от того места, где сидели они.

Дженни ушла в одиннадцать вечера, и Мэгги обошла свой небольшой опрятный дом, выключая свет, прибираясь на столе и задергивая занавески на окнах в гостиной. Это время всегда приносило ей беспокойство. Деревья снаружи отращивали гривы и конечности под порывами ночного ветра, а люди, проходившие мимо, как будто в панике спешили куда-то скрыться. Когда Мэгги задергивала занавески, ее сердце начинало биться немного быстрее, словно улавливало отголоски былых дней, когда поднимали разводные мосты, клали тяжелые засовы и вешали на двери замки. В пещере нет окон. В утробе нет окон. Окна изначально были зияющими дырами в доме.

Она тихо поднялась по лестнице и на цыпочках прошла в комнату для гостей, где спала внучка. Матильда лежала на своей походной кроватке головой не в ту сторону. Либо Дженни положила ее так, либо девочка сама умудрилась совершить оборот на сто восемьдесят градусов. Она была одета в красные ползунки: Либби, дочь Мэгги, не любила розового цвета.

В сущности, у нее было твердое гендерное предубеждение против розового цвета и промывания мозгов у маленьких девочек в духе любви ко всему розовому. Мэгги не понимала, почему это так возмущало дочь. В конце концов, это просто цвет.

У Матильды была густая копна волнистых каштановых волос точно такого же цвета, как у Либби, а лицо напоминало квадратный кирпичик пухлой кремово-розовой плоти с двумя огромными зелеными глазами, такими же, как у ее отца, и крошечной раковиной розового рта, очевидно, имевшей нечто общее с прабабушкой по отцовской линии. Внучка лежала, разбросав руки, согнутые по направлению к ушам, – живое, дышащее сочетание сотен тысяч разных людей, которые в какой-то момент своей жизни провели страстную ночь с кем-то еще и создали новую жизнь, и так далее, расходящимися кругами, – неудержимая сила человеческой сущности, распространяющаяся на тысячелетия. До тех пор, пока здесь, в маленьком коттедже на окраине Бери-Сент-Эдмундса, не появилась одна безупречная матовая жемчужина: Матильда.

В каком-то смысле то, что много лет назад Дэниэл сделал со своей спермой на Уигмор-стрит, как и то, что сделали загадочные женщины, которые воспользовались его спермой, подрывало естественный порядок вещей. Возможно, существовал некий предопределенный порядок: соединись со своим партнером и сделай ребенка, потом этот ребенок соединится с другим партнером и сделает нового ребенка, и так далее, до бесконечности. Каким образом анонимное донорство спермы вписывалось в этот танец природы? Возможно, те силы, которые Мэгги привела в движение сегодня вечером, были средством новой постановки этого танца, соединения отдельных точек, нормализации чего-то неестественного.

Мэгги подтянула одеяло Матильды ей на грудь и подавила искушение прикоснуться к упругой яблочной щечке. Вместо этого она послала внучке воздушный поцелуй и попятилась из ее комнаты в ванную. Мэгги думала о четырех детях, которых помог создать Дэниэл, лежащих в своих постелях в незнакомых местах. Она надеялась, что они так же здоровы и счастливы, как и ее маленькая Матильда. Она надеялась, что матери любят их так же, как Либби любит Матильду. Она надеялась, что у них есть отцы или деды, которые показывали им фотографии своих предков, длиннолицых мужчин и женщин в громоздких одеяниях, или маленьких детей в моряцких костюмчиках, или чумазых юнцов перед верандами работных домов. Она надеялась, что они знают, кто они такие и откуда они происходят. Она надеялась, что их знакомство с Дэниэлом станет венцом их безупречной жизни, а не последним шагом на долгом и мучительном пути к самопознанию. Сегодня на своем розовом Apple Macbook Мэгги запустила процесс, который мог закончиться где угодно. Она открыла ящик Пандоры.

Перед зеркалом в ванной Мэгги смыла с лица тональный крем, тушь и сапфировую подводку для глаз.

Действие ботокса и наполнителей уже прекратилось, и ее кожа была сухой и бледной. Мэгги быстро и умело избавилась от макияжа, стараясь не засматриваться на лицо стареющей одинокой женщины, смотревшее на нее из зеркала.

Через несколько дней Мэгги направилась в хоспис с небольшим пакетом в сумке. Он прибыл сегодня утром, с доставкой под расписку. «Интересно, за что я расписываюсь», – подумала Мэгги, когда выводила свое имя стилусом на маленьком компьютерном экране водителя. Это казалось довольно странным.

Она затаила дыхание, когда отворила дверь комнаты Дэниэла. Мэгги было нужно, чтобы сегодня он находился в нормальном состоянии и все хорошо понимал.

– Доброе утро, красавец, – сказала она и наклонилась, чтобы поцеловать его в щеку. Странно, чем менее привлекательным он становился, тем легче Мэгги было намекать на его красоту.

– Доброе утро, Мэгги Мэй. – Он улыбнулся, и Мэгги сразу же поняла, что сегодня «хороший» день.

– Я принесла японские мандарины и мягкие леденцы «Starburst». Вот. – Она выгрузила содержимое сумки на поднос и очистила Дэниэлу мандарин. – Как дела? – благожелательно поинтересовалась она.

– Чувствую себя очень молодым и глупым, – ответил Дэниэл. – Если бы мое тело не было приклеено к кровати, я бы выкинул какой-нибудь номер.

– Ну да? – Мэгги разгладила юбку, прежде чем сесть. – Например?

– Не знаю, Мэгги Мэй. Может быть, заключил бы вас в объятия и поцеловал в губы.

Мэгги покраснела и удивленно посмотрела на него.

– Ох, – только и сказала она.

– Я никогда не целовал вас, правда, Мэгги? Мы провели вместе столько чудесных вечеров, а я ни разу не поцеловал вас. А теперь уже слишком поздно. Я глупец. – Он сухо усмехнулся и похлопал по своей кровати.

Мэгги придвинула стул ближе и неуверенно улыбнулась.

– Не знаю, что и сказать.

Дэниэл взял ее руку и сжал ее.

– Я ничего не ожидаю услышать. Но хочу, чтобы вы знали: если бы я мог повернуть время вспять, то поцеловал бы вас в тот вечер, помните, в Олдборо?

– Как можно забыть? – Мэгги улыбнулась.

– Воздух был таким теплым, а на вас было чудесное белое...

– Желтое. Бледно-желтое.

– Правильно, желтое платье, а ваши волосы были зачесаны назад. Ваша кожа была такой загорелой и гладкой, что мне хотелось съесть вас.

Мэгги положила другую руку ему на грудь и посмотрела на него с благоговейным изумлением.

– Ну... – начала Мэгги. – В общем, я и понятия не имела...

– Да, и отчего бы? Я был... слишком медлительным. Слишком холодным. Я считал, что все мои возможности исчерпаны. Думал, что если я вас поцелую, то вас стошнит.

Она рассмеялась. Ей хотелось много чего сказать в ответ, но что-то останавливало ее. Вместо этого она произнесла:

– Ох, как глупо!

– Нет, не глупо. Вы – изысканная женщина, а я – калека. Я никоим образом не хотел причинять вам вред, поэтому держал дистанцию между нами. Но сейчас, оцените иронию, я больше не могу повредить вам, поскольку пробуду здесь совсем недолго, но я слишком болен и отвратителен, чтобы заключить вас в объятия и сделать то, что я хочу сделать. – Он со вздохом пожал плечами, а затем улыбнулся.

Мэгги еще раз сжала ему руку и отодвинула стул. Она была тронута, но и обеспокоена его словами. Дэниэл изменил форму и оттенок последнего года ее жизни. Мэгги считала себя прихлебательницей, ждущей за сценой в надежде найти привлекательного и желанного мужчину. Но все это время он тоже желал ее. Какими разными могут быть вещи, и вместе с тем насколько более трагичными они могут казаться из перспективы.

– Должна сказать, Дэниэл, что если бы в прошлом

году вы заключили меня в объятия, то я не стала бы сопротивляться, – наконец сказала Мэгги.

– Знаю, Мэгги, знаю. И от этого только хуже.

– Но спасибо вам, – продолжала она. – Спасибо за то, что рассказали о ваших чувствах. Это поможет... – Она замолчала и додумала остальное: «Это поможет мне, когда вас не станет».

– Да, это может помочь вам, но совершенно бесполезно для меня! – Дэниэл рассмеялся, но его смех перешел в кашель. Дэниэл наклонился в сторону и откашлялся в кулак. Мэгги подала ему чашку воды.

– Ох, Мэгги, – сказал Дэниэл, когда пришел в себя. – Что за дураки эти мужчины! Что за дурацкая жизнь! Каким я был глупцом, снова и снова!

– Нет, – мягко сказала Мэгги. – Вы делали, что могли. Так поступают все. День за днем мы делаем то, что можем. И, кроме того... – Она помедлила и наконец решила, что настал нужный момент, чтобы завести речь о пакете, который лежал в ее сумке. – Вы сделали больше, чем многие другие.

– Я сделал?

– Да. Вы были донором. Вы помогли четырем женщинам стать матерями. Вы поделились даром жизни.

Дэниэл улыбнулся:

– Что же, наверное, вы правы. Хотя, разумеется, я представления не имею, какую форму обрела эта жизнь. Мои дети могут оказаться насильниками или террористами.

– Думаю, это вряд ли. – На ее вкус, эта шутка была

мрачноватой. – Но послушайте, мне предложили кое-что сделать. Я получила посылку из донорского реестра; им нужно протестировать вашу ДНК. Они прислали мне маленький набор.

Мэгги запустила руку в сумку и достала коричневый пакет.

– Видите, все очень просто, – сказала она. – Мне нужно получить соскоб с внутренней части вашей щеки с помощью этой лопаточки, положить его вот сюда и отослать обратно.

Дэниэл посмотрел на набор с радостным интересом.

– Боже милосердный, теперь я похож на какого-нибудь паршивца из шоу Джереми Кайла. – Дэниэл издал короткий смешок. – Мне нужно пройти тест на отцовство!

– Вы рады этому? – спросила Мэгги.

– Пожалуй, да.

– И потом, им нужно ваше свидетельство о рождении, – продолжала она. – Я нашла его в вашей квартире. И ваши счета за коммунальные платежи. Я отправила все со службой срочной доставки, для большей надежности.

Дэниэл снова рассмеялся.

– Так вот к чему все сводится. К бюрократии и коммунальным платежам. В конце концов, все в жизни сводится к бумажной волоките. – Он вздохнул.

– Мы не обязаны это делать, – напомнила она. – Вы можете передумать.

– Нет, нет! – Его голос прозвучал громче. – Нет.

Я должен это сделать, и чем скорее, тем лучше. Я не могу заключить вас в объятия и покрыть поцелуями, но кое-что еще могу. – Дэниэл улыбнулся. – Давайте, возьмите мою ДНК. Соскребите ее с меня. Я готов.

Он открыл сухие, потрескавшиеся губы и обнажил влажную розовую изнанку щеки.

ЛИДИЯ

Лидия физически ощущала, как уходят долгие, бессодержательные зимние дни. В окне своего кабинета она видела чистое голубое небо и наслаждалась теплом полуденного солнца, согревавшего ковер у нее под ногами. Куини сидела посреди всего этого, как будто долгожданное озерцо золотистого света принадлежало исключительно ей. Лидия вытянула ноги перед собой и уныло созерцала свои перезимовавшие ступни и лодыжки. Они были бледно-серыми, немного оплывшими, а ногти на ногах приобрели желтоватый оттенок. Нужно будет привести в порядок свои ноги. Теперь, когда она делила свой дом с другим человеком, это, можно сказать, было жизненно необходимо. Как она может выставлять напоказ эти костлявые, бесформенные конечности? Она уже потратилась на новые пижамы. Но не сексуальные. Попытка выглядеть сексуальной в семь часов утра – последнее, чего Лидия хотела. Просто модные пижамы. Модные, но с оттенком серьезности. Пижамы, которые говорят о зачесанных назад волосах, очках для чтения и серьезной литературе на сон грядущий.

Лидия вздохнула. Бендикс переехал к ней четыре дня назад. Он прибыл с тремя шикарными чемоданами, один из которых на вид был настоящей вещью от «Louis Vuitton». Бендикс тихо распаковал вещи в своей комнате, появился в шесть часов, чисто вымытый и благоухающий дорогим лосьоном после бритья, а потом не возвращался до какого-то невообразимого времени на следующее утро. С тех пор Лидия слышала его присутствие в доме: дверь открывалась и закрывалась каждые несколько часов. В первый день Лидия недолго простояла перед дверью его спальни с поднятой рукой, готовая постучаться и спросить, как он устроился и не нужно ли ему что-нибудь еще, но потом не выдержала и тихо удалилась в собственную комнату. Лидия столкнулась с ним вчера утром, пребывая в заблуждении, что он ушел на работу, поэтому она еще не сняла свою модную пижаму и выглядела как пугало. Ночью она спала так глубоко, что ее лицо на ощупь напоминало влажную губку. Лидия едва не подпрыгнула на месте, когда увидела его – свежего, девственно-чистого и направлявшегося к выходу. Он широко улыбнулся и произнес:

– Доброе утро, Лидия! Наконец-то мы встретились! Я уже подумал, что вы съехали отсюда.

– Ну нет, – ответила она, пожалуй, слишком игриво. – Я пока остаюсь здесь. Околачиваюсь вокруг, знаете ли. Работаю, и все такое. У вас все в порядке?

– Да, – просто ответил он. – Да. Все отлично. Увидимся попозже, хорошо?

– Хорошо, – пробормотала она.

Она постоянно была на нервах, и это состояние усугубилось от легкого стука в дверь. Лидия вздрогнула.

– Лидия, это я, – донесся тихий мужской шепот. – Можно войти?

Она быстро убрала под стол свои безобразные ноги и раскинула перед собой бумаги.

– Да, входите! – отозвалась она странно пронзительным голосом.

Бендикс стоял на пороге в простой футболке и явно гетеросексуальных джинсах; его волосы были спутаны и взлохмачены, как шерсть морской свинки, обнаженные лодыжки были гладкими и загорелыми.

– Привет, – сказал он.

– Да, привет.

– Это нормальное время?

Лидия бессмысленно посмотрела на стол, потом на Бендикса, потом пожала плечами и ответила:

– Да, все в порядке.

– Хорошо, – сказал он. – Мне можно войти?

– Э-э-э... – Она снова обвела взглядом свой кабинет в поисках разбросанного белья, засохшей еды или грязных спортивных носков – всего, что могло указывать на сумасбродность или нечистоплотность. Ничего не обнаружив, Лидия повернулась к Бендиксу: – Конечно, входите.

Он немедленно забрался с ногами в кожаное кресло, стоявшее в углу. Она покосилась на его ноги и постаралась не издавать странные звуки, которые могли бы указывать на томление или желание.

– Итак, – начал он, проводя руками по ручкам кресла, словно для того, чтобы умышленно раздуть тлеющие угли ее воображения. – Я просто хотел поздороваться. Я почти не видел вас. Это немного странно: жить в вашем доме и не видеть вашего лица.

– Да, я знаю, – согласилась она. – Но дело в том, что я редко выхожу из дома. У меня полно работы, а все покупки делает Джульетта, и... – Она замолчала, исчерпав более или менее здравые причины своего уединения, а эксцентричные ее не привлекали; например, что у нее нет друзей и семьи, нет хобби и других интересов.

– Тогда понятно. – Он улыбнулся и скрестил руки на груди. – А то я уже начал думать, что вы стараетесь избегать меня.

– Нет-нет, ничего подобного! Просто я всегда такая. Честно. Я маленькая отшельница, которая запирается в своем кабинете, понимаете? Ничего личного.

– Хорошо. – Он снова улыбнулся, потом наклонился вперед и окинул Лидию таким оценивающим и откровенным взором карих глаз, что она невольно покраснела. – Потому что я очень благодарен вам за все, и для меня было бы невыносимо, если бы вы чувствовали себя неуютно в моем присутствии.

– Ничего подобного! Мне даже приятно, что вы живете здесь.

Бендикс вопросительно посмотрел, явно не до конца убежденный ее словами.

– Ну, ладно. – Он потер подбородок, продолжая улыбаться. – Значит, все в порядке. Но по вашему лицу очень трудно о чем-то судить. Невозможно понять, о чем вы думаете.

Лидия облегченно улыбнулась. По ее мнению, было огромной удачей, что Бендикс не догадывался, о чем она думает большую часть времени, когда он находится рядом, – о том, как она лежит снизу, а он сверху.

– Ну, а вы? – Он скрестил ноги. – Как идут ваши дела?

– О, замечательно. В смысле, неплохо. Я э-э-э... – Она почти сконфуженно улыбнулась, словно собиралась поделиться дурной вестью. – Сегодня я встречаюсь со своим братом!

– Не может быть!

– Да! Он связался со мной на прошлой неделе. И сегодня мы встретимся в каком-нибудь баре.

– Боже мой, но это же... это потрясающе. Должно быть, вы счастливы?

Лидия ненадолго задумалась над словами, которые он выбрал для такого случая. Ей не приходило в голову, что она может чувствовать себя счастливой. Она испытывала лишь страх в сочетании со слабым волнением. Ее брата звали Дин. Неделю назад он написал ей довольно трогательное короткое письмо. Трогательное, но не особенно вдохновляющее. Она не знала, чего ожидать. Вероятно, с ее стороны было неразумно воображать, что люди могут быть особенно интересными лишь потому, что они являются генетическими родственниками. Но, с другой стороны, думала она, немногие люди умеют писать так выразительно. Вероятно, когда они встретятся, то она будет приятно удивлена. Она надеялась на это.

– Когда вы пойдете? – спросил Бендикс.

Лидия посмотрела на часы на экране компьютера.

– Примерно через сорок пять минут, – сказала она.

– Боже правый! – Бендикс вскочил. – Тогда я должен оставить вас, чтобы вы могли подготовиться.

– Честно говоря, вам совсем не нужно...

– Вообще-то я тоже собирался идти, – сказал он. – У меня встреча с клиентом. Осталось только быстро принять душ и бежать. Но послушайте, желаю вам удачи сегодня. Я буду думать о вас. И пошлю вам сообщение. В какое время вы встречаетесь с ним?

– В половине шестого.

– Хорошо, тогда я отправлю сообщение без пятнадцати шесть. Если вам не понравится этот юноша и вы захотите отправиться домой, просто скажите, что у вас срочный вызов и вам нужно идти. Но если вы будете рады встрече с ним, пожалуйста, ответьте, чтобы я знал.

Лидия улыбнулась, тронутая его инстинктивным желанием защитить ее.

– Спасибо, Бендикс, – сказала она. – Это очень мило с вашей стороны. Я обещаю, что отвечу вам.

– Как вы себя чувствуете?

– Хреново, – ответила она.

Он улыбнулся:

– Меня это не удивляет. Я тоже чувствую себя хреново, хотя и не собираюсь встретиться с новоиспеченным братом. – Он сунул руки в карманы и повернулся к двери. – Еще раз удачи вам, Лидия. То, что вам предстоит пережить, просто потрясающе.

Потом он ушел, Лидия медленно вытащила ноги из-под стола и глубоко вздохнула. Она в молчании подождала десять минут, пока не услышала, как он вышел из своей спальни. Потом хлопнула входная дверь; Лидия бегом поднялась в свою спальню и выглянула в окно. Бендикс был в джинсовой куртке (гей?) и белых спортивных штанах (снова гей?), и на плече у него болталась сумка с тренерскими принадлежностями. Он с кем-то говорил по мобильному телефону и смеялся. Потом Бендикс завернул за угол, и Лидия обессиленно повалилась на кровать.

Она съела сэндвич с арахисовым маслом на тот случай, если для предстоящего вечера ей понадобится защищенный желудок, потом постояла под душем, переоделась, почистила зубы и постаралась не обращать внимания на узлы, завязанные в животе. Она уже решила, что наденет. Джинсы, обычные синие джинсы. А также свободную черную блузку с длинными рукавами и туфли-танкетки. Лидия расчесала длинные темные волосы, нанесла немного туши для ресниц и немного блеска для губ. Она смотрела на свое отражение в зеркале так долго, что оно стало казаться искаженным и расплывчатым, совсем не то лицо, которое нужно показывать молодому человеку, вдруг оказавшемуся твоим братом. Края ее мира становились все более смутными по мере того, как она совершала обычные процедуры. Она ощущала, как реальность растворяется вокруг нее, словно зыбкий сон. Но Лидии ни на секунду не пришло в голову, что она может не пойти на встречу. Она пойдет, и это было почти единственным, что оставалось реальным.

В 16.50 она вышла из дома и направилась к станции подземки. Лидия договорилась встретиться с Дином в баре отеля «Лондон-Бридж», приятном нейтральном месте, которое она нашла в Интернете, по карте она убедилась, что он легко может добраться туда. Дин жил в Дептфорде. Поскольку Лидия еще не так долго жила в Лондоне, она точно не представляла, где находится Дептфорд, но название имело какой-то обшарпанный привкус. Скажем, по сравнению с Челси оно наводило на мысль о безликих кварталах и грохочущих над головой железнодорожных линиях.

Лидия вошла в бар ровно в половине шестого и осмотрела помещение. Дин не смог прислать ей по электронной почте свою фотографию. Очевидно, он не имел цифрового фотоаппарата и в его телефоне не было камеры, но он описал себя как высокого худого парня с коротко стриженными каштановыми волосами. Лидия пришла к выводу, что в помещении нет никого, кто был бы отдаленно похож на него, поэтому она направилась к бару и заказала себе большую порцию джина с тоником. Она отнесла бокал к маленькому круглому столу рядом с окном, чтобы видеть всех, кто мог войти с улицы, и уже собиралась сесть, когда увидела Дина.

Он был похож на лемура-переростка: худой и поджарый, с огромными глазами. Он обвел помещение испуганным взглядом – длинные руки засунуты в карманы тонкой хлопчатобумажной куртки, длинные ноги закрыты джинсами слишком большого размера, маленькая серебряная кнопка в мочке левого уха, большие ступни в голубых кроссовках и хозяйственная сумка, болтавшаяся на сгибе локтя. Он выглядел недокормленным и пугливым, но, если не считать дешевой одежды и затрапезного вида, он был, несомненно, красивым, хотя эта красота имела эфемерный оттенок.

Дин заметил Лидию и улыбнулся. Потом вынул руку из кармана и поднял ее в подобии неуклюжего салюта. Лидия тоже подняла руку и ответила такой же улыбкой.

– Дин, – сказала Лидия, когда он подошел ближе. Она встала и протянула руку для рукопожатия, как будто он был студентом, надеявшимся на подработку, а не ее собственной плотью и кровью.

– Приятно познакомиться, – сказал он.

Его рука была немного липкой, на лице лежал отпечаток страха.

«Он нервничает сильнее, чем я», – подумала Лидия.

Но она увидела, как смягчились его черты, когда Дин посмотрел на нее.

– У тебя мой нос, – сказал он, и она услышала в его голосе оттенок детского восторга. – Смотри. – Дин повернулся и продемонстрировал свой профиль. – Как думаешь, похоже?

Так оно и было.

Она тоже повернулась. Дин изучил ее нос и улыбнулся.

– Да, – сказал он. – Да. Я вроде как надеялся, что будет нечто... понимаешь, нечто одинаковое. Чтобы чувствовать, что это не просто...

– Встреча с незнакомым человеком? – закончила она.

– Да. – Дин снова улыбнулся и сел.

– Разреши, я куплю тебе выпить, – сказала Лидия. – Что ты предпочитаешь?

– Ах да. Что ты пьешь? – Он указал на ее бокал.

– Джин с тоником, – ответила она.

– Отлично, я тоже попробую. Спасибо.

Лидия вернулась к столу с другим бокалом, и Дин принял его в протянутые руки, словно малыш, получивший чашку сока.

Дин снял свою курточку и остался в рубашке. Лидия не могла отделаться от мысли, что он специально надел поношенную рубашку, чтобы произвести на нее впечатление.

Он поднес бокал к губам, немного отхлебнул и поморщился. Лидия тоже подняла свой бокал, но пить не стала.

– Тост? – предложила она.

– Почему бы и нет?

– Тогда за нас.

– За нас, – поддержал Дин, и они чокнулись. Одинаковые напитки, одинаковые носы.

– Я не мог поверить, когда нашел тебя там, – сказал он. – Если честно, то должен сказать, что я был пьян в стельку, когда зарегистрировался.

– Я тоже. – Лидия улыбнулась.

– Что, правда?

– Вообще-то не совсем. Я напилась, когда в первый раз решила зарегистрироваться, но тогда я просто не смогла.

Он понимающе кивнул.

– Я даже не помню, как делал это.

– Ничего себе!

– Да, понимаю. К счастью, тот человек, который был рядом со мной, все помнил.

– Зато впечатляет, что ты помнишь все мелочи насчет донорского реестра.

Указательным пальцем он постучал себя по голове:

– Все здесь: номер донора, клиника, адрес клиники. Это сидит у меня в голове уже три года.

– Ты тогда узнал?

– Да, когда мне исполнилось восемнадцать лет. Мама мне рассказала. А как насчет тебя?

– Я узнала три месяца назад.

– Не может быть! – Дин сдвинул густые брови. – Так поздно, да?

– Да. До тех пор я пребывала в блаженном неведении.

– Но как же...

Лидия пожала плечами и заглянула в его широко распахнутые глаза:

– Я получила анонимное письмо. Даже не письмо, а кучу бумажек. Статья о реестре родственников по донорской сперме, документы из клиники.

Он сочувственно кивнул.

– И ты не имеешь понятия, кто отправил письмо?

– Точно не знаю. Мне известно, что это был кто-то из Уэльса. Мои родители умерли, и я утратила все контакты со своими родственниками оттуда. – Она пожала плечами: – Не думаю, что мне удастся это выяснить, но у меня есть свои догадки.

– Вот как?

– Да, мой дядя Род. Брат отца. Он был очень близок к маме и папе. Если кто-то мог знать о моем происхождении, то это он.

– А твой отец знал?

– Точно не скажу. Он никогда не говорил мне, что знает, но теперь я прихожу к выводу, что он, очевидно, все знал.

Дин покачал головой из стороны в сторону, словно не верил собственным ушам.

– А я-то всю жизнь думал, что это моя жизнь пошла псу под хвост.

Лидия улыбнулась. Разумеется, его дела обстояли далеко не лучшим образом. Достаточно было посмотреть на него, чтобы понять, что его жизнь – клубок сплошных неприятностей. Но теперь его лицо казалось нежным и смягчившимся; Лидия видела, что Дину нравится ее общество и что знакомство прошло лучше, чем он воображал. Она испытывала сходные чувства. С того момента, когда он повернулся, чтобы показать ей свой нос, она совершенно успокоилась. И чем больше она смотрела на Дина, чем дольше они беседовали, тем уютнее она себя чувствовала, даже не с ним, а внутри себя. Дин был ее копией десятилетней давности: слишком худой, плохо одетый, сутулый и всем своим видом словно извиняющийся за свое существование. И тут она ощутила, как очередной фрагмент составной головоломки со щелчком встал на место. Ощущение было таким ошеломительным, что у нее перехватило дыхание. Оно было новым, удивительным и как будто давно ожидаемым.

Это было *материнское* чувство.

Впервые с тех пор, как умерла ее собака, Лидия испытала это чувство, чувство любви и нежности. Ей хотелось прикоснуться к этому юноше. Хотелось обнять его. Хотелось прижать его к груди и уберечь от невзгод.

Лидия допила свой джин с тоником, и Дин закончил свою порцию, а потом пошел заказать еще. Она наблюдала за ним у стойки бара. Он выглядел трогательно. Он выглядел несчастным и прекрасным. *Ее брат.* Ее младший братик.

Он принес еще одну порцию джина с тоником для Лидии и поставил перед собой пинтовую кружку пива. Она не позволит Дину платить еще раз. Было ясно, что у него ни гроша. Она хорошо помнила свои муки, когда ей приходилось платить за выпивку в пабах, а у нее не было денег. Она помнила то время, когда вытаскивала из дыры в стене единственную десятифунтовую купюру, выжимала до капли лимит по кредиткам и занимала мятые пятерки у подруг. Она помнила так ясно, как будто это было вчера. В конце концов, Лидия была бедной гораздо дольше, чем богатой.

– Так что заставило тебя решить, что нужно пройти через это? – спросила она. – То есть я понимаю, что зарегистрировался в пьяном виде, но потом нужно было пройти тестирование и все остальное. Что тебя толкнуло на этот шаг?

Что-то промелькнуло в его глазах, что-то, очень похожее на боль.

– Господи! – Дин сконфуженно улыбнулся. – Не знаю, с чего начать. Это было... Черт... – Лидия видела, что он старается подобрать нужные слова. – Три месяца назад я жил со своей подругой, и мы собирались завести ребенка. Потом у нее начались преждeвременные роды, открылось кровотечение, и я не успел оглянуться, как она... умерла.

Он пожал плечами и жалобно улыбнулся. Лидия почувствовала, как ее внутренности снова завязываются в тугой клубок.

– С ребенком все в порядке, – продолжал Дин. – Хорошая девочка. Ее держали в клинике еще два месяца, пока она совсем не поправилась.

– И где она теперь?

– У матери моей подруги. Да. – Он постучал ногтями по своей кружке.

Лидия потеряла дар речи.

– О боже, – наконец произнесла она. – Это... Я даже не представляю, что ты должен был чувствовать. Ты ведь такой молодой.

– Ну да, – отозвался Дин. – Дерьмо может случиться с каждым. Может быть, я рановато получил свой кусок дерьма. И отчасти из-за этого я оказался здесь. – Он указал на Лидию, потом на себя. – Все *пропало*, понимаешь? Моя девушка. Моя квартира. Моя работа. Мое будущее. Даже моя мама, в каком-то смысле. Она привыкла к тому, что меня нет рядом, все это время она занималась своими делами, ходила на свидания с мужиками и так далее. Все пропало или скоро пропадет, и я просто думал начать что-то новое, понимаешь? И в тот момент, когда я увидел двух человек... тебя и другую девушку, помоложе, это... не знаю, как сказать, это было что-то *новое*, да? Правда, я совершенно извелся, пока размышлял об этом. Я ничего не ел со вчерашнего дня, только думал и думал... – Он помедлил. – Я очень боялся, что ты окажешься...

– Кем? Коровой?

Он рассмеялся:

– Нет, не коровой. Просто думал, что ты окажешься немного... *отчужденной.* У меня было такое представление о тебе. В жемчугах и при параде.

Лидия тоже рассмеялась.

– Никогда в жизни не носила жемчуг, – сообщила она.

– Ну да, конечно. – Он улыбался. – Теперь сам вижу.

Телефон Лидии коротко чирикнул. Она достала аппарат из сумочки и поспешно извинилась перед Дином. Это было сообщение от Бендикса, «спасательный текст», который он предложил ей. «Все в порядке?» Она быстро набрала ответ: «В полном порядке», выключила телефон и убрала его в сумочку.

– Итак, – обратилась Лидия к Дину. – Твоя малышка, на кого она похожа?

Он улыбнулся, понимая, что она должна была задать этот вопрос.

– Она похожа на меня.

– А ты на кого похож?

Дин замешкался, как будто хотел что-то сказать, но потом передумал. Он посмотрел на свои ноги, потом поднял голову, окинул Лидию неуверенным взглядом и сказал:

– Я похож на тебя.

В тот вечер Лидия накормила своего брата. Она купила ему в баре пирог и удовлетворенно наблюдала за тем, как он ест, пока она сама ковырялась в деревянной тарелке с жалкими ломтиками салями, раскрытыми оливками, свернутыми креветками и кучкой каперсов, свернутых в форме боксерской груши. Лидия положила карточку за стойку бара и, когда настало время оплатить счет, сделала это тайком, вежливо отклонив возражения Дина.

Было девять вечера, когда они вышли из отеля, и казалось, что они затронули лишь малую долю процента от тех вещей, которые им хотелось обсудить. Если сравнить их отношения с ломтем торта, то время, проведенное вдвоем, было не больше крошки.

Лидия рассмотрела возможность пригласить Дина к себе домой, но отступила в последний момент, когда уже собиралась сделать предложение. Он был ее братом: это было доказано научно, анекдотически и официально. У них были одинаковые носы. Но тем не менее, рассудила она, он оставался незнакомым человеком.

Поэтому они расстались со взаимным обещанием встретиться снова, скоро, очень скоро.

– Возможно, тогда еще кто-нибудь свяжется с нами, – с надеждой сказал Дин.

– Ты имеешь в виду девушку? – спросила Лидия.

– Да, самую молодую из нас. Тогда мы могли бы встретиться втроем.

Лидия улыбнулась. Она пока что не могла этого

представить. Ей казалось, что сегодня вечером они с Дином учредили эксклюзивный клуб, состоящий из двух членов. То, что они найдут еще одного члена, не говоря уже о двух, казалось гораздо менее вероятным.

– Интересно, кто четвертый? – спросила она.

– Да. – Дин задумчиво прикоснулся к подбородку. – Этот таинственный четвертый. Другой парень. Может быть, он не знает?

– Полагаю, что так, – согласилась она. – Или просто не хочет знать?

Дин пожал плечами.

Они стояли перед станцией «Лондон-Бридж». Было уже почти темно. Люди проходили с обеих сторон, струились потоками вокруг них, направляясь домой. Лидия и Дин обменялись неловкими улыбками. Настало время прощаться друг с другом. Они выпили достаточно, чтобы утратить обычную сдержанность, поэтому сошлись в объятии. Лидия, как могла, постаралась придать своему телу наиболее податливую форму. Она не привыкла к объятиям, но не хотела, чтобы у ее брата сложилось впечатление, будто она противится этому. В тот момент, когда они сошлись, она ощутила в нем то же самое: странную жесткость человека, не привыкшего к физическому проявлению нежности. Они сошлись, словно две вешалки для пальто, тыкая друг друга острыми локтями и жесткими руками. Но в этом неуклюжем объятии была настоящая нежность, и, разойдясь, они тепло улыбнулись друг другу.

– Было очень, очень приятно познакомиться с тобой, – сказала Лидия.

– Мне тоже, – сказал Дин.

– Тогда на следующей неделе?

Дин пожал плечами:

– Да, в любое время. Как ты понимаешь, я не очень занят...

– И я тоже, – парировала Лидия.

Они рассмеялись и соприкоснулись руками; Дин отвернулся первым. Казалось, он должен был исполнить эту роль, как младший из них. А ее роль, как старшей из них, состояла в том, чтобы наблюдать за его уходом, прикрывать его спину и следить за тем, как он погружается в водоворот пересадочной станции.

Лидия еще немного постояла на месте. Она держала одну руку в кармане джинсов, другую – на ремешке сумочки. Когда солнце закатилось за горизонт, оставив над городом следы чернильной голубизны, температура упала, и Лидия ощутила прохладный ветерок, остужавший ее кожу. Она развернула тяжелый шарф, закрыла плечи и руки, а потом прижала к себе сумочку и вышла на улицу, высматривая приветливый огонек свободного такси.

Тридцать минут спустя дом Лидии приветствовал ее с участием старого друга. После странного вечера он выглядел знакомым и надежным. Она почувствовала, как расслабляется ее тело, когда шла по дорожке к парадной двери. Лидия представляла, как меньше чем через минуту нальет себе стакан воды, сбросит туфли, подойдет к кровати, снимет одежду, вытянется во весь рост и закроет глаза, неспешно размышляя о прошедшем вечере и впитывая его впечатления, чтобы обрести новый смысл жизни. Но когда она завернула за угол и вошла на кухню, то увидела Бендикса, который сидел за столом в белой футболке и походных шортах. Он зажег свечу и читал газету, которую держал на согнутом колене. Он услышал, как вошла Лидия, медленно поднял голову и улыбнулся.

– Вы вернулись, – констатировал он.

Лидия неуверенно улыбнулась.

– Ну да, – откликнулась она.

– Я не ложился. – Это замечание снова показалось излишним.

– Да, я вижу, – сказала Лидия и сняла сумочку с плеча.

Бендикс закрыл газету и выпрямил ноги. Он тепло взглянул на Лидию.

– Понимаю, что это глупо, – сказал он, – но я беспокоился за вас. Я просто хотел... ну, убедиться в том, что вы благополучно вернетесь домой. И что вы нормально себя чувствуете. Это так?

Лидия положила сумочку и изобразила облегченную улыбку.

– Да, – ответила она. – Абсолютно нормально.

Улыбка Бендикса тоже смягчилась, и он наклонился над столом.

– Ну, как оно прошло? – поинтересовался он. – Или вы не хотите об этом говорить?

– Нет. – Лидия села и провела ладонями по гладкой крышке стола. – Я не хочу говорить об этом. Пока я не знаю, что сказать.

– Какой он? Приятный?

Лидия посмотрела на участливое лицо Бендикса и ощутила волну удовольствия. «Как мило, – подумала она. – Как это мило с его стороны».

– Да, очень приятный, – сказала Лидия. – Очень тихий и застенчивый.

– Ага. – Бендикс тихо рассмеялся и откинулся назад. – Точно такой же, как вы!

– Пожалуй, да, – согласилась она. – Он очень похож на меня. То есть похож на меня в его возрасте. Но он милый, это правда.

Бендикс задумчиво, почти мечтательно посмотрел на нее.

– Потрясающе, – вздохнул он. – Вы сами это знаете, верно? То, что происходит с вами, просто поразительно.

Лидия улыбнулась.

– Да, я знаю, – сказала она. – Словно во сне.

– Это и есть сон, поразительный сон. А теперь еще двое, с которыми вам предстоит встретиться. Еще один брат и сестра.

Лидия потерла локти и пожала плечами.

– Это кажется не вполне реальным, – сказала она.

Так и было. Сестра казалась менее реальной, особенно в свете ее встречи с Дином.

Бендикс с улыбкой посмотрел на Лидию и встал.

– Вам что-нибудь приготовить? – спросил он. – Чашку кофе или, может быть, травяного чаю?

– Спасибо, не надо. Думаю, мне лучше полежать. Я немного устала.

– Может, чего-нибудь покрепче? – шутливо предложил он. – Стаканчик шнапса? Давайте, мы можем посидеть на веранде, там не очень холодно.

Лидия рассмотрела предложение и намерение Бендикса, которое могло стоять за его словами. Его взгляд был не умоляющим, но довольно пристальным. Она гадала, почему ему захотелось выпить с ней на веранде, и едва не спросила: «Но почему? С какой стати?» Лидия беспомощно огляделась по сторонам в поисках подходящего ответа. Какая-то часть ее существа больше всего хотела посидеть на веранде с объектом ее вожделения и немного напиться вместе с ним. Но другая ее часть хотела подхватить сумочку, подняться в свою комнату и плотно закрыть дверь.

– Э-э-э... ну ладно, – почти непроизвольно сказала Лидия. – Да, почему бы и нет?

Бендикс просиял и хлопнул в ладоши.

– Хорошо, – сказал он. – Просто отлично! Я вернусь через минуту.

Она смотрела, как он выходит из кухни и поднимается по лестнице через одну ступеньку. Она видела, как с каждым шагом напрягаются и расслабляются мышцы его бедер, и ощущала приятную теплоту в животе при мысли о ближайшем будущем, когда эти мышцы будут сокращаться и расслабляться над ее телом. Лидия сглотнула и отвернулась от двери, глядя в черную ночь за окном кухни и пытаясь усилием воли избавиться от гнетущей нервозности. Когда Лидия услышала, как он возвращается, то сделала глубокий вдох и приветствовала Бендикса льстивой улыбкой. Он держал в руке узкую длинную бутылку, наполненную прозрачной жидкостью. Лидия взяла две стопки и последовала за ним на веранду.

Лидия села первой, а Бендикс уселся не напротив нее, а рядом, так что их разделяло лишь несколько дюймов. Он разлил шнапс по стопкам и сказал что-то о происхождении напитка, но Лидия не слушала его. В ее уме разворачивался сценарий, где она открывала рот и говорила: «Бендикс, ты гей?» А он искоса глядел на нее и говорил: «Нет! Разумеется, нет!» А потом он доказывал это, опрокидывая ее на спинку дивана, страстно целуя шею и проводя рукой вверх-вниз по обнаженному бедру. Лидия вытряхнула видение из головы, поскольку знала, что Бендикс ожидает ее ответа, и сказала:

– Извините. Что?

Он приподнял брови и рассмеялся.

– Ничего, – ответил он. – Я вижу, вы уплыли за много миль отсюда, и это вполне понятно, если учесть, какой вечер у вас выдался.

Лидия блекло улыбнулась.

– Ну да, – сказала она, благодарная за то, что он неправильно истолковал ее молчание. – Вечер выдался знатный.

– Хорошо. – Он поднял стопку и вручил ей. – Тогда я предлагаю тост. За ваших братьев. За вашу сестру. И, конечно же, за вас, за потрясающую Лидию!

– Ну да! – фыркнула она. Ей не хотелось казаться лицемерной. Она искренне не понимала, почему кто-то может считать ее потрясающей. Но Бендикс ухватился за ее самоуничижение и быстро отодвинул его в сторону.

– Но вы *действительно* потрясающая женщина. Можете думать что угодно, но, с моей точки зрения, с точки зрения объективного наблюдателя, вы совершенно замечательная. Серьезно, редко можно встретить такую независимую, молодую, умную и сексуальную женщину.

Сексуальную. Лидия уставилась на него.

– Ох, перестаньте, – сказала она.

– Почему? Это же правда.

Лидию подташнивало от плотной серии его комплиментов. Это было все равно что съесть шесть пончиков подряд, многие годы питаясь одной капустой. Прекрасно и упоительно, но слишком много. Лидия неловко улыбнулась, и выражение его лица изменилось.

– Простите. Я чем-то обидел вас?

При этих словах он протянул руку и погладил ее по тыльной стороне ладони. Это был невинный жест, не больше, чем можно ожидать от незнакомца, случайно задевшего вас на улице. Но когда его пальцы прикоснулись к ее коже, в темном доме ее тела как будто разом включился свет. Это было так, словно активировались электроды, подключенные к каждому нерву. Это было так, словно Лидия спала, а теперь проснулась. Удивительное и устрашающее ощущение. Она вдохнула так быстро и глубоко, что Бендикс услышал этот звук и встревоженно посмотрел на нее.

– Вы в порядке? – спросил он и снова прикоснулся к ней, но на этот раз удержал ее руку на месте и даже слегка погладил ее.

– Да, – тихо ответила Лидия. – Все отлично.

Его рука оставалась на месте, как и его взгляд.

– Вы видите это, – сказал он. – Это в ваших глазах. Вы видите нечто... *чуждое.*

Лидия моргнула и рассмеялась.

– Серьезно, – продолжал Бендикс. – В большинстве случаев вы выглядите настоящей англичанкой. Но когда я смотрю на вас, смотрю туда, – он указал на ее глаза, – то вижу нечто иное. Нечто волнующее.

Лидия слегка вздрогнула. Она не хотела, чтобы о ней так говорили, потому что не считала себя волнующей женщиной. И любой, кто думает по-другому, будет крайне разочарован.

– Мне жаль, – сказал он, отпустив ее руку и отодвинувшись. – Извините, что смущаю вас. Я просто... – Он отвернулся, подыскивая слова. – Я просто благоговею перед вами. Не знаю, как лучше сказать об этом.

Я много думаю о вас, вот и все. Пожалуйста, простите меня.

Лидия улыбнулась.

– Разумеется, я вас прощаю, – сказала она. – Правда, здесь нечего прощать. Я немного устала, не более того.

– Ну конечно, – сказал Бендикс. – Конечно. Вы уже говорили, что устали, а я все равно потащил вас сюда, чтобы выпить. Мне действительно хотелось провести несколько минут рядом с вами, потому что мы как два корабля, которые расходятся в тумане. Для меня будет позором переехать в другое место и не узнать о вас ничего такого, чего бы я уже не знал раньше. Но если вам больше нравятся корабли в тумане, просто скажите мне. Я не обижусь.

Он одарил ее чарующей улыбкой. Лидия улыбнулась в ответ и сказала:

– Нет, я не хочу довольствоваться кораблями в тумане. Мне приятно быть здесь вместе с вами. И мы должны встречаться почаще.

– Хорошо, – сказал Бендикс и снова разлил шнапс по стопкам. – Отлично, тогда еще один тост. За нас обоих. Мы больше, чем корабли в тумане. Может быть, даже друзья...

– Да, – сказала она. – Друзья.

Когда она произнесла это слово, соблазнительные и запретные мысли о переплетенных ногах, приоткрытых губах и соединенных телах ускользнули из ее сознания и куда-то пропали. *Друзья.*

Она одним глотком прикончила свою порцию шнапса и постаралась не выглядеть так, словно желает чего-то большего.

РОБИН

Робин с ужасом и разочарованием смотрела на лист бумаги, прикрепленный к стене ее аудитории. Она снова провалилась. Это был уже третий экзамен подряд, который она не выдержала. Неделя тянулась нескончаемо: три часа занятий в день плюс лекции, семинары и задания на выходные дни. За прошедший уик-энд ей предлагалось прочитать и запомнить пять глав по физиологии из такой огромной книги, что Робин с трудом могла поднять ее. Она дошла до начала второй главы и забросила чтение. Ее мозг, который всегда считался лучше остальных, который всегда впитывал информацию без особых усилий, оказался просто не в силах удержать такой объем терминологии. И у нее самой появилось много других вещей, которые предстояло осмыслить и освоить. Робин проигрывала эту гонку. Робин Инглис проигрывала и понятия не имела, что с этим делать.

Она отцепила листок бумаги от пробковой доски и сунула его в сумку на ремне.

Робин подняла блестящую крышку серебристого мусорного бачка на кухне Джека, – нет, на *ее* кухне, как ей постоянно приходилось напоминать себе, – и отпрянула. Он был до краев наполнен грудами тухлых отбросов, слипшихся в чудовищную запеканку с бумажными обрывками и картонками, втиснутыми по краям; из трещин выглядывали скомканные чайные пакетики, и все это было покрыто дряблыми потеками старой каши, счищенной с тарелок. Этот бачок следовало опустошить двенадцать часов назад, если не вчера утром. Сегодня Джек уехал довольно рано, он встречался со своим агентом за завтраком в каком-то модном клубе, о котором Робин должна была что-то слышать, но не слышала. Это означало, что Робин либо придется сидеть в квартире с вонючим и переполненным мусорным бачком, либо самой выбрасывать мусор.

Робин никогда в жизни не выбрасывала мусор.

Это не означало, что она не знала о мусорных бачках или о том, что мусор время от времени полагается выбрасывать. Она сотни раз видела, как мать отрывает черный пластиковый прямоугольник, раскрывает его кончиками пальцев, одним энергичным взмахом наполняет его воздухом, а потом без усилий вставляет в мусорный бачок, обретавшийся под раковиной. Робин видела, как мать достает из бачка раздутый пакет, иногда с некоторым усилием, потом ловко завязывает края в узел и уносит. Куда-то. Робин действительно не знала куда.

Родители никогда не просили ее выносить мусор.

Она осмотрела бачок. Он был вдвое больше того, что стоял в родительском доме.

Она выдвинула несколько ящиков в надежде найти черный цилиндр с пакетами для мусора. Она подошла к окну и изучила участок перед домом в поисках знаков или мест, куда можно выбрасывать большие пакеты с мусором. Она ощущала смутную панику. Она должна найти в себе силы сделать это. Ей уже почти девятнадцать. Она изучает медицину. У нее все получится. Она так и не нашла мешки для мусора, но решила, что сойдет и пластиковый пакет из магазина. Она сняла крышку бачка и начала дергать за края мусорного пакета.

– Тьфу, блин! – прошипела она, когда ее пальцы скользнули по липкой каше.

Она снова потянула, и пакет выполз на несколько дюймов. Она вытащила его до половины, но потом отпустила. Казалось, он был набит свинцом и бетоном. Она ухватилась за углы, попробовала еще раз, напряглась и с силой выдернула пакет из бачка. Когда она сделала это, пакет угрожающе распух, а потом взорвался у ее ног. Вощеный деревянный пол Джека был завален обрывками, обрезками, огрызками и шкурками. Откуда-то снизу просочилась струйка мутной жидкости и потекла между половицами. Запах был таким едким, что Робин закрыла лицо ладонью.

У нее возникло искушение схватить свою сумочку, выбежать за дверь и не возвращаться до тех пор, пока Джек не вернется домой. Вместо этого она проплакала пять минут, а потом нашла в шкафчике под кухонной раковиной пару довольно больших желтых перчаток. Робин натянула перчатки, по-прежнему всхлипывая, и начала соскребать с пола отвратительный компост и сваливать его в большой пластиковый пакет. Она понимала, что выглядит жалко. Она знала, что в Индии есть босоногие дети, которые по двенадцать часов в день в палящую жару занимаются уборкой чужого мусора. Робин знала, что была глупой и избалованной. Но от этого вовсе не было легче.

Прошлым вечером, на пути из колледжа домой, поезд слишком долго задержался в тоннеле, и вагон быстро нагрелся до неприятной температуры. Робин почувствовала, как сердце учащенно забилось в грудной клетке. Машинист объявил, что движение временно приостановлено и он не знает, когда поезд сможет тронуться с места. Робин обвела взглядом вагон и окружавших ее незнакомцев. Ей попалось на глаза пустое сиденье в нескольких футах наискосок, и она задумалась о том, как лучше пробраться туда, не привлекая особого внимания. Сердце забилось еще сильнее, и она не сомневалась, что мужчина, стоявший рядом с ней, слышит этот стук. Ее периферийное зрение начало затуманиваться, и она представила, как сползает по стене вагона, как ее несут к ожидающей машине «Скорой помощи», завернутую в серое одеяло, и все смотрят на нее. Когда Робин увидела все это со стороны, ее сердце забилось с такой частотой, что она уже собиралась позвать на помощь, но поезд наконец с шипением вернулся к жизни, рывком тронулся с места, и сердцебиение замедлилось. Но за те несколько мгновений она ощутила, каково это: потерять рассудок и не иметь власти над собой. В тот момент она совершенно забыла, кто она такая.

Она не понимала, почему чувствует себя такой расхлябанной. Сейчас, когда все наладилось, она была главной героиней собственной романтической истории. Она жила в квартире на Холлоуэй-авеню со своим возлюбленным литератором, имела безупречное лицо и тело, вела безупречную жизнь. Она была Робин Инглис, самой удачливой девушкой в мире. Но ее мир как будто застрял в тоннеле, как вчерашний поезд метро. Она не могла двигаться дальше от того темного места, где находилась, когда считала Джека своим братом. Она испытывала странную нервозность и печаль. Робин была счастлива только в то время, когда Джек находился рядом и они оставались наедине. В остальное время она чувствовала себя потерянной.

Робин посмотрела на тяжелый пакет, который она стащила по лестнице, задевая за каждую ступеньку. Она вынесла пакет на садовую дорожку и, к своему удивлению, обнаружила два больших зеленых контейнера немного ниже ее роста, стоявших бок о бок у садовых ворот. На них белой краской был написан номер дома. Робин осторожно откинула крышку, и ей в лицо ударила очередная порция густой вони. Робин попыталась забросить пакет в пасть мусорного контейнера, но потерпела неудачу. Мужчина средних лет проезжал на велосипеде мимо дома. Он замедлил ход, с любопытством посмотрел на Робин, и на мгновение ей показалось, что сейчас он остановится и предложит помочь. Но этого не произошло, и он поехал дальше. Робин смотрела, как он сворачивает на улицу; ей хотелось швырнуть пакет с мусором ему вслед. Она трижды пробовала загрузить пакет в контейнер, но потом сдалась и оставила его на мостовой.

Вернувшись в квартиру, она рассмотрела возможность заняться курсовой работой и немного подучиться, но вместо этого решила вернуться в постель. Простыни были еще слегка теплыми от их тел, и кровать пребывала в состоянии живописного беспорядка. Робин вспомнила, как, проснувшись утром, удовлетворенно любовалась затылком Джека, а потом испытала беспокойство и смутную панику, когда он напомнил, что собирается на деловую встречу. С этой минуты ее день словно раскололся пополам.

Робин лежала, прижавшись щекой к подушке Джека, и вдыхала его запах. Потом она снова расплакалась.

Во что она превратилась? Этот новый вариант своей личности был ей ненавистен. Она превратилась в одного из тех людей, которых сама презирала: эмоционально зависимых, прилипчивых, безнадежных. Она не могла вынести мусор. Она не могла ездить одна. Она не могла нормально функционировать в отсутствие своего партнера. Каждый раз, когда он выходил из комнаты, у нее опускались руки. Лишь запах его подушки мог вывести Робин из беспросветного уныния. Она выглядела жалкой.

Выплакавшись, она погрузилась в неглубокий сон. Перед ней развернулось сновидение о сестрах, об их изможденных лицах и измученных телах незадолго до конца, облаченных в красивые модные платья, которые родители упрямо продолжали покупать для них. А потом ей приснился мальчик. Он толкал одну из ее сестер, сидевшую в кресле-каталке. «Прыгай», – сказал он, и Робин запрыгнула на колени к сестре. Только это больше не была ее покойная сестра. Это была другая женщина, высокая, с длинными ногами и длинными волосами. Робин поняла, что между ними произошел контакт, и почувствовала, как руки той женщины обнимают ее. Робин слышала, как мальчик что-то насвистывает, и видела, что они приближаются к паре дверей перед ними. На одной двери висела табличка, но Робин не могла прочитать ее. Она знала, что, если захочет уйти от насвистывающего мальчика и длинноногой женщины, ей нужно спрыгнуть с кресла-каталки, прежде чем они достигнут двери, но потом она успокоилась и расслабилась в объятиях женщины и медленно подъехала к двери. Она держала руку женщины в своих ладонях и думала, что от нее приятно пахнет, совсем как от Джека. Потом двери открылись, и Робин проснулась.

Звонил ее телефон.

Она села и так быстро спустила ноги с кровати, что закружилась голова.

– Да, – прошептала Робин в телефон.

– Привет, милая. – Это была ее мама. – У тебя все в порядке?

Робин успокоилась.

– Да, – ответила она. – Все замечательно. Я только что видела странный сон.

– Ты спала? Но уже около одиннадцати.

– Знаю, знаю. Я уже вставала. Просто не знаю... я устала. Ночью мне не спалось.

– Ты уверена, что все в порядке?

– Да, правда. Я просто... – Она переместила телефон к другому уху. – Я не знаю. Все как-то странно.

– Ты одна?

– Да. У Джека деловая встреча.

– Хочешь, я приеду?

Робин помедлила. Ей хотелось сказать «да», но, с другой стороны, Джек должен был вернуться уже через полчаса. Она вздохнула:

– Нет, у меня правда все в порядке.

– Только что получила заказную бандероль для тебя. Я расписалась в получении. Хочешь, я посмотрю, что это такое?

– Хорошо. – Она зевнула.

– Ох, – сказала мать несколько секунд спустя. – Думаю, я знаю, что это. Это такой набор, знаешь, для тестирования ДНК. Он предназначен для тебя. – Ее голос был взволнованным. – Что мне с ним сделать?

Робин задумалась. Она заполнила формуляр две недели назад и поставила галочку в графе о согласии пройти тест на ДНК. Она сделала это лишь ради матери. «Какой от этого вред? – спросила мама. – Ты все равно можешь не встречаться с ними. Но по крайней мере ты будешь знать, кто они такие».

Робин представила коробочку в руке у матери. А потом она вспомнила свой сон: радостный мальчик, толкающий кресло-каталку, ласковая женщина с длинными руками, загадочные двери, ведущие в неведомое место. Робин думала о том, какие чувства вызвал этот сон: сначала неудобство, а потом радость, когда она позволила той женщине обнять себя и мальчик повез их неведомо куда. Это был один из тех снов, которые казались чем-то большим, чем обычные сны; он как будто указывал на что-то. Она заблудилась, и мальчик во сне показал ей, куда нужно идти. Она ощущала нечто вроде невидимого веревочного моста, протянутого между ее сознанием и коробочкой в руке матери. Там заключался ответ.

– Приезжай. – Робин услышала свой голос как будто со стороны. – Приезжай сейчас и возьми это с собой.

– Ты уверена?

– Да. Я хочу это сделать. Хочу встретиться с ними.

– Сейчас соберусь, – сказала мать. – Буду через час.

ДИН

Дин вышел в яркую свежесть раннего майского вечера на станции Сент-Джонс-Вуд. Когда он покидал Дептфорд, небо было затянуто облаками и собирался дождь. Возможно, здесь всегда такая погода, мимолетно подумал он. Он следовал по грубой схеме, начерченной на тыльной стороне ладони, до короткой широкой дороги напротив крикетной площадки «Лордс». Каждый дом стоял в надменном отдалении от улицы, одни – за большими электрическими воротами, другие – за аккуратными живыми изгородями. Дома были старыми, викторианскими по размеру и архитектурным формам, но с блестящей современной отделкой. И огромными. Дин никогда не видел столько больших домов, стоявших подряд. В его части города такие дома стояли отдельно, обычно в окружении небольших магазинов или дешевых многоквартирных домов. Он шел медленно, впитывая атмосферу и ощущение другого мира. Но потом он заметил мужчину в окне, с подозрением смотревшего на него, и ускорил шаг.

Дин нашел дом Лидии в дальнем конце улицы. Он был широким, как четыре автобуса, выкрашенным в цвет молотых костей. Окна были заклеены односторонней пленкой, так что с улицы нельзя было заглянуть внутрь. Передний садик был небольшим, засаженным черными тюльпанами и колючими растениями; земля между ними была покрыта серой каменной крошкой. Бетонное крыльцо вело к широкой серой двери с современной фурнитурой, а номер «27» наверху высвечивался через веерную дверную фрамугу, забранную такой же полупрозрачной пленкой.

Дин немного постоял на мостовой, засунув руки в карманы джинсов и разглядывая дом. Он даже не заметил, что у него открылся рот. Дом был потрясающим. Настоящее чудо. Дин осторожно ступил на дорожку с рядами галогенных светильников по обе стороны. Через несколько секунд после того, как он нажал на кнопку рядом с маленьким видеофоном, там появилось лицо Лидии.

– Заходи! – сказала она.

Дин толкнул дверь и увидел перед собой миниатюрную азиатку в переднике, которая в ужасе смотрела на пришельца.

– Что вам нужно? – грозно спросила она.

– Я... э-э-э...

– Он пришел ко мне, – сказала Лидия, спустившаяся по широкой лестнице с бежевой ковровой дорожкой.

Маленькая азиатка посмотрела на Лидию, как будто та сошла с ума, а потом снова уставилась на Дина.

– Вы уверены? – спросила она.

Лидия улыбнулась:

– Спасибо, Джульетта, я вполне уверена. Это мой брат.

Лицо Джульетты смягчилось, и она широко улыбнулась.

– Ах! – Она энергично закивала. – Ваш брат! – Она сверкнула зубами в сторону Лидии и с протянутыми руками подошла к Дину. – Я не знала, что у вас есть брат! Приятно познакомиться с вами, очень приятно! Да-да, теперь я вижу. – Она указала на лицо Дина, потом на Лидию. – Теперь я вижу, что он ваш брат. – Джульетта повернулась к Лидии и погрозила пальцем. – Вы не говорили, что у вас есть брат, – укоризненно добавила она.

Лидия сконфуженно улыбнулась, но не стала говорить ей, что еще полтора месяца назад сама не знала об этом. Дин и Лидия обменялись заговорщическими улыбками, а потом она проводила его в невероятную комнату, похожую на стеклянный кирпич, прикрепленный к задней стене дома. Там не было ничего особенного, кроме огромного дивана, обтянутого белой кожей, низкого столика и пальмы в кадке. Стеклянная коробка обрамляла широкий декоративный сад с пушистыми кустами, квадратной мебелью и тем, что издалека казалось настоящей кухней. Где-то на расстоянии Дин разглядел силуэт мужчины в рубашке с открытым воротом, который что-то делал с листьями маленького поникшего деревца.

За другим бортом прозрачной коробки, глядя внутрь дома, Дин видел черный лакированный стол, вокруг которого стояло двенадцать обеденных стульев из гнутого металла и прозрачного плексигласа. В середине стола возвышалась бирюзовая ваза с травяными стеблями. Над столом нависал огромный хромированный абажур, а стены были выкрашены в темный угольно-серый цвет, карнизы и плинтусы тоже.

– Потрясающий дом, – сказал Дин, опустившись на снежно-белый диван.

– Да, – мечтательно отозвалась Лидия. – Есть такое. Но это не моя работа. Дом был таким, когда я купила его. Я всего лишь приобрела кое-какую безликую мебель для обстановки.

– Нет, мне нравится, – заявил Дин. – Минималистский стиль, да?

– Точно. Пожалуй, слишком минималистский. С другой стороны, я редко бываю здесь. Почти всегда торчу у себя в кабинете. Или в спальне. А это просто... – Она развела руками. – Это просто для показухи.

– А что с ней? – Дин указал в сторону кухни на другой стороне дома.

– С Джульеттой?

Дин кивнул.

– Она моя домохозяйка.

– Не может быть!

– Очень даже может. У меня есть домохозяйка. Знаю, я чокнутая. Никогда не думала, что у меня будет домработница.

– И садовник? – Он указал в сторону сада.

– Ну да, хотя он не состоит в штате. То есть он приходит один раз в неделю, на несколько часов. А Джульетта приходит сюда ежедневно.

В тот же момент Джульетта появилась в дверях и ласково улыбнулась Лидии и Дину:

– Вам что-нибудь принести?

– Спасибо, Джульетта, не надо. Мы здесь ненадолго, уйдем через несколько минут.

– Хорошо, хорошо. Тогда я принесу чипсы и минеральную воду. Одну минутку.

Они проводили ее взглядами и одновременно рассмеялись.

– Знаешь, у меня никогда не было матери, поэтому, думаю, она для меня в этом смысле как подарок. – Лидия снова хохотнула, и Дин улыбнулся.

– Так что... что случилось с твоей мамой? – Он хотел спросить ее еще в тот вечер, когда они встретились возле станции «Лондон-Бридж», но потом передумал. Казалось, еще слишком рано спрашивать о таких вещах. Но это была их третья встреча, и они обменивались электронными письмами и телефонными сообщениями, так что теперь он считал себя вправе задать этот вопрос.

Ее улыбка не дрогнула.

– Зависит от того, кого спросить, – ответила Лидия, поджав ноги под себя и поглаживая колени ладонями. – Согласно моему отцу, она покончила с собой; согласно другим членам семьи, он столкнул ее с балкона. Так или иначе, она умерла на бетонной площадке рядом с нашим домом.

Дин поморщился:

– Сколько лет тебе было?

– Три года. Я почти не помню ее.

– Как ты думаешь, что случилось?

Лидия пожала плечами:

– Понятия не имею. Кажется, моего отца допросили. Никого не арестовали. Никого ни в чем не обвинили. Но после этого моя семья как будто замкнулась в себе. Никто ни с кем не разговаривал. А дядя Род просто куда-то исчез.

– Тот, кто послал тебе анонимное письмо?

– Да, тот самый. Я не встречалась с ним до восемнадцати лет, потом он пришел на похороны отца. Но не стал задерживаться. Я видела, как он ушел. Так что да, я практически не имею представления о том, что случилось с моей матерью: то ли она сама прыгнула, то ли ее столкнули. Если она прыгнула, то я не знаю почему. Если ее столкнули, то это сделал мой отец. С годами я научилась не задавать особых вопросов по этому поводу. Я уже давно решила спрятать все это в маленькую коробку и забыть о ней.

Лидия соединила кончики пальцев и уставилась на них. Дин наблюдал за ней со своего конца дивана. Ему казалось, что она может заплакать, но она этого не сделала. Ее лицо казалось бесстрастной алебастровой маской.

Джульетта вошла в комнату с небольшим подносом, на котором стояли миска оливок, миска орехов кешью, миска чипсов и два бокала газированной минеральной воды. Джульетта покровительственно улыбнулась и расставила все это перед ними. Дин заметил, как Лидия неловко поежилась, наблюдая за ней.

– Спасибо, Джульетта, – сказала она необычно бодрым тоном, которым не пользовалась раньше.

Джульетта вышла из комнаты, и Дин повернулся к Лидии.

– Думаешь, это хорошая мысль? – спросил он.

– Какая?

– Насчет коробочки. Знаешь, спрятать и забыть?

Она пожала плечами и взяла несколько орешков.

– Понятия не имею, – сказала она. – Но не представляю, что еще я могла сделать. Я отдалилась от своей семьи. Мой отец умер. И даже если бы я знала, то какая разница? Ты меня понимаешь. Я бы по-прежнему осталась Лидией Пайк, осталась собой. Хотя, возможно, я бы знала, что мой отец был не просто жестоким и хладнокровным, нелюбящим старым козлом, но еще и проклятым *убийцей*.

– Интересно, если бы ты была там, когда это случилось, – задумчиво произнес Дин.

Она пожала плечами.

– Если бы я была там, то вычеркнула бы это из памяти. Абсолютно. Но, думаю, я могла быть там... Это я заключила из-за своей фобии.

– Какой фобии?

– Насчет краски. Понимаешь, я не выношу ее запах. Мама красила мою спальню, когда упала, когда ее столкнули или как там еще. Краска осталась у нее на руках. Наверное, я была там, потому что даже сейчас, если я чую свежую краску, начинаю сходить с ума. Мне хочется немедленно уйти. И вот почему...

– ...ты изобрела твою специальную краску.

– Точно. Не для того, чтобы разбогатеть. Не для *этого*. – Она широким жестом обвела свой роскошный дом. – Я никогда этого не хотела. Мне просто хотелось выкрасить свой дом без приступов паники.

Дин набрал пригоршню чипсов. Он любил этот сорт чипсов и не пробовал их с ранней юности.

– Значит, скорее всего, ты была там, – продолжал

Дин, не в силах выявить факты из этих смутных воспоминаний. – Это разумное предположение? Ты ведь помнишь запах краски? Он как-то связан с ее смертью? Должно быть, ты была там. Ты могла видеть, как это случилось. – Он знал, что давит на Лидию, вероятно, даже слишком сильно. Он наблюдал за ее реакцией, но ее лицо оставалось бесстрастным. Она взяла с ладони орешек и положила его в рот.

– Ты не думала о гипнотерапии или о чем-то в этом роде?

Тогда она рассмеялась, не весело, скорее, с нотками усталой безнадежности.

– Нет, не думала, – ответила она. – Прошлое в коробке, и все тут. – Она слизнула соль с пальцев и похлопала себя по бедрам. – Ладно, пошли.

– Куда ты меня ведешь? – поинтересовался Дин.

– Туда, где ты сможешь поесть. Я хочу раскормить тебя. Тебе нужно прибавить минимум семь фунтов, а может, и больше.

Дин грустно посмотрел на нетронутые оливки в маленькой стеклянной миске. Он чувствовал себя виноватым: маленькая азиатка все так красиво разложила для них. Он посмотрел на стакан минеральной воды. Дин не любил газированную воду, но выпил половину просто из вежливости. А потом он набрал еще одну пригоршню чипсов и встал.

Когда они проходили к парадной двери мимо кухни, Дин заглянул туда.

– До свидания, – сказал он Джульетте. – И спасибо за закуски.

Та лучезарно улыбнулась.

– Всегда пожалуйста, – отозвалась она. – Мы всегда рады вас видеть.

Лидия отвела его в ресторан под названием «Жаровня».

– Мне кажется, тебе не хватает мяса, – сказала она.

Ресторан был коричневым, тускло освещенным и довольно шикарным. Им выделили отдельную кабинку, отгороженную от соседних столиков деревянными панелями и гравированным стеклом. Дину казалось, что он попал в волшебный сон. Несколько недель назад он жил в заплесневелой квартире с серым ковром. Несколько недель назад он был никем. Просто молодым парнем без собственного дома, работы или подруги. Теперь он был братом Лидии. А Лидия была совершенно потрясающей. Он обожал ее. Он обожал ее непроницаемое лицо, ее сдержанную и спокойную манеру. Он обожал ее ироничную улыбку и валлийский акцент. Он обожал ее дом, ее успех, ее домработницу. Он обожал ее электронные письма, где все слова стояли на своих местах. С грамматикой и пунктуацией тоже все было в порядке. Он обожал ее за то, что она привела его в этот шикарный ресторан, как будто это было его самым обычным занятием в среду вечером. Но в основном он обожал ее за то, что за всем внешним лоском и тренированным, ухоженным телом, за блестящими волосами, дизайнерскими джинсами и особняком в минималистском стиле скрывался человек, точно такой же, как он сам. Она тоже была нездешней. Она тоже была одиночкой. Она заполучила его, целиком и с потрохами.

Когда Дин вернулся домой после первой встречи, мать с беспокойством дожидалась его.

– Ну, какая она? – спросила она, едва он вошел в комнату.

– Абсолютно и чертовски совершенная! – с улыбкой ответил он.

Сейчас он заказал себе половину цыпленка с жареной картошкой и бутылку лагера. Лидия заказала салат и королевские креветки на гриле.

Она посмотрела на Дина своим особенным взглядом, оценивающим и невозмутимым.

– В чем дело? – спросил Дин.

– Ни в чем. Просто думаю о тебе.

– Что можно думать обо мне?

– О том, что из тебя выйдет.

Он нервно рассмеялся.

– Как это понимать?

– Ты знаешь, что я имею в виду. Я имею в виду твоего ребенка, Дин.

Он вздрогнул. Он ожидал, что она заговорит об этом, но она все равно застигла его врасплох. В его жизни было лишь два человека, которые говорили с ним об Айседоре. Одним из них была Роза, но Дин по-настоящему не слушал, что она говорит. Ее голос для него звучал как отдаленные стенания, как гудок нефтяного танкера в нескольких милях от берега. Другим человеком была его мать, но она никогда не подталкивала Дина к действиям. Она позволяла ему двигаться по инерции в школьные годы и не сказала ни слова, когда он перестал играть в футбол, хотя тренер говорил, что у него есть хорошие задатки. Она позволила ему уйти с подготовительных курсов по кейтерингу и гостиничному бизнесу и устроиться водителем грузового фургона, а теперь она не прикладывала никаких усилий к тому, чтобы он почувствовал ответственность за свою маленькую дочь. Время от времени мать говорила о своих визитах к малышке. Она показывала ему фотографии Айседоры в своем телефоне и говорила что-нибудь невинное, вроде: «Она такая милая, Дин. Просто маленькая куколка!» Дин мимолетно просматривал снимки и кряхтел. На самом деле ему не хотелось смотреть. Он замечал волосы, носик-кнопку, розовую футболку, а в последнее время и улыбку. «Теперь она улыбается, Дин, улыбается как ангелочек». Но Дин не видел целого. Если бы он увидел целое, ему пришлось бы впустить дочку в свою жизнь. Если он сделает это, то она останется там навсегда, словно незаживающий шрам, что бы он ни делал и куда бы ни отправился.

Впервые кто-то, кроме его матери или матери Скай, назвал Айседору «твой ребенок». Томми всегда называл ее «малышкой».

– А что насчет нее? – опасливо поинтересовался Дин.

– Не делай вид, будто не понимаешь. Она – твой ребенок. Ты не видел ее с тех пор, как она появилась на свет. Что ты собираешься с этим делать? – Голос Лидии звучал ровно и размеренно. Ее тон был не резким, а доброжелательным. Но вопрос все равно расстраивал Дина. Он обнаружил, что от подступающей ярости сжимает кулаки под столом.

– Я ничего не собираюсь с этим делать, – сказал Дин, презирая звук собственного голоса, заполнившего пространство между ними, презирая себя за то, что показывает Лидии другую сторону своего характера – грубую, невоспитанную, ребячливую сторону.

Лидия ничего не сказала, но продолжала смотреть на Дина, слегка склонив голову набок.

Официантка принесла им два бокала пива и корзиночку с хлебом. Дин нервно взял свой бокал и сделал большой глоток.

– Ты не можешь ничего не делать, – наконец сказала Лидия. – Это не выход.

– Почему?

– Потому что она твоя дочь.

– Это правда, но в жизни все не так просто, да? Ну, ты только посмотри на нас. Загадочный французский папаша, наша сестра, с которой мы еще не встретились, еще один брат, который даже не знает о нашем существовании. У тебя нет родителей, а у меня есть дочь, у которой нет матери. Все как-то запутано, верно? Чем я отличаюсь от других? Что отличает моего ребенка от других?

– Ты, – ответила Лидия. – Ты отличаешь своего ребенка от других.

Дин искоса посмотрел на нее. От ее ответа у него перехватило дыхание.

– Да, но какой от меня прок? – спросил Дин. – Что я могу предложить ребенку? Ни дома, ни работы, ни семьи, ни будущего.

– Это неправда.

– Разумеется, это правда. Я долбаное пустое место. – Люди, сидевшие в соседней кабинке, начали украдкой поглядывать на них. Дин понизил голос. – Знаешь что, – тихо сказал он, – когда я впервые увидел этого ребенка, когда ее только вытащили наружу и она посмотрела на меня, даже тогда я понял, хотя она была крошечной, скрюченной, синей и покрытой кровью и слизью, даже тогда я понял, какая она умная. И когда я это увидел, я понял, что не смогу ничего сделать. Даже тогда я знал, что недостаточно хорош для нее... – Он остановился и сделал такой глубокий вдох, что у него закололо под ложечкой. Но это не помогло. Слезинка скатилась из его правого глаза и упала на джинсы. Дин смотрел, как она впитывается в ткань, и скоро к темной отметине присоединилась еще одна, потом другая. Он взял со стола салфетку и вытер щеки.

– Вот черт, – сказал он. – Черт. Извини, я просто...

– Все в порядке. – Лидия накрыла его руку своей. – Это совершенно нормально. Выпусти это из себя.

– Ха! – произнес он. – Ты красиво говоришь.

Лидия заморгала и улыбнулась:

– Да, я знаю. Мы оба мастера поговорить. Но если честно, Дин, тебе не о чем беспокоиться. Теперь у тебя есть я.

– Что ты имеешь в виду?

– Я хочу сказать: что бы ни случилось с тобой или твоим ребенком, что бы ты ни решил сделать, я прикрою твою спину. Ты больше не один, верно?

Дин хотел возразить, сказать какую-нибудь колкость. Он приоткрыл рот, готовый вступить в спор. «Ты даже не знаешь меня, – хотелось ему сказать, – ты не знаешь обо мне ничего. Ты не знаешь, каково это – чувствовать себя никем. У тебя есть большой дом и горничная. Разве я могу верить, что ты вступишься за меня? Разве ты можешь верить, что я не обману тебя?»

– Я выйду на улицу, – сказал Дин. – Только на минутку.

Лидия с улыбкой кивнула и отпустила его руку.

– Хорошо, – мягко сказала она.

Он нашел маленький закоулок через три витрины от ресторана. Оказавшись вдали от уличных фонарей, Дин достал из мятой пачки сигарету. Потом уселся на корточки, прислонившись к сырой стене, и закурил. Он слетел с катушек, внезапно и полностью. За каких-то десять минут он превратился из «мистера с новой сестрой» в нервную развалину. Втягивая дым в легкие, он ощутил, как спадает напряжение, и откинул голову к стене. Он не учел эту переменную в своем уравнении. Он не рассчитывал на возможность встретить человека, который будет неравнодушен к нему до такой степени, что заставит его что-то сделать с той неразберихой, в которую превратилась его жизнь. Он не думал, что встретит того, кто сможет полюбить его. Он увидел это в глазах Лидии: такой же дерзкий разум, как в глазах его дочери. И такое же выжидательное выражение. Лидия возлагала на Дина большие надежды. С этой идеей было трудно согласиться в мире, где никто и никогда не возлагал на него особых надежд.

Дин смотрел на тлеющий кончик сигареты и вспоминал, как обещал Скай, что бросит курить. И вот что получилось. Он ни на секунду не поверил в свое обещание. Он сказал это, чтобы Скай заткнулась, как это случалось и раньше. Потому что, по правде говоря, Скай была довольно тупой. Она могла говорить и говорить до бесконечности, но все это был просто шум, за которым не стояло ничего существенного. Просто бессмысленное сотрясание воздуха. Дин никогда не пытался заткнуть рот своей матери, потому что она никогда не говорила ему того, чего он не хотел слышать. С Лидией все было по-другому. Он не мог сделать так, чтобы она заткнулась, потому что все ее слова имели смысл. Потому что к ней стоило прислушаться. Она говорила вещи, которые ему нужно было услышать. Но Дин не хотел их слушать.

Мимо него прошла темноволосая пара: обоим немного за тридцать, модно одетые и громко хохочущие над чем-то. «Ты не должен это делать!» – сквозь смех говорила женщина. «Нет, я это сделаю!» – отвечал мужчина, и оба начинали хохотать еще громче. Потом они обернулись и увидели Дина, сидевшего на корточках в глубокой тени. Смех прекратился; женщина взяла мужчину за руку и нервно посмотрела на него. Дин слышал эхо их шагов по мостовой, они поспешили дальше и возобновили свою беседу. Их пронзительный смех снова зазвучал на тихой улице; соприкосновение с темной стороной жизни осталось позади.

Дин докурил сигарету и с силой воткнул окурок в кирпичную стену. Он чувствовал себя мелким зверьком. Городским грызуном, паразитом, которого отлавливают в пластиковую коробку, кладут в белый фургон и увозят куда-то для уничтожения. Он не был частью этого общества, ему не было места в этом мире. Он подошел к ресторану и увидел Лидию, которая смотрела в окно, откинувшись на стуле. Она искала Дина. Потом он увидел, как к столику подошла официантка и спросила о чем-то. Лидия покачала головой и улыбнулась, отпуская ее. Он видел, как люди за столиком у окна закончили свою трапезу и с беспокойством посматривают на него. Дину не хотелось возвращаться туда. Ему не хотелось доедать курицу с картошкой, пить пиво и выдавать себя за того, кем он не являлся. Ему хотелось ускользнуть, как крысе, которой он и был на самом деле, прошмыгнуть под землю через сточную решетку, пробраться под темными водами реки и оказаться в безопасности материнского дома, где он мог бы продолжить свое бесцельное существование.

Он нырнул в ближайшую тень, достал из кармана куртки телефон и набрал сообщение для Лидии: «Мне очень жаль, но я должен идти. Береги себя. Дин». Он отправил сообщение, потом поднял воротник куртки, защищаясь от быстро наступавшего вечернего холода, и быстро зашагал к станции «Сент-Джонс-Вуд».

МЭГГИ

Мэгги сидела на скамейке и смотрела, как дочь качает ее внучку на качелях. Матильда пухлыми ручками ухватилась за перекладину качелей и низко наклонилась, глядя на черное резиновое покрытие под ногами, дивясь тому, как оно входит в фокус и выходит из фокуса, улыбаясь каждый раз, когда поднимала голову и видела перед собой лицо матери.

Мэгги тоже улыбалась. Сколько часов она сама просидела возле детских качелей? Сколько было просьб: «еще десять разочков», сколько холодных зимних дней и теплых весенних вечеров, проведенных в этом ритмичном, покачивающемся танце? А сейчас она знала, что это скоро закончится. Ее дети сначала научились качаться самостоятельно, а потом уже не просили приводить их сюда. Она дорожила каждым последним толчком качелей.

Либби родила Матильду в двадцать два года. Дочь

была даже моложе, чем Мэгги, когда та родила Тома. Либби была безутешна: пропал целый год учебы в университете. Прошло только пять месяцев после свадьбы и лишь четыре года после совершеннолетия. Мэгги втайне ликовала. «Такими темпами, – думала она, – я могу даже стать прабабушкой. И все это будет удерживать ее здесь, в Бери». Она не то чтобы хотела видеть свою дочь привязанной к одному месту, но было хорошо, что они рядом. И Мэгги очень любила маленьких детей. Она даже читала, что когда Дэвида Аттенборо[1] спросили, какое самое невероятное животное он видел, тот ответил: «Двухлетнего ребенка». Она была согласна с этим. Ей нравились младенцы, дети постарше были привлекательными, но малыши двух-трех лет, которые уже научились ходить и теперь учились разговаривать, не способные на ложь и не воспринимающие ее, совершенно лишенные злобы или притворства, были настоящей редкостью. Чем-то драгоценным и, увы, слишком мимолетным.

Либби сняла Матильду с качелей и поставила на землю. Девочка увидела голубя и пошла к нему, вытянув руки. Либби повернулась к Мэгги и улыбнулась.

– О чем ты думаешь? – спросила дочь, опустившись на скамейку рядом с матерью.

– Ни о чем в особенности. О детях. О жизни. О вечных циклах… В общем, ты понимаешь.

---

[1] Дэвид Аттенборо (р. 1926) – знаменитый натуралист, автор документальных сериалов о дикой природе.

– В пожилом возрасте ты начинаешь философствовать.

– Ну, не такой уж он пожилой, – шутливо заметила Мэгги. – Но в целом ты права. Наверное, это связано с Дэниэлом. Ты знаешь, как он болен, знаешь про его детей. Он мечтает увидеть их.

Либби с любопытством взглянула на нее:

– Как продвигаются дела с его анализами в реестре?

– Я отправила все необходимые документы, но пока ничего не слышно. Время от времени я захожу к нему и проверяю почту.

– А сколько ему еще...

– Не знаю. Говорят, несколько недель. Но это может случиться через две недели или через три месяца. Видишь ли, все дело в его мозге. Зависит от того, как быстро распространяется опухоль и какой вред она причиняет. Пока она заметно не увеличилась, но кто знает. Рак – это хитрый мошенник.

– Он до сих пор в здравом уме?

– В общем и целом, да. Я имею в виду, что обезболивающие средства иногда творят с ним странные вещи. И он стал... как это называется?... да, более прямолинейным. Он стал открытым, он рассказывает мне о своих чувствах и даже немного шутит. Он стал более человечным. Не знаю, то ли это из-за лекарств, то ли из-за опухоли, то ли это всегда происходит с людьми, которые знают... что скоро уйдут. Но он остается очень милым. Он сказал мне... – Мэгги замолчала. Она не хотела становиться одной из тех матерей, которые легко переступают черту между дружбой и родительскими чувствами. Она не хотела, чтобы дети слишком глубоко вникали в ее чувства. – Он сказал, что хотел бы, чтобы все сложилось по-другому. Чтобы мы были... вместе.

– О, – сказала Либби. – Это очень приятно.

– Да, – мечтательно отозвалась Мэгги. – Это в самом деле было очень приятно.

– Но в некотором смысле так даже лучше, да? Лучше, что вы не так сильно сблизились?

Мэгги грустно улыбнулась:

– Честно говоря, не думаю, что есть какая-то разница. Я думаю о том, что происходит сейчас, когда мы сидим с ним вдвоем, и это сближает нас больше, чем если бы мы целовались и ласкались друг с другом. А теперь, когда я пытаюсь выйти на след его детей... такой опыт бывает далеко не у всех. То, чем мы сейчас занимаемся... думаю, мне будет очень тяжело, когда его не станет. Правда, очень тяжело.

По ее щеке сползла маленькая слезинка, и Либби в ужасе посмотрела на мать:

– Боже, мамочка, я не хотела... Извини, я просто думала...

– Все в порядке, милая. Честное слово. Все замечательно. Время от времени мне приходится испытывать такие чувства. Это очень утомляет.

Либби положила руку на плечо Мэгги и слегка сжала его. Либби не была ласковой девушкой. Она и в детстве не была ласковым ребенком, так что Мэгги оценила ее жест.

– Какой странный мир, правда? – сказала Либби. – Ты просто занимаешься своими делами, и вдруг двенадцать месяцев спустя ты каждый день ходишь в хоспис и помогаешь другому человеку найти его давно пропавших детей.

– Ты права, – сказала Мэгги, получая удовольствие от редкой близости со своей младшей дочерью и желая, чтобы так было всегда. – Если бы кто-то сказал мне год назад... – Мэгги замолчала и с грустью подумала о том, как год назад обнаружила, что практически влюбилась.

Матильда вприпрыжку подбежала к ним; ее руки были коричневыми от пыли на гравийной дорожке. В своем желании ухватиться за материнские колени она запуталась в собственных ногах и упала лицом в траву. Мэгги так и не рассказала Либби о том, что бы она подумала, если бы год назад кто-нибудь сообщил, как изменится ее жизнь, поскольку в данный момент Либби уверяла свою малышку, что с ней все в порядке, и предлагала дочке свои волшебные колени. Вместо продолжения беседы они неспешно собрали вещи и удалились с детской площадки в небольшую квартиру Либби в реконструированном доме рядовой застройки недалеко от центра города.

Мэгги ненадолго задержалась и посмотрела, как Либби аккуратно кормит дочь томатным пюре, а также выслушала очередные жалобы на приходящую няню. (Мэгги полагала, что эти жалобы на самом деле были завуалированной попыткой выманить из матери предложение присматривать за ребенком в течение недели. Ей нравилось принимать участие в жизни семьи, но она не испытывала никакого желания проводить целые дни наедине с внучкой. Она не принадлежала к бабушкам современного типа.) Муж Либби пришел домой примерно в три часа. Он выглядел немного сердитым. Впрочем, он часто бывал не в настроении, и Мэгги не знала, было ли это связано с тем, что он находил ее общество неприятным, или же он просто всегда находился в таком состоянии. Так или иначе, она все равно собиралась уходить – квартира была слишком маленькой для четверых, – поэтому Мэгги взяла сумочку и отправилась на своем маленьком красном автомобиле к дому Дэниэла.

Она не стала надолго задерживаться там. Она приходила сюда только по делу. Войти, проверить дверной коврик, проверить раковины, выйти. Сегодня ее ожидала более объемистая кучка корреспонденции на полу, включая, к ее немалому удивлению, нечто с французским штемпелем и написанным от руки адресом. Мэгги быстро перебрала кучку, отложив в сторону буклеты от развозчиков пиццы и мойщиков окон (хотя, как она уже заметила, окна следовало бы помыть). Она положила почту в свою сумочку, а потом отправилась прямо в хоспис, где с тревогой обнаружила пустую кровать Дэниэла.

– Он в музыкальной комнате, – сообщила крупная

девушка по имени Пиппа, которая проходила по коридору в обратном направлении. Мэгги привела взволнованное сердце в состояние относительного покоя и благодарно улыбнулась.

Дэниэл сидел в кресле, пощипывая струны акустической гитары. Он надел на пижаму свитер, поэтому на первый взгляд выглядел одетым. Его волосы были аккуратно причесаны, и, если не считать мертвенной бледности и того факта, что на стержне сбоку от кресла висел пакет с мочой, казалось почти невероятным, что Дэниэл вообще болен.

– Привет. – Мэгги улыбнулась, чмокнула его в щеку и погладила руку.

– *Bonjour.* – Он улыбнулся, снова перебрал струны и послал легкий музыкальный аккорд в пространство между ними. – Как поживаете?

– Я в полном порядке, – сказала Мэгги и уселась на стул напротив. – Но важнее, как вы себя чувствуете. Не ожидала, что вы встанете.

– Да, я привел себя в вертикальное положение! Но не обманывайтесь: теперь мне не всегда будет это удаваться. И мое шествие сюда было впечатляющим зрелищем, могу вас заверить.

– Почему же вы решили прийти сюда? – поинтересовалась она, осматривая комнату, где ей не приходилось бывать раньше.

Дэниэл пожал плечами и еще раз провел рукой по струнам, исторгнув из недр гитары очередной меланхолический аккорд.

– Я слышал, как сестра упомянула о ней. Я не видел эту комнату и даже не подозревал о ее существовании. Поэтому я попросил их привести меня сюда. Они очень старались отговорить меня от этого.

– Не знала, что вы умеете играть на гитаре, – сказала Мэгги.

– Я не играю на гитаре! – Дэниэл рассмеялся.

– Ох, – слегка сконфуженно пробормотала Мэгги.

– Я не умею играть на музыкальных инструментах. Еще одна причина для сожалений, еще один изъян в моей несчастной жизни...

– Послушайте, – начала Мэгги. – Это не...

– Мэгги Мэй, вы не должны так буквально воспринимать все, что я говорю! Разумеется, я не считаю, что моя жизнь была несчастной и что я был жалким неудачником. Но я хотел бы покинуть это место с осознанием того, что, по крайней мере, могу сыграть несколько аккордов «Jailhouse Rock»[1] на дешевой гитаре. – Он нежно погладил струны и улыбнулся. – Так! Теперь расскажите мне о других местах. – Движение его густых бровей указывало на внешний мир. – Что происходит за этими стенами?

– Ничего особенного, – сказала она. – Все утро я провела с Либби и ее малышкой. Это было здорово. Да, потом я поехала к вам на квартиру. Там была коекакая почта. Обычный рекламный мусор и вот это. –

---

[1] «Тюремный рок» – песенная композиция Элвиса Пресли 1957 года.

Она порылась в сумочке и достала конверт. – Смотрите, это из Франции.

Мэгги старалась говорить жизнерадостным тоном, но, уже передавая Дэниэлу письмо, понимала, что там не будет ничего хорошего. Она внимательно следила за его лицом и заметила, как оно дрогнуло, а уголки губ опустились. Он вздохнул.

– Ах, – наконец сказал он, медленно покачивая головой вверх-вниз. – Вот оно что.

Мэгги выжидающе посмотрела на него.

– Это от моего брата. Либо умерла моя мать, либо умирает мой брат, либо я ошибаюсь и произошло нечто поистине *удивительное*...

Он снова вздохнул и скрюченными пальцами разорвал конверт сбоку. Она смотрела, как Дэниэл читает: его тусклые глаза быстро пробегали по строкам, потом задерживались и скользили дальше. Дойдя до конца послания, он положил письмо на колени и с несчастным видом уставился на него.

Мэгги затаила дыхание и почувствовала, как шевелятся волоски у нее на затылке.

– Ну что же, – наконец сказал Дэниэл. – Он собирается приехать. Мой брат приезжает сюда.

– В самом деле? – Мэгги ожидала худшего.

– Да, на следующей неделе. Он ожидает, что найдет меня в милой уютной квартире с бутылкой «Сансера»[1] и теплыми приветствиями.

– Он не знает, что вы больны?

---

[1] Сухое белое вино категории АОС из долины Луары.

– Нет, не знает. Я впервые за пять лет получил известие от него. В последний раз, когда мы связывались друг с другом, я мог прыгать как блоха.

– Бедный ваш брат, ему предстоит такое ужасное потрясение...

– Ба! Нет, это мне, а не ему предстоит ужасное потрясение. Это я выбрал другую жизнь. А теперь он приезжает сюда, ко мне домой. Мой брат ни разу за тридцать лет не посетил эту страну. Он не знает ни слова по-английски. Он не покидал Францию, кроме одного раза, когда выбирал в Бельгии собаку. Не знаю, какую-то мелкую зверушку с такой шерстью... – Он сделал волнообразное движение пальцами. – Так или иначе, это мне следует беспокоиться. Это он собирается *вторгнуться* в мою жизнь.

– А вы не могли бы просто... не отвечать ему? – предложила Мэгги, хотя это было вопреки ее натуре. – Тогда он не узнает, где вы находитесь.

– Нет. – Дэниэл на несколько секунд закрыл глаза, а потом открыл их. Мэгги сглотнула, испугавшись, что она испытывает его терпение. – Он мой брат. Я умираю. Тот факт, что он выбрал именно это время для нашей встречи, должен что-то значить. Я слаб, но смогу встретиться с ним. Только, Мэгги Мэй, пожалуйста, могу я еще раз побеспокоить вас? Извините, но я должен отправить ему сообщение. Вы не могли бы послать его с вашего компьютера? Я напишу его для вас по-французски. Пожалуйста. Только это, и ничего больше. Я больше ни о чем не буду просить. Вы и так сделали слишком много.

– Нет! – с неожиданной силой возразила Мэгги. – Нет, я не сделала для вас слишком много. Я ничего не сделала, Дэниэл.

– Как вы можете так говорить? Вы ангел, посланный мне Богом, миссис Смит. Правда. А теперь, пожалуйста, не могли бы вы попросить толстую девушку по имени Пиппа прийти сюда и помочь мне перебраться в кресло-каталку? Мое вертикальное время закончилось. Пришло время для горизонтального. Хотя, к сожалению, не с вами...

Школьного французского Мэгги оказалось достаточно, чтобы перевести как минимум восемьдесят процентов неуклюже накорябанного сообщения Дэниэла для брата.

«Мой дорогой брат,

Благодарю тебя за твое (типичное?) письмо. Я получил его в (ужасных?) обстоятельствах. Я живу в (хосписе?) и не думаю, что проживу еще долго. Это мои *poumons* (легкие?). Ты умеешь соображать. Это ужасная привычка. Когда ты приедешь, свяжись с моей подругой Мэгги, она покажет тебе мою квартиру и привезет туда, где я нахожусь. Пять лет – это долго для молчания. Если можешь, пожалуйста, дождись/надейся (?) *au pire*[1] (огня??).

Твой брат Дэниэл».

---

[1] В крайнем случае (*фр.*).

Было нелегко расставить маленькие буковки с их апострофами и седилями, но Мэгги хотела, чтобы письмо выглядело безупречно. Она трижды перечитала его, прежде чем отправить. Его брата звали Марк. Марк Бланшар. Она хотела добавить короткую приписку в конце, что-нибудь приветливое и дружелюбное, но он не знал английского, а ее знание французского было слишком поверхностным, и она не доверяла компьютерному переводчику, который мог выставить ее полной дурой. Поэтому она просто напечатала: *Je suis Maggie. A bientôt* ![1]

Она отправила письмо, пошла в свою опрятную красную кухню (еще один подарок самой себе после развода) и сделала быстро обжаренное блюдо из королевских креветок и брокколи, которое съела в одиночестве перед телевизором.

ЛИДИЯ

Лидия едва заметила, когда первый раз дала Бендиксу пятьдесят фунтов. Ей нравилось иметь при себе наличные деньги. Каждый раз, проходя мимо банкомата, она снимала сто фунтов. Пачка денег в бумажнике успокаивала ее точно так же, как полностью заряженный телефон в кармане. Если сумма опускалась ниже тридцати фунтов, Лидия чувствовала себя неуютно, как будто ехала в автомобиле с почти пустым бензобаком.

[1] Меня зовут Мэгги. До скорой встречи! (*фр.*).

Поэтому, когда она на прошлой неделе отдала Бендиксу две двадцатки и десятку, это почти не оставило следа в ее сознании. Он сказал: «Вы можете забрать это из моего заработка на следующей неделе», а она ответила: «Не надо глупить. Это ссуда, так что вернете, когда будет удобно».

И вот уже в третий раз за десять дней она торопливо доставала бумажник из своей сумочки и мягко отстранялась от его извинений:

– Нет-нет, все нормально. Я понимаю.

– Но правда, Лидия, это совсем нехорошо. Я еще не расплатился за прошлую неделю.

– Все замечательно. Вот, держите. – Лидия протянула Бендиксу банкноты, а он сконфуженно посмотрел на нее из-под длинных ресниц и спросил:

– Вы уверены?

– Да, совершенно уверена. Возьмите.

Он взял деньги и легко поклонился. Потом поднес ее правую руку к губам и запечатлел на ней короткий сухой поцелуй.

– Ого, – сказала Лидия.

– Спасибо вам, – отозвался Бендикс.

Он танцующей походкой отошел в сторону и взял свою спортивную сумку, прежде чем еще раз посмотреться в зеркало в коридоре. Деньги небрежно скользнули в задний карман его брюк и вышли из дома. Лидия продолжила путь на кухню, где собиралась подкрепиться искусственно подслащенными напитками. Джульетта стояла у входа с бумажным полотенцем и бутылкой чистящего средства в руках. Она посмотрела на Лидию, и та попыталась прочитать ее взгляд, выражавший жалость и озабоченность. Лидия слегка напряглась и проскользнула мимо Джульетты к холодильнику. Она ощущала присутствие Джульетты у себя за спиной, неподвижное, наполненное невысказанными словами. Лидия достала бутылку «Спрайта», взяла два ломтика нарезанного чеддера и пригоршню холодного зеленого винограда. Потом закрыла дверь, бледно улыбнулась Джульетте и направилась наверх вместе со своими трофеями.

Лидия не знала, как ей быть. Пятьдесят фунтов были для нее ничем. Она спокойно могла потратить сто пятьдесят фунтов на новые ощущения. Но она была не вполне уверена в том, какие ощущения испытывает. Бендикс уже месяц жил у нее. Он был обаятельным, участливым, тихим и дружелюбным. И ясно дал понять, что хочет от нее чего-то большего, чем крыша над головой. Он явно считал Лидию привлекательной, интересной и достойной своего внимания. И все это происходило в искренней и дружелюбной манере. Чем дольше он жил в ее доме, тем больше нравился ей. Чем больше Лидия узнавала про него, тем больше убеждалась, что приняла правильное решение, когда предложила ему переехать. В нем было нечто большее, чем красивое лицо и подтянутое тело. В нем были скрытая глубина, мягкость и обходительность. Он был настоящим. Тем не менее он был беден, а Лидия богата. Все это могло оказаться большим спектаклем с целью добраться до ее денег. Замечательный образ Бендикса мог обернуться иллюзией. И тогда Лидия сама окажется в положении трогательной дурочки.

Но она не слишком беспокоилась насчет Бендикса и его неоплаченных долгов, по крайней мере сейчас. Потому что сейчас у Лидии были более насущные проблемы. Вернее, три проблемы, и первой из них был Дин. Он исчез. Он отвечал на ее текстовые сообщения, но кратко и без особого интереса к общению. Он не поддавался на предложения о новой встрече, пользуясь такими словами, как «я занят», «может быть» или «буду на связи». Лидия понимала, что с ним происходит. Она слишком сильно надавила на него, продемонстрировав свой великолепный дом с домработницей и отведя его в фешенебельный ресторан на отдаленной улице в Сент-Джонс-Вуде. Кроме того, она окончательно перегнула палку, когда заявила, что Дин должен наконец принять ответственность за свою маленькую дочь. Слишком много и слишком быстро. Лидия знала, как это исправить, но не была уверена, что готова пойти на такой шаг. Второй проблемой была другая девушка. Ее звали Робин, и она наконец ответила на запрос Лидии и выразила желание связаться с ней. Но сейчас Лидия была настолько занята проблемами номер один и номер три, что была не в состоянии рассмотреть такую возможность. Потому что третья проблема была самой важной из всех.

В донорском реестре зарегистрировался ее отец.

Ее отец хотел связаться со своими детьми.

По какой-то причине Лидия не учла вероятность такого сценария, когда рассматривала варианты того, что может случиться после ее регистрации. Она почему-то считала, что «отец» не захочет принимать участия в их воссоединении, что он сидит где-нибудь под пальмой и гроша ломаного не даст за случайных отпрысков своей ДНК. Но он появился. Его звали Дэниэл. Ему было пятьдесят три года, и он жил в Бери-Сент-Эдмундсе.

Лидия вдруг поняла, что никак не может расставить приоритеты. Как ей следует поступить? В какой последовательности она должна прожить следующие несколько глав своей жизни? Восстановить отношения с Дином, познакомиться с Робин и заявиться к папочке Дэниэлу одной большой радостной компанией? Или встретиться с каждым из участников этого гротескного сценария по отдельности? Следует ли ей постепенно знакомиться с каждым из действующих лиц или назначать встречи одну за другой? Проявят ли остальные какой-то интерес к встрече с «отцом»? Или это интересует только ее? А если так, будет ли он задавать вопросы про других детей, и как ей следует отвечать? И что произошло с четвертым отпрыском? Должны ли они дождаться его регистрации?

Лидия вздохнула и пожелала себе обзавестись семьей. Она желала иметь брата, сестру или лучшего друга, с которым могла бы поделиться своими сомнениями. Но ее единственная подруга сейчас паковала вещи в картонные коробки и вместе со своим бородатым мужем и пятимесячной дочерью готовилась к переезду в маленький коттедж посреди национального парка Сноудония. Как и предсказала Лидия, когда семена переезда в провинцию попали в благодатную почву, процесс пошел очень быстро, тем более что их городская квартира была съемной. Не осталось времени даже на прощальную вечеринку, за что Лидия была втайне благодарна.

Она проверила время на экране компьютера. Было почти три часа. Она взглянула на бутылку «Спрайта» и снова посмотрела на время. Потом открыла сейф и достала бутылку джина «Бомбейский сапфир». Лидия до краев наполнила зеленую пластиковую бутылку с тоником; по ее прикидке, это была щедрая двойная порция. Выпивка поможет сосредоточиться, поможет думать.

К половине четвертого Лидия приняла еще четыре щедрые двойные порции и танцевала под видеоролики YouTube, а Куини одиноко смотрела на нее из кресла и как будто думала: «Что случилось, Лидия? Раньше ты была такой же, как я, невозмутимой и элегантной, а теперь ты ужасно танцуешь под Biffy Clyro[1]. Я страшно разочарована тобою».

Лидия не обращала внимания на кошку и чувствовала, как рвутся ее внутренние ванты, рвутся ее внутренние паруса. Лидия никогда не увлекалась пьянством в компании. Или танцами в обществе, если уж на

[1] Современная шотландская рок-группа.

то пошло. Она держала при себе эти вспышки личной несдержанности. Лидия не хотела, чтобы кто-то видел, какая она в пьяном виде.

Она провела больше часа на YouTube, выбирая любимые композиции, от Боуи до Мориссии и «Снежного патруля», кружась по комнате и время от времени останавливаясь, чтобы долить джина в зеленую бутылочку, пока там не осталось «Спрайта». Потом она вышла на площадку к свободной спальне, распахнула двери малой веранды и некоторое время созерцала вид перед собой. Было половина шестого. Еще не начало темнеть, и ранний вечерний свет золотил листья деревьев в саду; несмотря на зловещее чернильное облако, маячившее на горизонте, это был дивный вечер. Лидия позволила ленивой алкогольной дымке ненадолго овладеть собой. Если она отвлечется от внешних деталей, то сможет вернуться к Дикси в их квартиру в Кэмдене; будет сидеть с ногами на большом скрипучем диване и смотреть, как Дикси поливает жиром жареную курицу, поглядывая на лэптоп, лежащий сбоку от нее. Будет слушать звуки суматошной жизни Кэмдена, которые доносятся с улицы внизу, и будет чувствовать себя обычной молодой девушкой, а не грозной богатой женщиной с голубой кошкой, живущей в непомерно большом доме.

В этот момент Лидия поняла, что хочет сделать. Ей не нужно встречаться с неведомыми новоиспеченными сестрой и отцом, не разобравшись в себе. А она не могла разобраться в себе, так и не узнав, что произошло в тот ужасный день на балконе многоквартирного дома на окраине Тонипанди.

Лидия играла с этой мыслью уже несколько дней, с тех пор как Дин ушел из ресторана и отстранился от нее. Но теперь она наконец приняла решение. Лидия вернулась в свой кабинет и взяла со стола мобильный телефон. Затем она набрала новое сообщение для Дина:

«*Привет, Дин, мне нужна твоя помощь. Я хочу съездить в Уэльс. Хочу встретиться с Родни и выяснить, что случилось. И я хочу, чтобы ты поехал со мной. Может быть, завтра, если ты не занят. Пожалуйста, соглашайся. Лидия*».

Она выждала несколько секунд, чтобы убедиться, что приняла правильное решение, и отправила сообщение.

Лидия рухнула в постель в половине девятого вечера и проспала до восьми утра. Целых двенадцать часов, словно младенец, подумала она, когда проснулась.

В голове немного гудело, но не так сильно, как могло бы, вероятно, потому, что она закончила пить очень рано. Она надела чистую пижаму, а вчерашняя одежда была аккуратно развешана в гардеробной по соседству со спальней. Лидия подняла жалюзи и оценила погоду. Солнце ярко светило в бледно-голубом небе с редкими белыми облачками. Диктор сообщил ей по радио, что на улице примерно восемнадцать градусов. Лидия надела халат и торопливо спустилась по лестнице, чтобы успеть позавтракать до половины девятого, когда придет Джульетта, а Бендикс начнет готовить питательные смеси в своем шумном блендере. Лидия насыпала в чашку хлопья «Витабикс», взяла пакет молока и банан и поднялась в кабинет. Там стояла кофемашина, поэтому она сделала себе двойной эспрессо, а потом проверила мобильный телефон, который заряжался на столе (она не помнила, как поставила его на зарядку, и не помнила, как повесила свою одежду). Сообщение от Дина пока не пришло. Это принесло частичное облегчение. Вчера вечером эта идея казалась замечательной, но утром и на трезвую голову она выглядела уже не такой блестящей. Для начала Лидия имела лишь смутное представление о том, где может найти своего дядю, и потом, что она на самом деле надеется выяснить?

Она размешала хлопья с молоком и кусочками банана и залпом проглотила кофе с сахаром. Она уже собиралась включить компьютер и начать день с обзора рынков, прогноза погоды и состояния дел в мире, когда услышала звонок в дверь. Должно быть, Джульетта забыла ключи, подумала Лидия. Она подошла к монитору перед кабинетом, включила экран и увидела кого-то очень похожего на Дина, стоявшего на крыльце в бейсбольной кепке и со спортивной сумкой на плече.

– Да? – сказала Лидия.

– Это я, Дин, – отозвался он. – Вчера вечером я получил твое сообщение.

– Правильно.

– Ну да. Потом у меня стибрили в пабе телефон.

Твой номер у меня нигде больше не был записан, поэтому я решил, что лучше прийти пораньше, пока ты не уехала.

– А, – сказала она. – Тогда понятно.

Он многозначительно посмотрел в объектив видеокамеры, переминаясь с ноги на ногу.

– Это нормально? – наконец спросил Дин.

– Да, разумеется. Конечно. Входи. – Лидия нажала кнопку и встретила его у подножия лестницы. Он удивленно уставился на ее пижаму и нечесаные волосы, потом заглянул ей за спину и моргнул.

– Ох, извини, – быстро сказал он.

– За что?

– Я не знал...

– Чего? – Лидия обернулась и увидела Бендикса, стоявшего на верхней площадке с обнаженным торсом и в кремовых хлопковых штанах на резинке.

– Доброе утро, – произнес он и сверкнул белозубой улыбкой.

– Привет, Бендикс. Это мой друг, – начала она и поспешно поправила себя: – Это мой брат, его зовут Дин. Дин, это Бендикс, он мой жилец и мой тренер.

– И *друг*, – добавил Бендикс, спускаясь по лестнице с протянутой рукой.

Лидия перевела взгляд с Дина на Бендикса и обратно. Как бы сильно она ни желала, чтобы Бендикс был для нее чем-то существенно большим, чем просто другом, она чувствовала себя неловко оттого, что у младшего брата сложилось неверное впечатление.

– Да, но не...

– Нет, – заверил Бендикс, пожалуй, слишком жизнерадостно. – Не такой друг. Очень рад познакомиться.

Дин неуверенно улыбнулся, явно сбитый с толку его загаром, белизной зубов и размером хорошо тренированных грудных мышц. Именно поэтому Лидия запретила себе появляться на кухне после половины девятого. Однажды она столкнулась с Бендиксом, когда он был в распахнутом белом халате и плотно облегающих штанах со вшитым гульфиком, дававшим возможность оценить размер его гениталий. Лидия, и без того снедаемая назойливым плотским желанием, сочла эту картину слишком наглядной рекламой вещей, которые она не могла себе позволить.

– Заходи, – обратилась она к Дину. – Ты позавтракал?

– Да, – ответил он. – Перехватил рогалик с беконом по пути сюда, так что все нормально.

– Чашку чая?

– Нет. – Он сконфуженно улыбнулся. – И так сойдет.

– Так что случилось с твоим телефоном?

– Да ничего особенного. Просто оставил его в кармане куртки, висевшей на спинке стула. Кто-то стащил его. – Он пожал плечами: – Сам виноват.

– Ты застрахован?

– Конечно, нет.

– Я куплю тебе новый. – Слова вырвались у Лидии, прежде чем она успела подумать.

– Не глупи, – сказал он. – Мама сказала, что достанет мне новый телефон.

– Ах да, разумеется. – Она забыла, что, в отличие от нее, он не круглый сирота.

Лидия оставила его внизу с Бендиксом, а сама побежала наверх, чтобы одеться. Она натянула джинсы и футболку, надела мешковатый кардиган и кроссовки. Лидия не стала трогать лицо и волосы, потому что слишком спешила вернуться вниз и развести в стороны курьезный дуэт Дина и Бендикса. Будучи классической изоляционисткой, она не могла вынести мысли о том, что два таких несхожих персонажа находятся вместе, но отдельно от нее.

– Итак, – обратилась Лидия к Дину. – Ты готов идти?

– Да. – Он похлопал себя по джинсам. – Да, конечно. Давай пойдем.

– Куда вы направляетесь? – поинтересовался Бендикс.

– Так, просто хотим повидаться с членами семьи.

– Понятно. – Бендикс покосился на нее. – А я-то думал, что они все умерли.

Эти слова застали Лидию врасплох. Она ожидала, что он обойдется без комментариев.

– Ну, не все, – сказала она. – У меня есть дядя. Остались тетушки и их дети...

– Кажется, вы говорили, что совершенно потеряли контакт с ними?

Лидия не понимала, почему Бендикс ведет себя так враждебно.

– Да, говорила. Но теперь...

Лицо Бендикса смягчилось, как будто он осознал, что зашел слишком далеко.

– Хорошо, – сказал он. – Это здорово. Я рад, что вы нашли своего брата. Вам очень-очень повезло. – И он грустно улыбнулся.

Лидия ощутила болезненный толчок в животе. Разумеется, подумала она. Она нашла своего брата, а Бендикс никогда не найдет своего брата. Она подавила желание прикоснуться к его руке – Бендикс все еще был наполовину обнаженным, – поэтому просто улыбнулась и сказала:

– Спасибо.

– Твоя мама знает, куда ты сегодня направляешься? – спросила Лидия, глядя на Дина через стол из жаропрочного пластика, который разделял их в вагоне первого класса.

– Да, – ответил Дин.

– Что она сказала?

– Ничего особенного. Моя мама обычно не говорит ничего особенного, что бы ни случилось.

Лидия кивнула.

– Думаешь, это глупо? То, что я задумала?

– Нет, – ответил он. – Думаю, было бы глупо, если бы ты не поехала.

Она снова кивнула и стала глядеть в окно на неприглядные лондонские тылы: квадратные дворы, заколоченные окна, грязь и кирпичные стены. У них было три часа для разговоров. И им было о чем поговорить.

– Итак, – начала она. – Ты получил письмо?

Дин широко распахнул глаза.

– Да, – сказал он. – Я все знаю. Немного шокирует, верно?

– И что ты думаешь об этом?

– Я думаю… – Он надул щеки. – Не знаю, что и думать. То есть я как раз собирался договориться о встрече с тобой. – Он с шумом выпустил воздух. – Господи, даже не знаю. Думаю, я немного психую. А ты как?

– То же самое, – ответила она. – Я чувствую то же самое. Знаешь ли, мне нужно расхлебать старую кашу, чтобы заварить новую.

– Думаешь, это будет то еще варево?

Она улыбнулась.

– Возможно, – сказала она. – Ну, ты только посмотри на нас. Мы только три раза встретились, и ты отправился в самоволку. Ясно, что у меня неважно получается по части нашего воссоединения.

Дин выглядел искренне расстроенным ее замечанием.

– Нет, – сказал он. – Господи, нет. Дело было не в тебе, а во мне. Я просто…

– Я знаю, что это было, Дин. Это нормальная реакция. Я надавила слишком сильно; мне не следовало так наседать на тебя из-за ребенка.

– Дело даже не в ребенке. Честно, не в этом. Я просто почувствовал, как будто ты... – он посмотрел на нее большими карими глазами, – что ты слишком хороша для меня.

Она с улыбкой покачала головой.

– Ну да, – сказала Лидия. – Так я и подумала. И это была еще одна причина, почему я хотела, чтобы ты сегодня поехал со мной. Я хотела, чтобы ты увидел, откуда я родом. Я хочу, чтобы ты понял меня, а не просто глазел на ту хрень, которую я купила на свои деньги. Я не отличаюсь от тебя, Дин.

Он скептически посмотрел на нее.

– Правда, не отличаюсь. Вот увидишь. Ты действительно убедишься.

Он глянул в окно.

– Знаешь, ты в самом деле мне нравишься, – сказал он немного спустя. – В том, что я исчез с радаров, нет ничего личного. Думаю, ты потрясающая.

Она улыбнулась:

– Наверное, ты думаешь, что я сказала это тебе в утешение, поскольку ты ощущаешь себя не на своем месте, но ты мне понравился в ту же минуту, когда я увидела тебя, и с тех пор нравишься все больше. Тебе только нужно разобраться с чувством собственного достоинства.

– Ты-то можешь так говорить! – поддразнил он.

– Что?

– Ну, ты такая богатая и суперуспешная, ты действительно классно выглядишь и ведешь себя так, словно какая-то... шишка.

– Я не такая! – возмутилась она.

– Такая, такая. Ты вся вот такая. – Он сгорбил плечи и нервно посмотрел на нее. – Ты как будто говоришь: «Не смотри на меня, отведи глаза в сторону!» Понимаешь?

Она пожала плечами, ощущая внезапную досаду. Потом вздохнула.

– Что же, – сказала Лидия. – Повторяю, мы одинаковые, ты и я. Мы сделаны из одного теста. Трогательные существа. На самом деле довольно жалкие.

Она выдержала паузу и посмотрела на него. Оба рассмеялись. Секунду спустя Лидия спросила:

– Как думаешь, на кого будет похожа другая? Та девушка, Робин? Думаешь, она тоже окажется жалким существом?

Он перестал смеяться и задумался над вопросом.

– Черт ее знает. – Дин тоже выдержал паузу и улыбнулся: – Надеюсь, что да.

Лидия снова рассмеялась, а потом они оба притихли и стали смотреть в окно на серые городские окраины, проплывавшие мимо.

Через некоторое время лицо Дина напряглось; было ясно, что он собирается что-то сказать.

– Впрочем, ты была права насчет ребенка, – начал он. – Я размазня. Ненавижу себя. Каждое утро, когда я просыпаюсь и смотрю в зеркало, то вижу ее глаза, понимаешь? Такие же глаза. Каждое утро она смотрит на меня из зеркала и говорит: «*Ты неудачник*». И она права.

Лидия смотрела на него, пока он говорил, и представляла себя в его возрасте. Она думала о своей жизни в университете, когда разливала пиво, возилась с тестовыми трубками и держалась подальше от остального мира. Смогла бы она заботиться о ребенке? Смогла бы она заботиться о больном ребенке? О собственном ребенке? И более того, захотела бы она этим заниматься?

Дин не был неудачником, но она не могла ему это объяснить. Зато она могла показать это. Поэтому она промолчала, и остальное время, пока поезд с возрастающей скоростью катился по направлению к Уэльсу, прошло в умиротворенном молчании.

Было тепло, когда они вышли на улицу. Лидия не ожидала, что будет так тепло. Она сбросила кардиган и обвязала его вокруг талии. Дин водрузил на голову бейсбольную кепку, и они направились к стоянке такси.

Несмотря на высокую влажность, по спине Лидии пробежал холодок. Она гадала, сколько часов провела когда-то на этой стоянке в Кардиффе. Лидия моментальными кадрами видела себя в семнадцать, восемнадцать, девятнадцать лет. Она видела себя в поношенной кожаной куртке и Арни у своих ног, в голубой бандане и потрепанном веревочном ошейнике. Лидия видела себя в еще более юном возрасте, под руку с отцом, возвращавшихся домой после утомительной поездки в Бангор для прощания с бабушкой, которая умирала в постели в своей передней гостиной. Лидия шла бок о бок с десятками более ранних вариантов самой себя и всем сердцем ощущала то уныние и одиночество, которые испытывала каждый раз, когда бывала здесь. Кроме последнего раза. Она видела себя тогдашнюю, недавно получившую аттестат, освобожденную от семьи и своего прошлого, с нехитрыми пожитками в чемодане, с челкой, подстриженной по последней моде. Дикси была рядом с ней, они садились на поезд, отправлявшийся из Уэльса в Лондон.

Лидия поклялась самой себе и Дикси, что больше никогда не вернется сюда. Она помнила, как сидела в поезде, попыхивала сигаретой, глядя в окно, и говорила Дикси: «Это лучший момент в моей жизни».

На мгновение Лидия прокляла себя за нарушение собственной клятвы и за то, что она осквернила тот священный момент, случившийся восемь лет назад. Но потом Лидия посмотрела на брата, худого и сутулого, сопровождавшего ее к стоянке такси, и вспомнила, зачем она вернулась сюда.

– Вы не могли бы подбросить нас до Тонипанди? – обратилась Лидия к водителю, складывавшему выпуск «Пенарт таймс».

Водитель невыразительно посмотрел на нее и включил таксометр.

– Что вам там понадобилось? – спросил таксист минуту спустя, глядя на нее в зеркало заднего вида.

– Да ничего особенного, – сказала она. – Родственники.

– А. – Он понимающе кивнул. – Тогда понятно.

– Если не возражаете, мы вас наймем на целый день. У вас есть суточный тариф?

– Восемьдесят фунтов, – лаконично отозвался он и выключил счетчик.

Лидия была рада присутствию Дина: это позволяло не беспокоиться о разговоре с водителем. Она показывала брату местные достопримечательности. «Здесь я работала в баре, когда была студенткой. Сюда мы пришли за моим щенком, когда мне было восемь лет. Это рынок, где работал мой отец. Вот место, где подают лучшую рыбу с чипсами. Вот холм, где я впервые попробовала курить».

– Ты курила? – спросил он, быстро повернув голову и посмотрев на нее.

– Да, было время.

Он неуверенно улыбнулся:

– Ты никогда не рассказывала мне об этом.

– А чего ты от меня ожидал? «Привет, я Лидия, когда я была студенткой, я временами курила перед занятиями»?

Она смотрела, как сцены из прошлого пролетают мимо за окошком такси, а потом оцепенела, когда вдали появилась окраина ее городка. Лидия с тошнотворным ужасом смотрела на витрину «Севен-Элевен»[1] с пандусом для инвалидных колясок, где когда-то покупала себе сладости и шипучие напитки, а потом, когда отец заболел, и все остальные продукты для дома. Она

---

[1] «7Eleven» – международная сеть мини-маркетов.

смотрела на парикмахерскую, которая когда-то называлась «Современные волосы», а теперь была выкрашена в травяной цвет и называлась «Сельский салон красоты и здоровья». Лидия видела, как магазины уступают место домам типовой застройки, а те уступают место просторным особнякам... и вот он, ее квартал. Как всегда безобразный, четыре этажа штукатурки с каменной крошкой за узкой полоской травы и детской площадкой.

Игровая площадка была отремонтирована, выложена упругим голубым пластиком и усеяна разноцветными лошадками на пружинах и обрезиненными детскими качелями. Молодая женщина читала на скамейке журнал, а малыш сидел у ее ног, вращая колеса своего велосипеда. Мусорный бачок у скамейки был переполнен коробками от пиццы, смятыми жестяными банками и скатанными подгузниками. За полоской травы и детской площадкой находился мощеный тротуар, окружавший здание и выводивший к боковому входу.

Молодая мать на скамейке подняла голову, когда увидела Дина и Лидию, идущих к дому. Она слабо улыбнулась, как будто подумала, что знакома с ними, а потом вернулась к журналу.

– Какая была вашей? – спросил Дин.

Лидия указала на балкон на третьем этаже:

– Вот эта.

– И этот балкон...

– Да. – Она посмотрела на тротуар и почувствовала, как внутри все сжалось. Ее тело отреагировало ужасом. Вот оно, до сих пор здесь, несмотря на прошедшие годы. Пятно краски. Лидия опустилась на корточки и посмотрела на безобидный розовый завиток. Потом протянула руку и коснулась его кончиками пальцев. Рука ее матери. Лидия снова вспомнила серебряных лебедей, волнистого попугайчика и кружки в тележурналах. Она поискала в памяти что-то еще, хоть что-нибудь, что осталось в прошлом, но ничего не нашла.

– Пошли. – Она поднялась на ноги. – Давай зайдем туда.

Лестничный колодец был пустым и почему-то казался менее угрожающим, чем в ранней юности. Лидия остановилась на третьем этаже. Перед ней было место, которое она называла домом первые восемнадцать лет своей жизни. Она собралась с духом, поправила одежду и осторожно постучала в дверь.

Дверь открыл слегка запыхавшийся пожилой мужчина с сальными седыми волосами и с черепаховой кошкой в руках.

– Кто это? – близоруко моргая, спросил он.

– Меня зовут Лидия Пайк, – сказала она. – Когда-то я жила здесь.

Его лицо расслабилось, и он опустил на пол изворачивавшуюся кошку. Она попыталась просочиться через входную дверь, но он дернул ее за ошейник.

– Быстро, быстро, пока она не убежала!

Они протиснулись в дверь и вошли в квартиру, где пахло несвежей одеждой и яичницей. Мужчина закрыл за посетителями дверь.

– Ну, что? – сказал, окинув их оценивающим взглядом. – Вы дочка Тревора?

Лидия изумленно посмотрела на хозяина.

– Я все гадал, когда вы вернетесь, – хохотнул он.

– Прошу прощения? – Она проследовала за ним в комнату, которая когда-то была ее гостиной, но теперь явно превратилась в стариковскую гостиную. – Вы знали моего отца?

– Да, знал. Я жил на другой стороне дома, вон там, с видом на поля. Потом я овдовел, мой сын женился, и я решил завести себе квартирку поменьше. Мне предложили эту, и я знал, что никто другой не захочет ее из-за того, что здесь случилось. – Он печально вздохнул и уставился на Лидию водянистыми глазами. – Знаете, я не верю во все эти штучки насчет кармы. Не верю в негативную энергию, и так далее. А потом, мне нравится смотреть на людей. Я устал от вида на другой стороне, а этот прекрасно меня устраивал. Вот с тех пор и живу здесь.

Лидия заморгала. Она ожидала увидеть молодую семью. Она думала, что здесь не останется ничего от ее прошлого. Однако сейчас прошлое сидело прямо перед ней.

– Значит, вы меня помните? – неуверенно спросила она.

– Это да. – Он кивнул и опустился на безобразный диван, обтянутый нейлоновой тканью. – У вас была собака. Если я правильно помню, вы были немножко *угрюмой*. – Старик улыбнулся.

– Прошу прощения, – сказала Лидия. – Как вас зовут?

– Я – Пат Ллойд, – ответил он. – Должно быть, вы помните моего сына Тони. Тони Ллойда.

Лидия судорожно вздохнула. Да, она помнила. У Тони Ллойда был синдром Дауна, и он всегда останавливался и гладил Арни, когда проходил мимо по лестнице.

– Я помню Тони, – сказала она. – Так вы говорите, что он женился?

– Да, так и есть. Удивил нас всех. Но теперь они вместе уже десять лет и так же счастливы, как и в день своего знакомства.

– Вот это да, – сказала Лидия. – Но это чудесно.

– Итак. – Пат перевел взгляд с нее на Дина и обратно. – Что же привело вас сюда?

– Это мой брат, – сказала она. – Мы лишь недавно воссоединились с ним. Я хотела показать ему, откуда я родом.

– Понятно. – Пат помолчал и улыбнулся Дину. – Я вижу сходство между вами. Вижу, что вы родня. – Дин и Лидия обменялись улыбками. – Но я думал... – Рот старика приоткрылся посреди фразы, и Пат заморгал. – Нет, не обращайте внимания. В общем, могу я предложить вам чаю?

– О чем вы подумали? – спросила Лидия.

– Ни о чем. Вообще ни о чем. Кажется, я что-то перепутал. – Он встал. – Я бы предложил вам кофе, да ничего не осталось. Кажется, где-то есть овсяная вода.

– Не беспокойтесь. Нас ждет такси, и мы не можем задерживаться.

Он грустно улыбнулся и вернулся на диван.

– Ну, как обошлась с вами жизнь? – спросил Пат.

Лидия кивнула.

– Я живу неплохо, – сказала она.

– Замужем? Дети есть?

– Нет, только кошка.

– Кошка не заменит ребенка. А у вас? – обратился он к Дину.

Лидия посмотрела на брата. Розовый румянец сошел с его щек.

– Э-э-э... да. У меня есть ребенок. Маленькая девочка.

Старик улыбнулся, как будто довольный тем, что хотя бы один из незнакомцев в его гостиной внес свой вклад в увеличение численности населения.

– Ага! – произнес Пат и вдруг снова поднялся на ноги. – Поскольку вы здесь, а я хранил это все эти годы и не знал, что с этим делать... – Он направился к двери бывшей отцовской спальни. – Подождите здесь, – сказал он и вскоре вернулся с довольно старой хозяйственной сумкой в руках. – Я нашел это, когда вешал одежду в гардеробе. Она была спрятана в чем-то вроде тайной каморки. Но теперь... – Он с улыбкой повернулся к Дину. – Полагаю, на самом деле это было предназначено для вас. Вот, возьмите.

Тот удивленно взглянул на старика, явно не понимая, какую роль он мог играть в этой истории.

– Вы уверены, старина? – спросил Дин.

Пат кивнул и протянул ему сумку. Дин осторожно раскрыл ее, и Лидия посмотрела, как он заглядывает внутрь.

– Что там? – спросила она и снова посмотрела на старика: – Я не понимаю.

– Ну, должно быть, это ваше, – сказал Пат. – Голубое.

Дин запустил руку в сумку и вытащил крошечные голубые рейтузы, курточку в сине-белую полоску и пару миниатюрных белых носков.

– Вы имеете в виду для моей дочери? – спросил Дин, чьи глаза разъехались в стороны от замешательства.

– Нет, это *ваше*. Должно быть, ваше. Понимаете, оно сохранилось с тех пор, как вы были младенцем.

– Но я никогда в жизни здесь не был, – со сдавленным смешком сказал Дин.

– Полагаю, вы этого не помните, потому что были совсем крошечным, но так оно и было.

– Не понимаю, – вмешалась Лидия. – Вы хотите сказать, что здесь был еще один младенец? Мальчик?

– Ну да. – Пат удивленно вытаращил глаза: – Разве вы не помните? Незадолго до смерти ваша мать родила ребенка. Мальчика.

Когда Пат произнес эти слова, Лидия посмотрела на кучку детской одежды на коленях у Дина и с внезапным шоком и отвращением увидела пятно карамельно-розовой краски, спекшееся в твердую корку на рукаве полосатой курточки.

РОБИН

Дэниэл Бланшар. Пятьдесят три года. Бери-Сент-Эдмундс. *Дэниэл Бланшар. Пятьдесят три года. Бери-Сент-Эдмундс.*

Робин держала в руках лист бумаги и глядела на него. Этого она не ожидала. Учреждение называлось «реестром *родственников* по донорской сперме». Родственников. Для братьев и сестер, но не для *отцов.* Она вообще не думала о своем биологическом отце. Но он появился, и оказалось, что он думает о ней. И о других. Дэниэл Бланшар. Ее отец.

Джек принес чашку чаю и поставил на стол рядом с Робин.

— Вот черт, — сказал он, усевшись рядом и положив руку ей на бедро. Робин сжала его руку и кивнула.

— Я знала, что мне не стоило этого делать, — сказала Робин. — Я знала, что это ошибка.

— Ты не обязана встречаться с ним.

— Знаю. Но потом мне придется прожить остаток жизни с мыслью о том, что он хотел увидеть меня. А я его отвергла. И я до самой смерти буду чувствовать себя виноватой.

— Тебе не в чем себя винить, — возразил Джек. — Это был его выбор! Его и твоих родителей...

– У них не было выбора, – сердито отрезала она.

– Да. Но ты понимаешь, что я имею в виду: твоей вины нигде нет. Ты не желала оказаться в таком положении, и, откровенно говоря, если бы этот человек хотел иметь детей, с которыми он мог бы поговорить, то завел бы их нормальным образом.

– Но он живет в Бери-Сент-Эдмундсе! – проскулила она.

Джек с любопытством посмотрел на нее.

– Я хочу сказать, что бывала там! Я могла пройти мимо него на улице! Я думала, он живет во Франции! Ему не полагалось жить здесь! И теперь я никогда не смогу вернуться в Бери-Сент-Эдмундс!

Джек рассмеялся.

– Это не смешно! – воскликнула она.

– Разумеется, я понимаю, что это не смешно. Но, наверное, ты могла бы и дальше прожить без этого городка, не так ли?

– Не в этом дело! Просто я предпочитала, чтобы он жил во Франции. Мне нравилось представлять его там. А теперь он здесь, и мне это не нравится.

– Жизнью клянусь, что никогда не отпущу тебя в Бери-Сент-Эдмундс, – пообещал Джек. Он провел носом по ее волосам, и Робин не отодвинулась. Он был прав, а она была дурой. Но пока ничего не шло по плану. Она связалась с обоими: с женщиной и парнем. И ни один не ответил. Это было очень странно. Робин была на нервах с тех пор, как согласилась поделиться с ними своей информацией. Каждое утро она видела, как почтальон с красной тележкой останавливается возле дома и сортирует почту. Каждое утро Робин торопилась в общую прихожую, разбирала корреспонденцию и облегченно вздыхала, когда не находила ничего из донорского реестра. Но в то же время она была взвинчена. Робин думала, что они ухватятся за возможность познакомиться с ней. Она считала их давними клиентами реестра, готовыми к немедленным действиям. Ей не приходило в голову, что они могут испытывать такую же неуверенность. Ей не приходило в голову, что они, в конце концов, могут оказаться обычными людьми.

А сегодня утром вдруг пришло письмо из реестра. Ее сердце воспарило. Кто же это, думала она, кто из них? Будет ли это юноша, почти ее ровесник, или женщина, ужасная старая копия ее самой? Или это окажется пропавший мужчина примерно того же возраста, что и ее Джек?

Но это не был никто из них. Это был он. Человек, которого она никогда не ожидала встретить. Ее отец.

Робин и Джек вышли из дома несколько минут спустя. Они взяли из холодильника бутылку розового вина, пакетик сухариков, хлеб и маслины и отправились в парк. Лето подкрадывалось все ближе, и конец мая был необычно теплым и солнечным. Они встретились с друзьями Джека, Джонатаном и Лео, чтобы позавтракать на траве в парке Уиттингтон и поиграть во фрисби. Обеспокоенная тем, что она оказывалась единственной особой женского пола, Робин пригласила

Нэш. Она уже несколько недель не встречалась со своей подругой и скучала по ней. Нэш была приводным ремнем в ее прошлой жизни, той жизни, которую Робин вела до встречи с Джеком, когда была чересчур самоуверенной королевой сцены и центром своей крошечной вселенной. Возможно, думала она, встреча с Нэш поможет ей вспомнить, какой она была когда-то.

Нэш уже была на месте, когда они появились: она растянулась под солнышком на пляжном полотенце, на траве перед ней стоял бокал вина. Между тем Лео, насколько можно было видеть издалека, лихорадочно пытался оседлать ее.

– Боже мой, – сказала она и резко села, когда заметила их приближение. – Кто этот парень? Я уже миллион раз сказала ему, что у меня есть бойфренд, но он все время пытается трахнуть меня.

– Я не пытаюсь трахнуть тебя, – притворно-обиженным тоном заявил Лео. – Это всего лишь проявление нежности.

Нэш с веселым ужасом взглянула на него.

– Но я даже не знаю тебя! – пропищала она. – Серьезно. – Она обратилась к Джеку: – Кто он такой?

– Слезь с нее, – рассмеялся Джек и сдернул своего друга со спины Нэш.

– Я только хотел приласкать ее, – сказал Лео и выпятил нижнюю губу.

– Не обращай внимания, – сказал Джек. – Понимаешь, он похож на кобеля, но это ничего не значит.

Его надо время от времени гладить по головке, и тогда он оставит тебя в покое.

Лео застенчиво улыбнулся и открыл банку пива.

– Это вы виноваты, что опоздали, – укорил он Джека.

– Мы опоздали всего лишь на десять минут! И я не отвечаю за твою буйную сексуальность.

Джонатан подошел через несколько минут, и Робин с Нэш уселись рядом в солнечных очках и с пластиковыми стаканчиками вина, словно две благонамеренные дамы, наблюдающие за тем, как трое мужчин более старшего возраста изображают подростков.

– Ну, – сказала Нэш, обняв подругу и склонив голову ей на плечо, – как тебе замужняя жизнь?

Робин легко поцеловала блестящие черные волосы Нэш и улыбнулась.

– Чудесно, – сказала она.

– По-прежнему не могу поверить, – продолжала Нэш. – Не могу поверить, что ты живешь *с кем-то*. Кажется, только вчера маленький Кристиан отымел тебя у стены в том клубе на твоем дне рождения.

– Знаю, не напоминай!

– Кстати, я видела его на прошлой неделе. – Она пихнула Робин под ребра. – Он спрашивал о тебе.

– Уф! – Робин передернула плечами. – Не знаю, о чем я думала. Кажется, будто это произошло в другой жизни...

– Думаю, в определенном смысле так оно и было.

Но вот что я тебе скажу: мы уже не те. Без тебя там все умерло.

– Да ладно тебе, я уверена, что ты все держишь на должном уровне.

– Нет. – Нэш посмотрела в землю между своими босыми ногами и вырвала травинку. – Все не так, как прежде. Ты ушла, я постоянно занята, это конец эпохи. – Нэш грустно улыбнулась. – Мы все стали взрослыми.

Робин улыбнулась в ответ и притянула подругу к себе.

– Да, – сказала она. – Полагаю, так и есть.

– Так чем ты занимаешься? – спросила Нэш. – На что похожа твоя взрослая жизнь? Может, ты занимаешься *глажкой* и прочими делами?

Робин рассмеялась и откинулась назад.

– Ну нет, – ответила она. – Правда, я мою посуду. И хожу в прачечную самообслуживания...

– Так ты что, забираешь одежду Джека? Складываешь его подштанники?

– Нет! Я отношу вещи в сервисную стирку![1]

– А что такое сервисная стирка?

---

[1] Сервисная стирка – аналог нашей прачечной/химчистки. Приобрела популярность в Британии за последние 20 лет; до этого малоимущие пользовались прачечными самообслуживания, а более обеспеченные – услугами домработниц. Правда, здесь Робин противоречит сама себе.

Робин улыбнулась. Еще два месяца назад она и сама не знала, что это такое

– Ты относишь белье в прачечную и платишь даме за то, чтобы его постирали и выгладили.

Нэш наморщила нос:

– Хочешь сказать, она возится с твоим грязным бельем и прочей одеждой?

– Да, а потом все стирает и аккуратно складывает.

– Фу! – заявила Нэш. – Это гадость.

Робин рассмеялась. Прошло уже довольно много времени с тех пор, когда ее называли Принцессой Эссекской, и она наслаждалась этим.

– А недавно я опустошила мусорный бачок и вынесла мусор, – сообщила она.

– Ты вынесла мусор? – тупо повторила Нэш.

– Да, причем довольно отвратительный мешок с очистками и засохшей кашей.

– Ну и ну. – Нэш положила руку на сердце. – Знаешь, ты теперь для меня как *богиня.*

Мужчины изо всех сил выпендривались друг перед другом и перед двумя красивыми девушками, которые наблюдали за ними. Робин и Нэш обменялись улыбками.

– Твое здоровье, – сказала Нэш и протянула Робин пластиковый стаканчик. – За тебя и твою новую взрослую жизнь.

– Да, – кивнула Робин. – А я пью за тебя и за то, что тебе не приходится выносить мусор.

– Аллилуйя, – заключила Нэш. – А как твои дела в колледже?

– Лучше не спрашивай.

– Что, правда?

– Да. Я провалилась по-крупному.

– Что? Не может быть!

– Очень даже может. Думаю, они близки к тому, чтобы вытурить меня.

– Вот блин! Но почему?

Робин пожала плечами.

– Сама не знаю, – сказала она. – У меня просто сердце не лежит к этому, во всяком случае, по-настоящему. Это так трудно. Тебе нужно *на самом деле* вкладывать всю душу и сердце, если хочешь добиться успеха. А я иногда думаю... не знаю, может быть, я просто морочу себе голову насчет желания стать врачом? Может быть, я была... – Она помедлила, собираясь с мыслями. – В моей жизни сейчас происходит очень много всего. Поступая в медицинский колледж, я была одним человеком, а теперь... Как бы это сказать... я еще не стала другим человеком, но нахожусь где-то на полпути к этому. Понимаешь?

– Ты хочешь сказать, на полпути между девушкой и женщиной?

– Да. Нет. Ну, что-то вроде того. Понимаешь, есть одно дело. Сложное дело. Это... – Робин шумно вдохнула и выпустила маргаритку, которую вертела между пальцами. – Это мой отец. Мой настоящий отец. То есть тот мужчина, который был донором. Он вышел на связь и хочет встретиться со мной.

Профессионально выщипанные брови Нэш драматически изогнулись:

– Ты серьезно?

– Да, серьезно. Я получила письмо сегодня утром.

– Ничего себе. – Она смотрела на Робин вытаращенными глазами. – Но как он узнал, где ты живешь?

– Ох, это долгая история. Но есть и другое дело. Это... – Робин снова вздохнула и рассказала Нэш о своем брате, о своей сестре и о реестре родственников по донорской сперме.

– Бог ты мой! Это так волнующе! – Нэш взяла Робин за руки.

– Ты думаешь?

– Ну да! Только представь: твои родные брат и сестра! И оба живут в Лондоне. Я хочу сказать: каковы были шансы на такой вариант?

– Ну, клиника находится в Лондоне, так что, я полагаю...

– И твой отец! Твой настоящий отец. Готова поспорить, что он абсолютно классный, потому что ты сама классная. Не то чтобы твой другой отец не был классным. Я его люблю. Но, знаешь, ты же всегда была такая... особенная.

Робин заморгала при этих словах. Так она чувствовала себя раньше, когда была просто собой. Теперь она чувствовала себя особенной, только когда Джек улыбался ей.

– Ну да, – тихо сказала она. – Я понимаю, что ты имеешь в виду, но...

Она собиралась сказать: «Что, если я встречусь с ним, а потом возненавижу его, и это разрушит мою жизнь?» Но тут она вспомнила, что ее «идеальная» жизнь уже катится под уклон, как деревянный домик, подхваченный оползнем. Возможно, сейчас Робин действительно нуждалась в чем-то, чтобы остановить этот процесс. Она уже согласилась встретиться с братом и сестрой, в надежде на то, что они могут подсказать ей, что делать дальше. Теперь ей пришло в голову, что, может быть, то место, куда они ее отвели в поразительно ярком сновидении, место по другую сторону двойных дверей, на самом деле приводило к ее отцу. Жизнь рушилась, а Робин никак не могла собраться с силами. Она нуждалась в новом движущем импульсе, и Нэш была права: Робин в самом деле особенная. Члены семьи считали ее особенной. Ее возлюбленный считал, что она особенная. Она сама когда-то считала себя особенной. Может быть, ее отец окажется как раз тем человеком, который заставит ее снова поверить в себя.

– А ты бы это сделала? – спросила она, повернувшись к подруге.

– Боже, ну конечно! Слушай, он даже не такой уж старый, верно? Пятьдесят три года? Моложе твоих родителей. Он может оказаться забавным. Он даже может уладить твои проблемы в колледже. Не забывай, он же настоящий врач.

– Да, наверное, это так. Но он может оказаться и полным неудачником. Я хочу сказать, если его жизнь была бы такой замечательной, то он не стал бы особенно беспокоиться по нашему поводу, понимаешь, по поводу того, что он сделал двадцать или тридцать лет назад?

– Почему? Может быть, у него только сейчас появились собственные дети или внуки? Может быть, он ждал, пока вы повзрослеете? А может, он проснулся однажды утром посреди своей великолепной жизни, улыбнулся своей великолепной жене, приготовил завтрак для своих великолепных детей, сел в свою «Ламборджини» и подумал: «Может быть, сегодня?» Понимаешь, настал тот самый день. Может быть, он вышел на связь именно потому, что достиг настоящего величия?

Робин удивленно смотрела на Нэш. Она не ожидала такого взвешенного ответа от своей подруги. Робин сглотнула, стараясь избавиться от ощущения подступающей драматической сцены, а потом улыбнулась.

– Ну да, – сказала она. – А может быть, он умирает и ему осталось полгода жизни.

Нэш раздраженно взглянула на нее.

– Как угодно, – сказала она. – Но ты спросила, как бы я поступила на твоем месте, и теперь ты знаешь, что бы я сделала.

Робин покатала между пальцами шелковистый стебелек травы.

– Но что, если он окажется придурком, Нэш? Что, если я возненавижу его?

Нэш пожала плечами и взяла полупустую бутылку вина.

– Тогда, по крайней мере, ты будешь знать, что он придурок, – ответила она. – А это лучше, чем незнание, верно?

Робин протянула свой пластиковый стаканчик и молча кивнула.

Возможно, Нэш была права.

Джек и Робин вернулись в свою квартиру к восьми вечера. Джеку удалось избавиться от Джонатана и Лео, которые откровенно намекали на то, что в идеальном мире они бы присоединились к нему и Робин и напились бы до тошноты, чтобы заснуть под утро.

Когда они вернулись, атмосфера в квартире казалась меланхоличной. Ничего не изменилось с тех пор, как они ушли восемь часов назад. Солнце прошло весь путь мимо их балкона, через передние окна, потом через задние, нагревая мебель, пыль и дощатые полы. Теперь в квартире было прохладно и сумрачно, и она безмолвно ожидала их прибытия.

Джек скинул сандалии и достал из холодильника две бутылки холодного пива. Он сбил крышки об угол деревянной стойки, словно какой-нибудь мужлан из американского ситкома, и принес пиво на диван, где неподвижно сидела Робин, погруженная в свои мысли.

Она ощущала, как руки нынешней жизни смыкаются вокруг нее, сжимая в тесном объятии. Она изучала крошечные детали своего дома: вытертые пятна на терракотовом килиме[1], кивающие головками темные

---

[1] Килим – тканый двусторонний ковер ручной работы.

тюльпаны в стеклянной вазе на обеденном столе, трещину в штукатурке за телевизором, похожую на молнию, декоративные бугорки на плинтусах, со вкусом выполненный карандашный эскиз женской головы, висевший у парадной двери, и заключенный в рамку отзыв в «Гардиан» о первом романе Джека, статья называлась «Совершенство слова».

Каждая деталь одновременно казалась новой и хорошо знакомой, но на общей картине все равно лежал оттенок меланхолии. Жизнь должна была казаться идеальной, но не казалась. Любви к Джеку должно было оказаться достаточно, но не оказалось. Робин должна была проплыть на всех парусах через первый год учебы в медицинском колледже, но вместо этого мучительно волочила ноги и, казалось, была обречена на неудачу.

Робин повернулась к Джеку, когда он присоединился к ней на диване. Во рту пересохло от вина, поэтому ее голос звучал ровно и невыразительно.

– Я хочу встретиться со своим отцом-донором, – сказала она.

Джек вскинул брови.

– Ого, – произнес он. – С утра ты сделала поворот на сто восемьдесят градусов.

Она кивнула.

– Почему ты изменила свое мнение? – спросил он.

Она пожала плечами и подергала пальцами разлохмаченный край своих обрезанных шорт.

– На самом деле точно не знаю, просто... – Она

вздохнула. – С тех пор как я зарегистрировалась в реестре, меня не покидает чувство, как будто чего-то не хватает. Более того, я чувствую себя так, как будто должна быть где-то... как будто у меня в жизни есть незавершенное дело. Я была так настроена жить дальше, не встречаясь с этим человеком, так уверена, что моей мамы и отца будет достаточно, а теперь... Этого больше недостаточно, понимаешь? *Мне* этого недостаточно! – Она заплакала, и Джек заключил ее в объятия. Она зарылась лицом в его хлопковую футболку. От нее пахло солнцем и свежим потом.

– Хорошо, – сказал Джек где-то наверху. – Хорошо.

Робин отстранилась и с интересом посмотрела на него.

– Что именно хорошо? – спросила она.

Джек снова вздохнул.

– Ты. То, какой ты была с тех пор, как переехала ко мне. Вернее, еще до переезда сюда. Мне казалось, что ты... – Он помедлил. – Не знаю, что произошло после того, как я отдал тебе ключи. Какое-то время ты как будто считала меня отвратительным. А потом ты просто охладела ко мне. Я думал, что все испортил, понимаешь? Я так злился на себя за то, что предложил восемнадцатилетней девушке переехать ко мне. Но потом ты вернулась, и я был совершенно ошеломлен. Я думал, что потерял тебя. Но ты уже не была прежней. Ты и сейчас не такая, как раньше. Та искра, которую я увидел в тебе в первый раз, то выражение твоих глаз, такая уверенность и довольство собой – все это ушло. И я думал, что это из-за меня. Из-за того, что ты уехала из дома, бросила прежних друзей и теперь живешь со мной...

Робин вытерла слезы под глазами.

– Нет, – сказала она. – Нет. Это не из-за тебя, а из-за меня. Ты всегда был для меня смыслом жизни. Ты всегда был совершенным, Джек, совершенным. Это я сломалась. Это я нуждаюсь в починке. А теперь, когда я рассталась с прошлым – к лучшему или к худшему, – это будет наша с тобой история. Мир, вселенная и все остальное. Я люблю тебя, Джек, я так тебя люблю!

Он улыбался с радостным облегчением. Он прижался лбом к ее лбу и накрыл ладонями ее влажные щеки.

– Тогда пойдем, – сказал Джек. – Давай напишем этому твоему отцу. Давай починим тебя.

ДИН

– Я приходила сюда вместе со своей собакой, – сказала Лидия, засунув руки в карманы джинсов и осматривая пологий склон, ведущий к заросшим железнодорожным путям.

– У тебя была собака? – отозвался Дин.

– Да, немецкая овчарка. Его звали Арни. Я приходила сюда вместе с ним и пила всякую дрянь.

– Круто, – пробормотал Дин, пытаясь представить эту хладнокровную женщину шатающейся по заброшенным рельсам в компании здоровенного пса и бутылки дешевого виски «Wild Turkey» или чего-нибудь в этом роде.

– Нет, это не было круто. На самом деле все это было довольно трагично.

Дин последовал за Лидией до подножия склона, где она уселась на траве. Дин сел рядом и обозрел окрестности, обхватив руками колени.

– Здесь так тихо, правда? – сказал он.

– Да. Хорошее место для размышлений. – Лидия уткнулась подбородком в сложенные ладони и уставилась в пространство.

– Теперь у нас есть о чем подумать, верно? – спросил Дин, посмотрев на хозяйственную сумку, висевшую на сгибе его локтя, и вспомнив о ее шокирующем содержимом.

– Пожалуй, нам нужно обратиться в полицию, – сказала Лидия.

– Что, серьезно?

– Да. Это чертовски серьезная вещь. Это... – Голос Лидии пресекся, и Дин сглотнул. Он все еще не мог отойти от событий последнего часа. Он достал мешочек из кармана куртки и быстро смастерил самокрутку. Лидия наблюдала за Дином краешком глаза. Она ничего не сказала и вернулась к созерцанию сорняков, мусора и колючих кустов на другой стороне железнодорожных путей.

– Думаю, он убил его. Отец. Думаю, он убил младенца, а потом мою мать.

– Нет, – начал Дин; его мозг был не в состоянии

оценить такую мрачную и порочную возможность. – Нет, должна быть какая-то другая причина...

– Все совпадает, – холодно сказала Лидия. – Это вписывается в общую картину. Мой отец был странным, действительно странным. Он вел себя не так, как положено отцу, но я всегда относила это на счет того, что мама умерла и оставила его наедине со мной; я всегда думала, что он ненавидит меня потому, что я не умерла вместо мамы. Но теперь, когда я думаю о нем, то *вижу это*, понимаешь? Я закрываю глаза и вижу, как он это делает. Но я не пойму, почему я этого не помню? То есть я должна была быть там. Я же определенно знала, что мама беременна и готова родить ребенка. Должно быть, я видела этого ребенка, понимаешь? Не укладывается, как я могла забыть об этом? Конечно, это должно быть где-то здесь. – Она постучала себя по голове. – Но где? Я должна это знать. Разумеется, я должна это знать! – Лидия уронила голову на руки и застонала: – О, моя больная, долбаная, проклятая семья!

Дин тревожно смотрел на сестру. Он хотел успокоить ее.

– Послушай, – сказал он и положил руку ей на предплечье. – Только не думай, что я тебе не верю, но, может быть, все не так плохо, как ты думаешь. Может быть, есть лучшее объяснение.

– Например?

Он пожал плечами:

– Может, кто-нибудь забрал ребенка? Может, его усыновили? Возможно, после смерти твоей мамы твой отец понял, что не справится с маленьким ребенком, и отдал его?

Он резко замолчал. Осознание ударило его, словно свинцовый шар под ложечку; ведь так он мог сказать и о самом себе. Его сердце трепетало, как мотылек. Дин подрагивающими пальцами полез в карман за сигаретами. Первый приток курева в кровь ненадолго успокоил его нервы. Дин представил отца Лидии. Тот казался ему большим и блестящим, как освежеванный ротвейлер. Дин представил слезящиеся глаза, толстые пальцы и кривой рот. Дин представил отца Лидии безобразным и чокнутым. Таким человеком, который может выбросить младенца на верную смерть; таким человеком, который может убить свою жену, а потом сесть в кресло и наслаждаться жизнью. Иными словами, Дин представил того человека, которого помнила Лидия. Странного, нездорового, отвратительного человека.

А потом Дин подумал, что будет представлять его собственная дочь, вспоминая в грядущем своего отца. Человека, который не смог воспитать ее, потому что она была слишком маленькой, слишком умной и совершенной. Человека, который не мог воспитать ее, потому что он был слишком ничтожным, слишком тупым и жалким. Увидит ли она безобразного человека? Отвратительного человека? Возненавидит ли она его с такой силой, что легко сможет представить, как он бросает детей с балкона?

Дин побледнел от этих мыслей, жадно затянулся два, три, четыре раза, а потом передал окурок Лидии.

Она молча взяла сигарету, и он с интересом посмотрел, как она подносит ее к губам и затягивается. Наблюдая за Лидией, он вдруг увидел ее такой, какой она была когда-то: одиночкой, пьяницей, неприкаянной душой. Он видел, как тают ее черты, и она на глазах превращается в сутулого подростка с верной собакой, который сидит на насыпи заброшенной железной дороги и глушит алкоголем боль своих горьких разочарований. Внезапно Дин почувствовал себя ближе к Лидии, чем к любому другому человеческому существу. Ему захотелось обнять ее и привлечь к себе, но он видел, что она заблудилась в собственных ужасных мыслях. После пары затяжек она со слабой улыбкой протянула ему сигарету, а потом улеглась на спину в высокой траве и скрестила руки на груди.

Он лег вместе с ней, и некоторое время они отдыхали в молчании, глядя на пронзительно-голубое небо думая каждый о своем.

Тишина была абсолютной, лишь иногда она прерывалась чириканьем какой-то мелкой птахи, скрытой в кустах. Дин не помнил такой тишины с самого детства, тогда он был в похожем месте где-то в Девоне и лежал рядом с Томми, потный и усталый после двух часов игры в солдатиков. Дин ясно помнил этот момент: оба громко и тяжело дышали, трава щекотала шею, щеки раскраснелись, глаза из-за опущенных ресниц смотрели на слабо пульсирующий шар солнца над головой. Дин помнил, как впитывал в себя это чувство, сохранял его глубоко внутри, потому что понимал, что это редкое и особенное чувство. А теперь снова стоял идеальный безоблачный день с ласковым солнцем, высокой травой и родственной душой. Дин закрыл глаза и снова вдохнул в себя это чувство, гадая, сколько пройдет времени, прежде чем он снова ощутит такую полноту.

Он позволил своим мыслям свободно блуждать в подсвеченной красноте за опущенными веками. Он думал о вещах, о которых не позволял себе размышлять уже долгое время. Он думал о минутах перед больничной палатой, где за дверью тихо умирала Скай. Он думал о лице Розы, когда врач объяснил им, что случилось; о том, как оно словно обрушилось и обвисло, превратив ее в столетнюю старуху. Еще Дин думал о том, как выглядела его дочь в той пластиковой коробке, – почти нечеловечески, вне представлений о нормальных существах, что-то вроде двухголового уродца или коровы с шестью ногами. Все было странно и ненормально, но дочка казалась лучезарно прекрасной, как мимолетное видение небесного ангела. Дин так долго не думал об этих вещах, потому что они вызывали у него тошноту, но здесь и сейчас он мог спокойно размышлять о них.

Внезапный порыв ветра прошумел как горный ручей. Дин открыл глаза и увидел, что Лидии рядом нет. Он сел слишком быстро, и кровь прихлынула к голове, раскачав мозг из стороны в сторону. Потом Дин увидел Лидию; она стояла в нескольких футах от него, засунув руки в карманы.

– Ты прав, – сказала она. – Я веду себя слишком театрально. Этому можно придумать любое объяснение. Но сейчас мне нужно увидеть дядю Рода.

Он кивнул.

– Ты знаешь, где он живет?

– Типа того, – сказала она. – Я знаю название поселка. Когда мы окажемся там, нужно будет лишь спросить. Правда, наступает вечер. К тому времени, когда мы закончим, будет уже слишком поздно торопиться на обратный поезд до Лондона. Я бы сняла комнату, что-нибудь простое, с ночлегом и завтраком. Но решать тебе. Если хочешь, я вызову такси, чтобы тебя подбросили к вокзалу, или же оставайся со мной.

Дин встал на ноги и потянулся. Он обдумал возможность выбора. Ему хотелось узнать, что случилось с маленьким братом Лидии. Но у него появилось ощущение, что Лидия хочет сделать это самостоятельно. Кроме того, у него были дела, которые нужно завершить, и люди, с которыми нужно поговорить. За последние десять минут в этой заброшенной лощине с густым и чистым воздухом Дин больше узнал о себе, чем за последние двадцать лет своей жизни. Он мог стать более полноценной личностью.

Теперь он знал, откуда происходит Лидия; он видел ее муниципальную квартиру, неказистый городок – то место, откуда она сбежала. И видел, к чему она пришла: особняк, домработница, дюжий тренер с фальшивым загаром. Дину не нужен особняк, домработница и личный тренер. Он просто хочет иметь больше, чем сейчас. Впервые в жизни он действительно поверил, что не только способен на большее, но и заслуживает большего.

– Пожалуй, я вернусь, если ты не возражаешь, – сказал он.

– Вот и отлично. – Лидия улыбнулась.

– А он клевый, этот твой дядя?

Она снова улыбнулась.

– Насколько я помню, да. Правда, я мало что помню, но совершенно уверена, что он милый человек.

– Хорошо. – Дин кивнул. – И с тобой все будет в порядке, если ты останешься здесь?

– Да. – Она расхохоталась. – Я большая девочка.

– Это точно, – согласился он. – Я знаю, какая ты. Ты блестящая. Я просто...

Какой-то момент он глубокомысленно созерцал свои кроссовки, гадая о том, должен ли он высказать то, что у него на уме. Потом посмотрел на нее и покраснел.

– Я совсем недавно нашел тебя и не хочу потерять еще раз. Вот и все.

С лицом Лидии произошло что-то странное. Оно приняло иное положение, как будто она собиралась изобразить какую-нибудь знаменитость, а потом она вдруг расплакалась.

– Иди сюда, – сказала она.

Он шагнул навстречу и позволил ей обнять себя. Сдержанность и жесткость остались, но прежняя напряженность прошла. Ощущение стало более знакомым.

– Я никуда не уйду, – прошептала Лидия, прижавшись губами к его уху. – Я буду с тобой сейчас и всегда, хорошо?

– Хорошо, – прошептал он ей на ухо.

Тогда они направились прочь от сладостной тишины и уединения этого крошечного уголка вселенной к ожидавшему их такси.

ЛИДИЯ

Первый же человек, к которому обратилась Лидия, точно знал, где живет Родни.

– Вон там, – сказала немного рассеянная женщина в синем головном платке. – Там, по другую сторону от ратуши; его коттедж как будто заваливается набок. Снаружи растет плакучая ива.

Лидия благодарно улыбнулась, довольная своей памятью. Ничего не изменилось. Она была уверена, что местные жители стали бы возражать и говорить, что все уже не так, как раньше, что все изменилось, но для свежего взгляда Лидии место, где она выросла, осталось точно таким же, как раньше, вплоть до рассеянных женщин неопределенного возраста в синих платках.

Теперь Лидия стояла перед коттеджем, который был как раз таким, как его описали, – ветхим и неустойчивым, но не лишенным своих прелестей. Не последней из них была причудливая ива, склонившаяся, как запрокинутая длинноволосая голова, в маленьком саду, разрисовывая все, что находилось в ее тени, пестрыми мавританскими узорами.

Парадная дверь коттеджа была сбита из широких деревянных досок, выкрашенных в серый цвет. Лидия подняла тяжелое железное кольцо и постучала им в железную пластинку на двери. Потом повернулась к водителю такси, стоявшему на дороге, и послала ему нервную улыбку.

Секунду спустя дверь отворилась и перед Лидией предстал дядя Род. Он был маленьким жилистым мужчиной с моложавой фигурой, но костлявым и грубоватым лицом. Его волосы были выкрашены в черный цвет, и он по-прежнему носил маленькое серебряное колечко в мочке левого уха. Он был одет в клубную футболку, что-то из тематики хэви-металла, с крестами и змеями, и выцветшие голубые джинсы. Он с любопытством посмотрел на Лидию через круглые очки в проволочной оправе.

– Добрый день, – произнесла она так невозмутимо, как только смогла. – Я Лидия.

– Ну разумеется! – Его лицо расплылось в улыбке. – Боже правый, ты ничуть не изменилась. Заходи же. – Он шире распахнул дверь, показав кухню, выложенную каменными плитами, и маленькую собаку со свалявшейся шерстью, сидевшую рядом с ним с высунутым языком.

– Это нормально? – спросила она. – Я вовремя?

– Как раз вовремя. – Дядя Род снова улыбнулся. – Я только что собирался приготовить ужин. Если хочешь, можешь присоединиться ко мне.

Лидия посмотрела на этого мужчину с внешностью лесного духа и ощутила приветливое тепло уютного и обжитого дома за его спиной. Желудок был совершенно пуст, и Лидия увидела на кухонной столешнице разделочную доску со свежими травами и маленькую сырую курицу в форме для жарки. Лидия подошла к водителю, отсчитала пять двадцатифутовых купюр из толстой пачки в своей сумочке, а потом проводила машину глазами.

– Должен сказать, – начал Род, проводив Лидию на кухню и усадив за видавший виды деревянный стол, покрытый бумагами и старыми газетами, – ты выглядишь очень хорошо. Пожалуй, когда я видел тебя в последний раз, тебе было около...

– Восемнадцать лет. Это было на отцовских похоронах.

– Да, правильно. Тогда я видел тебя, но издалека. Я не хотел мешать.

Лидия сочувственно кивнула, как будто прекрасно понимала, почему Род держал дистанцию на похоронах, хотя не имела ни малейшего представления об этом.

– Тетя Джин сказала, что ты тогда собиралась в университет со всеми своими высшими баллами. Готов поспорить, отец бы очень гордился тобой.

– Он не знал, – сказала Лидия и вытерла влажные ладони о бедра. – К тому времени, когда я получила результаты экзаменов, он лежал в клинике. Я рассказывала ему, но не думаю, что он слышал. Ты меня понимаешь?

Род кивнул и облокотился на столешницу, скрестив лодыжки.

– Думаю, я догадываюсь, почему ты здесь.

Лидия только улыбнулась.

– Значит, ты получила вырезки?

– Да, я все получила, – ответила она.

– Хорошо. Прошу прощения, это был далеко не идеальный план. Но, видишь ли, я хранил при себе этот чудесный секрет около тридцати лет, понимаешь? Иногда тридцать лет – это слишком много. – Он замолчал и повернулся к столешнице, где начал последовательно измельчать зелень, разделывать курицу, наполнять брюшную полость начинкой, втирать под кожицу сливочное масло, резать морковку, чистить картошку и кипятить воду. Лидия жадно следила за ним, прислушиваясь к словам, произносимым с протяжным валлийским выговором.

– Так или иначе, – продолжал Род, – иногда чувствуешь, что пришло нужное время. Ты оставляешь что-нибудь при себе и знаешь, что должен будешь что-то сделать с этим, но постоянно откладываешь, а потом что-то происходит, и ты думаешь: «Ага, теперь я понимаю, почему так долго ждал, потому что сейчас настал нужный момент». Так вот, именно это я почувствовал, когда увидел в газете ту статью. Я и дальше мог жить с пониманием того, что ты не знаешь своего настоящего отца, это было что-то вроде прощального дара моему брату, но ведь ты не знала и о своих братьях и сестрах и считала, что одна на целом свете... В общем, я совершил ужасную ошибку или не совершил ее, и ты можешь навеки возненавидеть меня за это, но в самой глубине души я чувствую, что поступил правильно.

Он отвернулся от нее, и она заметила, как острые края его лопаток ходят под тканью черной футболки. Лидия ощутила необъяснимую жалость к нему, поэтому поднялась из-за стола и встала рядом.

– Все в порядке, – сказала она и прикоснулась к его руке. – Все в порядке, ты поступил правильно. Правда.

– Да? – Род повернулся к племяннице.

– Да, абсолютно правильно. Я с облегчением узнала, что он не был моим отцом, и, господи... – Она чувствовала, что следующие слова, наполненные радостью и счастьем, слишком поспешно слетают с ее губ. – Я нашла своего брата! Я зарегистрировалась в этом реестре и нашла младшего брата! Его зовут Дин. Ему двадцать один год, и он чудесный человек. Есть еще сестра, но я пока не связывалась с ней. Думаю, я это сделаю, когда вернусь в Лондон. Теперь я готова. А на прошлой неделе зарегистрировался наш отец-донор! Он хочет познакомиться с нами, и это уже не похоже на совпадение. Не буду делать вид, что я была счастлива получить твое письмо; не скрою, я даже рассердилась. Но теперь все сходится. И уверяю тебя: что бы ни случилось, ты поступил правильно.

– Ну, слава богу. Знаешь, с тех пор меня мучила совесть. Я убивался из-за вопроса, не разрушило ли это твою жизнь. Но все же у меня было ощущение, что это не так, и хвала Господу, что оно оказалось правильным.

– Но почему ты сделал это анонимно? – спросила Лидия и наклонилась, чтобы погладить немытого и слегка попахивающего пса, который сидел у ее ног и с надеждой смотрел на гостью.

– Я сомневался, – ответил Род. – Думаю, я просто хотел, чтобы ты могла спокойно подумать, ну, ты меня понимаешь. Не вспоминать о ком-то еще – думать только о своем отце и о том, как ты появилась на свет. Не думать о бедном дядюшке Роде и о том, чем он занимается. И дело не в том, что я не вспоминал о тебе все эти годы, я очень часто делал это. Ты была необычной девочкой, такой суровой и серьезной, и я всегда испытывал приязнь к тебе. Я водил тебя на детскую площадку... Однажды я даже отвез тебя в универмаг и купил тебе новую обувь, но, думаю, ты этого не помнишь. – Он улыбнулся, и его глаза подернулись ностальгической дымкой.

Лидия покачала головой. Она определенно не помнила этого, но ей предстояло разобраться с другими, более важными воспоминаниями. Она пошла к столу, чтобы взять старую хозяйственную сумку с одеждой для младенца.

– Послушай, – сказала Лидия. – Я провела здесь

весь день вместе с братом, потому что... не знаю, наверное, потому, что хотела встретиться со страхами из своего прошлого. Я хотела показать брату, откуда я родом. Показать ему квартиру, где умерла моя мать, показать места, куда я ходила в ранней юности. В то время я была моложе, чем он сейчас. Еще мне хотелось выяснить, что произошло в тот день, когда моя мама упала с балкона. Я думала, что если снова приду туда и увижу это место, то, может быть, что-то вспомню. Но вместо воспоминаний всплыло нечто новое, о чем я совсем позабыла.

Она молча протянула ему сумку и посмотрела, как он заглядывает внутрь.

– Боже милосердный! – сказал Род. Он отложил деревянную ложку и достал из сумки одежду. Несколько секунд он смотрел на нее, моргая за стеклами очков. – Боже милосердный! – повторил он и посмотрел на Лидию: – Где ты это нашла?

– Мужчина, который теперь живет в нашей квартире, обнаружил эти вещи в отцовском гардеробе и сохранил их. – Лидия ощутила, как ее сердце учащенно забилось, и мысленно приготовилась к правде, какой бы она ни была.

– Иисусе, – прошептал Род. С его лица сошли все краски. Он взял одежду и тяжело опустился на заляпанный краской стул с точеными ножками и плетеным сиденьем. Потом Род снял очки и потер переносицу. – Не могу поверить, что твой отец спрятал их. Не могу поверить, что он сохранил их.

– Но чья это одежда? – спросила Лидия, неумолимо подталкивая его к сути дела.

Род снова встал и открыл дверь духовки потрепанной прихваткой. Он поставил курицу в духовку, вернулся к столу, уселся напротив Лидии и грустно улыбнулся.

– Она принадлежала твоему маленькому брату, – сказал он. – Его звали Томас.

Лидия испытала пронзительное чувство ни с чем не сравнимой печали.

– Томас?

– Да. Он был чудесным малышом, правда.

Ее сердце забилось еще быстрее.

– Что с ним случилось? – прямо спросила Лидия.

Род надел очки и вздохнул:

– О господи, Лидия, даже не знаю, с чего начать. Это невыносимо, даже сейчас. И я поклялся... да, я поклялся, что никому не скажу. Но маленький Томас... что же, он умер.

Лидия сглотнула. Все было так, как она и предполагала.

– Это был он? – спросила она. – Мой отец? Это он... убил моего брата?

Род ошеломленно посмотрел на нее:

– Кто, Тревор? Убил ребенка? Господи, помилуй, нет! С какой стати... то есть почему ты так спросила?

Лидия почувствовала, как напряжение постепенно отступает.

– Не знаю, – ответила она. – Просто я подумала... – Она не закончила фразу. – Так что произошло?

– Маленькому Томасу было всего пять дней, когда умерла твоя мама. Он был совсем крошечным. А твой отец... Думаю, у него случился нервный срыв. Он ничего не мог делать. Наша мама забрала младенца, но она была уже пожилой, ей было под семьдесят, и она неважно себя чувствовала. А в поселке была женщина, которая сказала, что сможет позаботиться о младенце...

– Боже мой, ты хочешь сказать, что мой отец просто отдал ребенка?

– Нет, не отдал. Все было не так. Он всего лишь разрешил этой женщине ухаживать за ребенком. Предполагалось, что это временно, до тех пор, пока он более или менее не придет в себя. Но твой отец так до конца и не пришел в себя, потому что, знаешь, он просто обожал твою мать. Ты знала об этом? Он боготворил ее и не представлял, что может когда-нибудь стать счастливым без нее. А эта женщина все больше привязывалась к ребенку и даже стала называть его другим именем. Но потом, однажды ночью, когда Томасу было около полугода, – Боже правый, это была ужасная, ужасная ночь, – эта женщина, которую звали Изабель... она до сих пор живет на другом краю поселка... она начала кричать и визжать, как умирающий зверь, понимаешь? Сначала мне показалось, что это лисы. Я попробовал снова заснуть, но крики становились все громче и ближе, а потом кто-то застучал в мою дверь. Это была Изабель со свертком в руках, похожим на кучу белья, только это было не белье, а маленький Томас. Он умер во сне, как старик. Просто закрыл глаза и больше не открыл их, а она зашла к нему, потому что он не проснулся и не закричал, как это обычно случалось, и увидела его таким. Спящим. Поэтому маленький Томас так и не вернулся домой, и у тебя не было никакой возможности познакомиться с ним. Поэтому, Лидия, когда я увидел ту статью, увидел тех сестер, таких счастливых и похожих друг на друга, я захотел, чтобы и у тебя появилась такая возможность. Потому что все и без того было достаточно плохо, когда умерла твоя мать. Мне казалось, что это вырвет сердце у семьи. Я думал, что это худшее, что только может произойти. Но потом, когда сюда принесли крошечного мертвого младенца, – он указал на входную дверь, – когда я увидел его, я понял, что не могу представить ничего более ужасного, более горького и безысходного. И твой отец... – Он закрыл лицо ладонями. – Нужно было еще сказать твоему отцу. Я пришел к вам рано утром и сказал, что его маленького сына больше нет с нами. После этого Тревор больше не оправился и никогда не был прежним.

– Но как насчет этого? – Лидия указала на розовые пятна на одежде младенца. – Как они оказались на его одежде? Это та краска, что была в моей комнате, та же краска, что осталась на бетоне.

Род потрогал голубую ткань.

– Это одежда, которая была на нем, когда умерла

твоя мать... – начал он и замолчал. Лидия смотрела на него, ожидая продолжения.

Род вздохнул.

– Младенец плакал в колыбели. Твоя мать в это время красила комнату. Она пошла к нему с краской на руках. Твоя мама не могла оставить плачущего ребенка ни за что и никогда. Она была слишком мягкосердечной. Я тоже там был, и твой отец. Мы с ним довольно крепко поспорили. Тебя мы отправили на детскую площадку под присмотром соседки.

– О чем вы спорили?

– Мы спорили... – Он снова вздохнул. – В общем, мы повздорили из-за меня. Я расстался с подругой, за которой серьезно ухаживал. Даже предложил ей выйти за меня, а она рассмеялась и сказала: «Ты не защитник, Род». Можешь себе представить? – Он что-то тихо пробормотал. – Так или иначе, я был пьян. Твоя мама красила детскую. Я немного посидел рядом, глядя, как она возится с этой краской. Я всегда был немного влюблен в твою маму, Лидия, и мне не стыдно в этом признаться. Полагаю, твой отец знал об этом. Он поддразнивал меня по этому поводу, но ничего серьезного. Правда, после твоего рождения он стал беспокоиться о разных вещах...

– О каких вещах?

– Например, о том, что ты была не похожа на него. Не думаю, что он когда-либо испытывал к тебе сильные отцовские чувства. Надеюсь, тебе не больно, что я говорю об этом?

– Нет. – Она хрипло рассмеялась. – Нет, мне ни капельки не больно. Не думаю, что он может сделать мне больнее, чем уже сделал.

Род нежно посмотрел на нее и продолжил:

– В общем, я сидел в твоей комнате, рядом с твоей мамой. Было жарко. На ней были старые джинсовые шорты и футболка, которую я подарил... кажется, с фотографией группы «Аэросмит». Она сидела рядом со мной на твоей кровати, очень близко, потому что, повторяю, в тот момент я нуждался в утешении. Она не прикасалась ко мне, потому что ее руки были измазаны розовой краской. Но когда твой отец вошел и увидел нас рядом, у него, должно быть, сложилось неправильное представление. Может, ему показалось, что обстановка была слишком интимной. Впрочем, возможно, так и было, потому что у меня с твоей мамой был общий секрет. Даже целых два секрета: ты и твой брат. Потому что я был единственным, кто знал, откуда вы взялись на самом деле. – Он провел пальцами по крышке стола. – Я был с ней оба раза, когда она ездила в лондонскую клинику.

Лидия закатила глаза и издала странный стонущий звук.

– Томас тоже был ребенком от донора? – тихо спросила она.

– Ну да, разумеется. Он просто не мог родиться от твоего отца, верно? Я имею в виду, твой отец не мог иметь детей, и отсюда пошла вся история с донорской клиникой. Но никто не осмеливался сказать ему об этом. Он бы скорее обошелся вообще без детей, чем признал, что не может зачать собственных. А твоя мать хотела иметь детей больше всего остального. Можно сказать, дети были всем, чего она хотела. Поэтому было лишь две возможности: либо она могла переспать с другим мужчиной... но твоя мать никогда бы этого не сделала, она слишком любила твоего отца, любила его всей душой, понимаешь? – либо она могла обратиться к анонимному донору. Когда она решила это сделать, то попросила меня поехать вместе с ней. Я помог ей выбрать биологического отца для тебя и твоего брата. Вы оба родились от одного человека.

Лидия закрыла глаза, охваченная этим новым открытием.

– Да, у нас были свои секреты, большие и страшные секреты. Но потом родился мальчик, и знаешь, как ни странно, он был похож на твоего отца. С одной стороны, это было хорошо, но, с другой стороны, совсем не так хорошо; видишь ли, если он был похож на твоего отца, то, значит, он был немного похож и на меня. А твой отец как раз вошел в комнату и увидел нас вдвоем. Должно быть, он внезапно решил, внезапно *поверил*, что его худшие страхи подтвердились, что у нас с твоей мамой был тайный роман и что оба его ребенка родились от меня. Началась перебранка, и тогда твоя мать отвела тебя к соседке и попросила вывести из дома.

– Я понимала? – спросила Лидия, ощущая неуместность такого вопроса по отношению к себе. – Я понимала, что происходит?

– Нет, – сказал Род. – Ты ничего не понимала. Тебе было только три года. Ты знала лишь, что у тебя появился маленький братик и мама красит твою комнату. Так или иначе, твой отец стал обвинять меня и твою маму во всевозможных грехах, стал говорить, что она всегда предпочитала меня, потому что я был умнее его. Ха! Ирония в том, что все и всегда отдавали предпочтение моему брату, потому что он был красавцем, но его это не остановило. Он говорил: «Вы двое постоянно хихикаете у меня за спиной и все время ластитесь друг к другу. Должно быть, вы считаете меня идиотом. Я знал, что эта девчонка не моя, я всегда знал это. А теперь посмотрите на мальчика. – И он указал на соседнюю комнату. – Это твое отродье, Род. Это твое проклятое отродье!» Он вбил себе в голову, что бесплоден, поскольку за пять лет не смог зачать ребенка, а единственное объяснение рождения его детей заключалось во мне. А мне приходилось держать язык за зубами. Но чем больше Глэнис пыталась убедить Тревора, что дети его, тем больше он свирепел. А потом младенец заплакал, и твоя мать взяла его на руки. А твой отец... – Он помедлил и продолжил дрожащим голосом: – Твой отец взял нож из кухонного ящика. О господи! – Род приложил руку к сердцу, словно пытаясь успокоиться, потом тяжело сглотнул. – Только подумать, меня до сих пор тошнит от этого. Он взял нож и пошел за твоей мамой. Она отдала мне младенца. Лучше бы она этого не делала. Если бы она не отдала мне малыша, я мог бы что-то предпринять. Но знаешь, Лидия, честное слово, я до сих пор не верю, что Тревор собирался ударить ее. Правда, не верю. Думаю, он просто хотел напугать ее. Думаю, он бы остановился, если бы подошел слишком близко, потому что очень любил ее. Но он пошел на нее с ножом, а я стоял с ребенком на руках... и все остальное произошло слишком быстро. Я просто стоял на месте и держал ребенка. Твоя мама побежала на балкон, а в следующий момент туда ворвался твой отец, потрясая ножом. И твоя мать... – Он вздохнул. – Я все видел, но никак не мог остановить это. Она забралась на перила балкона, пытаясь оторваться от него. А потом мне показалось, что она пытается перепрыгнуть на другой балкон, на одном уровне с нашим, а потом она пропала. – Он замолчал и со свистом втянул воздух. – На какой-то момент наступила тишина. Все, что я слышал, – только дыхание, громкое дыхание. А потом начались крики: «Вызовите «Скорую»! Вызовите «Скорую помощь»!»

– А... а где была я? – спросила Лидия. – Я видела это с детской площадки?

– Нет, ты не видела. Соседка отвела тебя за дом, чтобы ты пописала.

– Я писала, когда умерла моя мать?

– Ну да, возможно, – сконфуженно ответил Род. – А когда соседка увидела, что случилось, она очень быстро увела тебя. Она отвела тебя на квартиру к своему другу.

– И что мне сказали? Что мне сказали о матери?

– Не знаю, – ответил он. – Наверное, обычную туфту. «Мамочка отправилась жить с ангелами», что-нибудь в этом роде. А потом ты пару раз ночевала у меня.

– Правда?

– Да. Малыша отвезли к моей маме, а тебя привели сюда. Только на два дня. После этого твой отец никогда не разрешал мне видеться с тобой. С тех пор мы не обменялись ни единым словом. Но ты была здесь, со мной, когда твоего отца задержали для допроса. Они собирались обвинить его в убийстве, но у них не хватало доказательств, тем более я дал свидетельские показания в его пользу. Потому что, что бы ни произошло в тот день, я знаю: твой отец не убивал твою мать. Не знаю насчет нее. Не знаю, о чем она думала в тот момент. Может, она вообразила себя Человеком-Пауком или чем-то в этом роде. Зато я знаю, что прошло меньше полминуты между тем, как она держала на руках ребенка, и тем, как она оказалась мертвой на земле.

– Она умерла мгновенно?

– Да, мгновенно.

Лидия опустила глаза и уставилась на сухие крошки, застрявшие в складке скатерти.

– Ничего не помню, – прошептала она.

– Да, но, может быть, это к лучшему, а? По крайней мере, я так думал, пока ты была ребенком. Мы с тобой не говорили об этом. Мы не говорили о твоей матери. Мы не говорили о твоем брате. Семья твоей матери так и не простила Тревора. И меня они так и не простили за то, что я будто бы позволил ему «уйти чистеньким». Наша семья совершенно замкнулась в себе. Никто больше не был прежним, и меньше всего – твой отец.

Лидия посмотрела на него и поморщилась.

– И я тоже, – сказала она.

Род грустно посмотрел на нее и улыбнулся.

– Ну да, – сказал он. – Этого я и боялся. Все считали, что, поскольку ты этого не видела и ничего не могла запомнить, это на тебя не повлияло. Но все эти годы жить с человеком, который не верил, что ты его дочь, жить без матери, оторванной от семьи... Это было тяжело.

– Да, это было непросто, – мрачно отозвалась она. – Совсем непросто.

Он снова грустно посмотрел на нее и вздохнул.

– Послушай, – сказал он, – у нас с тобой есть о чем поговорить. Уверен, есть еще миллион вещей, о которых ты хотела бы спросить. Почему бы тебе не остаться на ночь? У меня есть свободная комната и свежее белье. Я могу открыть бутылку вина. Будет здорово как следует познакомиться с тобой. Когда-то мы в самом деле были очень близки, как ни безумно это звучит.

Лидия посмотрела на его доброе лицо с тонкими чертами и подумала, что они когда-то действительно могли быть близки. Он был человеком, которого маленькая девочка хотела бы видеть своим дядей. Она могла представить, как он качает ее на качелях или ведет в магазин. Она могла представить его своим другом.

– Это будет замечательно, – сказала она. – Давай так и сделаем. Есть много деталей, о которых я хочу узнать. О моей маме и о малыше. У тебя есть фотографии?

– Ну да. Моя мама отдала мне перед смертью свои фотоальбомы. Все семейные фотографии. Твои детские снимки, фотографии твоей матери...

– Это у меня есть, – перебила Лидия. – Отец отдал мне свои фотоальбомы. Я имела в виду, есть ли у тебя фотографии ребенка? Томаса?

– Да, – ответил Род. – Думаю, что да. И если ты хочешь, завтра утром после плотного завтрака я отведу тебя на кладбище в Пенрисе. Ты увидишь, где похоронен маленький Томас... если захочешь.

– Да, – сказала Лидия, едва не задохнувшись от смешанного чувства восторга, печали и благоговения. – Да, пожалуйста. Я действительно хочу этого. Потому что он не только *мой* брат, верно?

Род вопросительно посмотрел на нее.

– Да, – сказала она. – Он и их брат тоже. Он брат Дина, брат Робин и сын Дэниэла Бланшара. Я хочу увидеть его для них. Для них всех.

– Хорошо, – сказал Род. – Хорошо. Значит, дело решенное.

Он оглянулся через плечо на часы, висевшие на стене кухни.

– Да, вот оно! Солнце определенно перевалило за нок-рею, и теперь настало время для бокала вина. Позволь сказать, это будет самый приятный бокал вина за всю мою жизнь.

МЭГГИ

Благодаря довольно сложной системе распечатки электронных писем и доставки их в хоспис, где Дэниэл сначала читал, а потом отвечал рукописными каракулями на плохо читаемом французском языке, которые вводились с клавиатуры у нее дома и отправлялись к Марку, стало ясно, что брат Дэниэла приедет в четверг с намерением остаться на неопределенное время – иными словами, и Мэгги была рада, что об этом так и не было явных упоминаний, до смерти Дэниэла.

Она купила несколько пленок с уроками французского языка и стала слушать их, разъезжая между домом, Либби и хосписом. Мэгги слушала их и сейчас. «*J'ai laissé ma porte deverrojoillée*», – слегка покровительственным тоном произносила женщина. «*J'ai laissé ma porte deverrojoillée*», – повторяла Мэгги с таким грассированием, какое только могла изобразить, удивляясь, нужно ли ей будет кому-то объяснять по-французски, что она оставила свою дверь незапертой.

Мэгги включила левый поворотник и свернула с главной дороги на подъездную аллею к дому Дэниэла. Марк должен был приехать через час, и ей предстояло убрать постель Дэниэла и постелить свежее белье. Она также привезла несколько пакетов – только основные продукты вроде хлеба, молока и сыра. (Ничего, кроме чеддера. Она некоторое время разглядывала французские сыры в витрине супермаркета, но потеряла самообладание; как французский сыр, купленный в Бери-Сент-Эдмундсе, мог выдержать сравнение с настоящим французским сыром?) Она также купила яблоки, бананы и пару пакетов замороженного супа. И брусок мыла. (Всегда приятно начинать день со своего мыла, которым никто до тебя не пользовался.)

Она выключила двигатель, и покровительственный голос женщины прервался на полуслове, когда она говорила что-то насчет обувного магазина. Забирая сумки с заднего сиденья и направляясь к дому Дэниэла, Мэгги повторяла про себя: «*Je vais a la mansion de Daniel. J'ai quellques achats. Je m'apelle Maggie. Commenn s'est passé voutre vol?*»

Мэгги надела новый сарафан, – это было хорошо, что она по-прежнему имела красивые руки, а ее декольте не нуждалось в маскировке; хорошо было немного открыть свое тело в солнечные дни. Сарафан был белым. Предстоящий день казался настолько темным и неопределенным, что Мэгги неосознанно выбрала цвет, символизирующий новизну и невинность. Она обула светлые гладиаторские сандалии, а ее кудрявые волосы были собраны и заколоты по обе стороны от лица.

Когда она шла к двери дома, пришло голосовое сообщение от Марка: «*Chere Maggie, je suis dans un taxi. Je serai le en une heure*». Ровно час спустя она подошла к окну, услышав шорох покрышек по гравию, и увидела автомобиль, подъезжавший к дому. Мэгги надела солнечные очки. Это было такси, и на заднем сиденье находился мужчина. Она подняла солнечные очки на лоб, но в момент суетного тщеславия решила опустить их. Сегодня был солнечный день, и она хотела произвести благоприятное первое впечатление, если не показаться моложе своего возраста.

Она спустилась по лестнице, открыла дверь и встретила гостя широким жестом и приветственной улыбкой.

Мэгги подготовила и многократно повторила свою первую фразу по-французски: «*Bonjour, Marc, ravis de vous decontrer*». Когда автомобиль остановился, она подошла к дверце со стороны пассажира и увидела, как Марк наклонился, чтобы открыть ее. «*Bonjour, Marc*, – подумала она. – *Bonjour, Marc*». Но когда он выбрался наружу, все слова в ее голове куда-то пропали, и она просто уставилась на него, слегка приоткрыв рот и прижимая руку к груди. Потому что мужчина, который вышел из такси перед домом Дэниэла, выглядел точно так же, как Дэниэл.

Марк улыбнулся.

– Должно быть, вы Мэгги, – сказал он. – Очень приятно познакомиться. Меня зовут Марк.

Мэгги по-прежнему молчала, глядя на человека, который называл себя Марком, но в сущности был Дэниэлом.

– Я... – начала она и беспомощно замолчала.

– С вами все порядке? – спросил он и опустил руку, протянутую для рукопожатия.

– Да. *Oui.* Извините, я... – Ее мозг постепенно заработал, и мысли, застрявшие в буфере обмена, начали просачиваться наружу. Этот человек не был Дэниэлом. Этот человек был Марком. Этот человек выглядел слишком здоровым. Этот человек был Марком. Значит, этот человек был не только братом Дэниэла, но и его близнецом.

– Извините, – сказала Мэгги. – Дэниэл не сказал мне, он не говорил... Простите, я не знаю, как сказать «близнец» по-французски.

Человек по имени Марк улыбнулся и ответил:

– *Jumeau.*

– *Jumeau?* – повторила Мэгги.

– *Oui.* Да, *Jumeau. Jumelle* – это женский род.

– Ох. – Она попыталась переварить другой неожиданный факт: Марк говорил по-английски. – Ваш брат говорил, что вы не умеете... что вы говорите только по-французски.

Он улыбнулся, а затем рассмеялся, и при звуках этого смеха Мэгги поняла, что лицо у него такое же, как у Дэниэла, но это совсем другой человек.

– Мы не встречались с братом тридцать лет, – сказал он, когда достал бумажник, чтобы расплатиться с таксистом. Марк пожал плечами, показывая, что в дальнейших объяснениях нет смысла.

Простившись с таксистом на уверенном разговорном английском, он с широкой улыбкой повернулся к Мэгги.

– Вы тоже не такая, как я ожидал, – сказал он.

– Ну, а чего вы ожидали? – откликнулась Мэгги. – Или лучше не спрашивать?

– Да, лучше не спрашивать. – Он снова улыбнулся широкой улыбкой с ямочками на щеках, которую его брат позволял себе лишь в редких случаях. Потом Марк взял небольшой чемодан и посмотрел на дом. – Так вот где все эти годы скрывался мой брат?

Мэгги улыбнулась в ответ.

– Да, – сказала она. – Это его дом. Пойдемте, давайте устраиваться.

Марк последовал за ней через общую прихожую, потом вверх по лестнице до входной двери.

– И как это Дэниэл не сказал мне, что вы его близнец? – сказала Мэгги, поворачивая ключ в замке.

– Ну, это было давно, – отозвался Марк. – Может быть, он забыл?

Мэгги улыбнулась.

– Может быть, – кивнула она. Толкнув дверь, она впустила Марка в квартиру.

– Ну что же, – сказал он. – У Дэниэла, оказывается, очень приятные апартаменты. Я и не знал. Я всегда немного беспокоился, что он живет в неудобстве, может быть, даже бедствует. Судя по всему, нет. – Он медленно обошел комнаты на первом этаже, остановился у окна в гостиной и посмотрел на зеленый сад с просторного балкона Дэниэла. – Приятно, очень приятно. А вы живете рядом? – спросил Марк, взглянув на Мэгги и снова ввергнув ее в смущение точным сходством с братом.

Она немного отвернулась, чтобы он не видел выражения ее лица.

– Нет, – сказала она. – Я живу в городе, недалеко от станции, вон там. – Она неопределенно указала на восток. – Проводить вас наверх?

– Разумеется, – с лучезарной улыбкой ответил Марк.

Он поднялся по мягкой ковровой дорожке на лестнице, и Мэгги показала ему маленькую спальню и ванную Дэниэла в мансарде с наклонной крышей. Марк оставил чемодан на кровати Дэниэла и снова улыбнулся Мэгги.

– Большое спасибо за помощь, – сказал Марк. – Можно мне быстро принять душ перед нашей поездкой в клинику?

Она вздрогнула.

– Да, конечно. Простите, я должна была подумать об этом заранее. У вас все есть? То есть я положила чистые полотенца и мыло. Вам нужно что-нибудь еще?

– Нет, Мэгги, спасибо. Уверен, этого будет достаточно.

Она попятилась из комнаты и на цыпочках спустилась вниз. Потом Мэгги устроилась на балконе, дожидаясь Марка и разглядывая сады и отдаленные ландшафты. Замкнутость и нежелание Дэниэла поделиться с нею подробной информацией о себе сыграли с Мэгги злую шутку. Оказалось, что у него есть брат-близнец, превосходно разговаривающий по-английски. Более того, судя по всему, не испытавший экзистенциального кризиса, который поместил Дэниэла в запертую интеллектуальную коробку.

Мэгги подергала маленькие заусенцы вокруг ногтей с французским маникюром и приготовилась к ожиданию. Внезапно она почувствовала, что переполнена вопросами, которые ей хочется задать. Но сегодняшний день не предназначался для вопросов. Это был день воссоединения, а вопросы могут подождать.

Марк появился минуту спустя, с влажными после мытья волосами, одетый в темно-синие джинсы и нарядную рубашку в крупную клетку с разными оттенками голубого. От него пахло мылом и одеколоном, и он выглядел потрясающе элегантным, как когда-то его брат.

– Ну вот, – сказал Марк и похлопал себя по выбритым щекам. – Теперь я чистый и, думаю, почти готов к следующей части.

Мэгги улыбнулась и встала.

– Сколько лет вам было, когда вы последний раз встречались друг с другом? – спросила она.

– Двадцать четыре года. – В его словах звучало тихое сожаление. – Да, – продолжал он, опустив глаза. – Знаю, это безумие. Близнецы в разлуке друг с другом. Моя мать, она... – он посмотрел на нее влажными глазами, – у нее разбитое сердце. Но, – он снова улыбнулся и хлопнул в ладоши, – у нас будет время поговорить во время поездки. Теперь, через тридцать лет, я вполне готов к встрече с братом. Поэтому давайте поедем к нему.

– Да, – сказала Мэгги. – Давайте поедем.

В автомобиле Марк несколько минут тихо смотрел в окно. Наконец он повернулся к Мэгги и спросил:

– Насколько он плох? Только честно.

Она вздохнула и посмотрела в зеркало заднего вида, перестраиваясь в другой ряд.

– Не знаю, Марк. Честно говоря, все это очень странно. Трудно судить. Но я бы сказала, что он очень плох. Давайте скажем так: я думаю, что вы приехали как раз вовремя.

Он отвернулся и снова стал рассматривать вид из окна. Мэгги дала ему немного помолчать.

– Послушайте, Марк, – осторожно начала она. – Я хочу рассказать вам еще кое-что, и, наверное, это будет сюрпризом для вас. Несколько недель назад Дэниэл рассказал мне нечто замечательное. Когда он только приехал в Англию, он жил в такой нужде, что... в общем, он стал донором. Понимаете, что я имею в виду?

– Нет, не очень...

– Ну, знаете, есть женщины, которые не могут иметь детей, вернее, их мужья не могут зачать детей, поэтому они обращаются в клинику для искусственного оплодотворения...

– А! – Марк понимающе кивнул. – Да, *donneur*. Я понимаю, что вы имеете в виду.

– Хорошо. Так вот, ваш брат стал донором. А потом ему сообщили из клиники, что он... что у него есть четверо детей. В смысле, они родились от него.

Густые брови Марка взлетели вверх.

– Вот как? – удивленно спросил он.

– Да, – сказала Мэгги. – И он попросил меня, – правда, я до сих пор не знаю, насколько это было связано с действием лекарств или с опухолью, которая распространяется на его мозг, – но он попросил меня разыскать их, если это возможно. Пока что я еще не нашла, но надеюсь, что смогу. Если это случится, то я предложу им приехать к Дэниэлу и встретиться с ним.

Она посмотрела на Марка, желая понять, как он воспринял это откровение. Он медленно покачивал головой и гладил подбородок.

– Ого, – наконец произнес Марк, а потом залился тихим булькающим смехом, который постепенно становился громче. Марк повернулся к Мэгги с сияющим лицом: – Ого! Это же потрясающе! Вы хотите сказать, у меня есть племянники и племянницы?

– Полагаю, да.

– Это невероятная новость! Я думал... в сущности, я думал, что с идеей о продолжении рода давно пора распроститься. У меня нет детей, и, насколько я знал, у моего брата их тоже не было. И тут вдруг появляются дети! Это же замечательно, просто замечательно. Спасибо вам, Мэгги. Теперь я понимаю, как ему повезло, когда он встретил вас. – Он благодарно улыбнулся, и Мэгги почувствовала, что с ее сердцем происходит что-то необычное. Она проигнорировала это ощущение и улыбнулась.

– Ну что вы, это не такое уж большое дело, – сказала она. – Другие поступили бы так же.

Они бок о бок прошли по коридорам хосписа. Ощущение входа в это место со здоровой версией своего умирающего друга было почти неземным, и Мэгги затаила дыхание в предвкушении встречи.

Дэниэл был таким же, как вчера: вялым, посеревшим, с помраченным сознанием. Марк судорожно вздохнул, когда увидел его; на мгновение показалось, что он готов повернуться и уйти. Мэгги положила ладонь на его руку.

– Вы в порядке? – спросила она.

Марк поднес кулак ко рту, другую руку он держал в кармане. Потом глубоко вдохнул и скованно улыбнулся.

– Да, – тихо ответил он. – Думаю, да. Я буду в порядке.

Марк подошел к кровати, и Мэгги последовала за ним.

– Дэниэл, – громким шепотом позвала она и прикоснулась к плечу больного. – Дэниэл, это я, Мэгги. Вы меня слышите?

Дэниэл слегка пошевелился и приоткрыл пересохший рот. С его губ сорвались неясные звуки, но Мэгги не разобрала ни слова.

– С мной пришел человек, особенный человек. – Дэниэл тихо застонал. – Это ваш брат, Дэниэл, это Марк. Он здесь. Вы можете открыть глаза? Можете посмотреть на него?

Веки Дэниэла дернулись, а губы сложились в улыбку. Он открыл рот и медленно произнес одно слово:

– Марк.

Марк подошел ближе и положил руку ему на плечо.

– Да, – сказал он. – *Oui, Daniel, c'est moi!*

– Марк, – повторил Дэниэл. Он выпростал руку из-под одеяла и тяжело опустил ее на руку Марка. Потом, внезапно и совершенно неожиданно, Марк сбросил туфли, забрался на кровать и улегся на узком матрасе рядом с братом. Он привлек Дэниэла к себе, держа его за руку, и крепко, с чувством поцеловал в щеку.

Мэгги хотелось предупредить, чтобы он не прижимал Дэниэла слишком крепко, чтобы не сорвать катетер, вставленный в живот, и не нарушить работу регистрирующей аппаратуры.

Но слова застряли в горле; Мэгги молча повернулась и вышла из комнаты.

Час спустя они сидели вместе у пруда с зеркальными карпами. Утреннее тепло рассеялось, оставив после себя блеклый серый полдень. Из-за прохладного ветра Мэгги вернулась к своему автомобилю, чтобы взять кардиган. Марк сидел и смотрел на гравийную дорожку под ногами.

– Я должен был почувствовать, – сказал он. – Все это очень странно, но я должен был почувствовать. Ведь я написал сейчас, после стольких лет без всяких контактов между нами. Наверное, что-то почувствовал. Знаете, говорят, что между близнецами есть, как это... общее видение?

– Может быть, психическая связь?

– Да, психическая связь. – Он постучал пальцем

по виску. – Помню, как я сидел на работе в своем офисе и увидел за окном птичку. Она была высоко и летала вот так. – Марк описал круг в воздухе. – Кружит, кружит и кружит. И я вдруг подумал, лучше бы эта птица перестала кружить и полетела прямо через пролив, прямо сюда, к окну моего брата, и сказала бы ему, как мне его не хватает. Когда я подумал об этом, я решил написать ему письмо. Я увидел в этом знак, да? И вот я здесь, а мой брат уходит. – Марк мужественно улыбнулся, и Мэгги, прежде чем успела совладать с собой, взяла его руки в свои и крепко сжала.

– Спасибо, – хриплым шепотом произнес он. – Спасибо вам.

Они какое-то время сидели в молчании, с переплетенными руками. Потом по ее спине пробежала дрожь, и Мэгги поежилась.

– Ох, – сказал Марк, неправильно истолковавший это непроизвольное движение. – Вам холодно? Может быть, зайдем внутрь и выпьем кофе?

Мэгги кивнула. Она не завтракала, и сейчас ей бы не помешал сэндвич. Они медленно вошли в здание и направились к кафетерию.

– Почему вы с Дэниэлом разошлись друг с другом? – осторожно спросила она.

– Разошлись?

– Да. Знаете, может быть, вы поссорились, отстранились друг от друга?

– А, понимаю. Нет, у нас не было споров. Мы не ссорились.

– Ох, а я было подумала...

– Нет, нет, нет. Это из-за того, что случилось, когда он был в университете. Он не рассказывал вам о ребенке?

Мэгги вопросительно посмотрела на Марка.

– Не рассказывал? – Он вздохнул: – Боже мой! Но, наверное, это не удивительно. О таком трудно рассказывать. Поэтому он и уехал, поэтому он больше не хотел разговаривать со мной. Поэтому он перестал быть тем человеком, которым был раньше. Из-за этой ужасной, ужасной вещи.

Они завернули за угол, и Марк открыл дверь перед Мэгги. Когда она проходила, то мимоходом коснулась его и ощутила внезапное томление, настолько сильное, что ей пришлось сдержать стон. Она снова проигнорировала это ощущение, представив его как результат противоречивых эмоций, теснившихся в голове.

– Что за ужасная вещь? – спросила она, пожалуй, настойчивее, чем собиралась.

– Мне тяжело говорить. Он не рассказывал вам об этом, а теперь он очень болен, и, может быть, у него были свои причины. Может быть, он не хотел, чтобы вы знали?

– Да, он не хотел, чтобы я много знала о нем. Я все время пыталась заставить его поговорить со мной о прошлом, о том, как он оказался в этой стране, но у него была... у него *есть* хитроумная манера отвечать на вопрос так, что на самом деле вы не узнаете ничего нового. Но, должна сказать, за последние несколько недель он рассказал мне о себе больше, чем за все предыдущее время. Это выглядит так... ну, как будто он больше не видит смысла держать секреты при себе. Как будто они утратили смысл.

– Ну, что же, – сказал Марк. – В таком случае, наверное, нам следует поговорить. Пожалуй, я должен рассказать вам, потому что, как ни печально говорить об этом, но мне кажется, что мой брат больше не расскажет никаких секретов. Думаю, для него время рассказов закончилось.

Они купили чаю и сэндвичей и отнесли их в комнату отдыха. Они уселись лицом к лицу за столом из черного ясеня, украшенным яркими сухими цветами в черной вазе. Мэгги покусывала сэндвич и ожидала, пока Марк заговорит.

– Ну вот, – начал он, – мой брат заканчивал учебу в медицинском колледже. Он был молодым врачом и надеялся стать педиатром. Он проходил стажировку в детской раковой палате в одной из клиник недалеко от Дьеппа, и как-то вечером его попросили ввести... как вы говорите, морфин?

Мэгги кивнула.

– И вот, он неправильно рассчитал дозу. Было уже поздно, и он устал. Ребенок умер от передозировки.

Мэгги ахнула и закрыла рот ладонью. Марк грустно покачал головой и вздохнул.

– Потом было расследование, его оправдали, но запретили заниматься врачебной практикой. Он не мог вернуться к медицине, он больше никуда не мог вернуться. Он целый месяц просидел у себя в комнате и никого не видел. А потом наша мать... понимаете, она очень нездоровая женщина. У нее всегда были проблемы с разумом. – Он постучал по голове. – У нее неустойчивая психика, и она очень тяжело восприняла этот инцидент. Она отреклась от моего брата. Сказала, что не хочет жить с сыном-детоубийцей. И думаю, ему было трудно видеть меня, свою половину. Мы были очень близки, и он знал, что я испытываю такие же чувства, как и он. Он знал, что наша мать по-прежнему любит меня, но она больше не любила его. И вот однажды он просто исчез. – Марк щелкнул пальцами. – Вот так. Пропал. Ни слов, ни объяснений. Мое сердце как будто раскололось пополам. Еще пять лет он не сообщал мне, куда уехал. Потом написал, что он здесь, в Англии. Он посылал мне письма с английским адресом, напечатанным на конверте. Поэтому я знал, где он живет. Но он не приглашал меня, а я не предлагал посетить его. Не знаю, почему так вышло. Не знаю, почему появился этот *мост*, по которому ни один из нас не мог перейти. Понимаете, у близнецов так: или все, или ничего. Вы либо вместе, либо нет. Нет никаких промежуточных состояний. Поэтому мы выбрали «ничего». А теперь, как видите, он уходит, и я больше никогда не увижу его. Не увижу таким, каким он был.

– Бедный, бедный Дэниэл! – прошептала Мэгги, прижимая руку к груди. – И вас мне тоже очень жалко. Такая ужасная история.

– Знаю, это трагедия. Умный, добрый, заботливый человек, и вдруг – пуф! Все идет прахом.

– Неудивительно, что он не рассказывал мне об этом. Только представить, что он ощущал все эти годы, чувство вины и неуверенность в себе. Как можно снова доверить себе что-то важное?

– Да, именно так. Теперь вы понимаете, почему он завел детей вот так? Понимаете, почему он позволил другим людям взять на себя всю ответственность за них?

– Да, но он подарил детей людям, которые сами их иметь не могли. Как будто возместил миру жизнь того ребенка.

– Да, это тоже верно. Но я думаю, это было сделано в основном для того, чтобы избежать риска, понимаете? Вся его жизнь после того инцидента заключалась в уходе от риска.

– Да... – сказала Мэгги, а потом ее мысли уплыли вдаль, она осознала, почему их хорошие отношения так и не пошли в том направлении, которое было желанным для обоих. Поэтому Дэниэл никогда не обнимал и не целовал ее. Поэтому он никогда не говорил, что любит ее. Поэтому они до сих пор оставались просто друзьями. Потому что он не хотел причинить ей вред.

– Да, – продолжала она, стараясь говорить ровно. – Я могу это понять, в самом деле могу. – Она немного помолчала. – Но это очень-очень печально.

ЛИДИЯ

У ее брата не было второго имени, впрочем, как и у нее самой. Ее родители по какой-то неведомой причине не верили во вторые имена. Она стояла перед маленьким надгробием, вырезанным из светло-серого камня, и смотрела на надпись. *Томас Пайк.* Ее брат. В августе ему могло бы исполниться двадцать восемь лет.

Лидия уже бывала здесь раньше. Теперь она хорошо помнила это. Здесь, с другой стороны от часовни, была похоронена ее мать, между отцом Лидии и собственной матерью. Ребенком Лидия навещала могилу матери, а в более зрелом возрасте присутствовала на похоронах отца.

Родни стоял рядом с Лидией, засунув руки в карманы голубых джинсов.

– Ты в порядке, милая? – спросил он.

Она повернулась к нему и грустно улыбнулась:

– Думаю, да.

Пепел брата лежал у нее под ногами. Крошечный ящик с пылью. Нет, с ней не все было в порядке. Лидия чувствовала себя опустошенной.

– Почему его похоронили здесь? – спросила она. – Почему он совсем один?

Родни подошел на шаг ближе и покачал головой:

– Не знаю, что тогда испытывал твой отец. Меня с ним не было. Но полагаю, он просто не мог справиться с этим. Маленькая могила. И он не хотел, чтобы ты знала об этом. Знаешь, с глаз долой – из сердца вон...

Лидия повернулась к могиле и ощутила, как ее охватывает холодный ужас. Ее отец снова поступил неправильно. Он всегда поступал неправильно. Каждый раз. Как он мог оставить здесь Томаса, маленького мальчика, одного, вдали от матери? Как он вообще мог подумать, что это правильно?

– Я хочу перенести могилу, – сказала Лидия с внезапной решимостью и снова повернулась к Родни: – Я хочу положить Томаса рядом с нашей мамой.

Родни надул щеки.

– Ну, я не уверен, что ты сможешь это сделать, – сказал он. – Все места расписаны и зарезервированы на десятилетия вперед теми людьми, которые не хотят ничего оставлять на волю случая. Рядом с твоей матерью нет свободных участков.

– Но разве он не может лежать рядом с ней, на ее участке?

Родни сконфуженно пожал плечами.

– Я спрошу? – предложил он.

Лидия кивнула.

– Хорошо, – сказала она. – Спасибо тебе. Но это ужасно. – Она передернула плечами. Утренний воздух на кладбище был сырым и зябким, а ее голова – тяжелой от избытка вина, выпитого ночью. Они с Родни просидели до трех утра, распутывая нити их общей истории. Тем не менее Лидия проснулась рано, готовая посетить это место и почувствовать то, что должна была почувствовать, чтобы двигаться дальше.

Сначала они посетили могилу ее матери, за которой ухаживал Родни, а потом направились к брату. Потом Лидия немного постояла над могилой отца и попыталась ощутить что-то иное, кроме сдавленной ярости и смутной неприязни. Она попыталась вызвать в своем сердце жалость и сострадание, но ничего не нашла. Жизнь со многими людьми обошлась круто, но не каждый превратил всю свою жизнь в одно сплошное поражение, как сделал ее отец.

Лидия с улыбкой повернулась к Родни.

– Теперь нам пора идти, – сказала она. – Мне нужно вернуться домой.

– Разумеется, милая. Поезжай домой и перевари все это. Разберись, что к чему.

Лидия кивнула, благодарная за его проницательность. Именно это она и собиралась сделать.

– Я отвезу тебя на станцию. Там будет поезд в двадцать минут десятого, мы должны успеть.

Лидия снова посмотрела на серый камень, лежавший над Томасом Пайком. Она опустилась на колени в сырую траву и провела пальцами по плите. Она знала, что вернется сюда. Теперь в этой маленькой гордой стране у нее было кое-что еще, кроме дурных воспоминаний. Лидия многое потеряла, но с каждым днем приобретала все больше. Она приложила пальцы к губам, поцеловала их и прижала к камню. *«Я разберусь в этом»*, – молча пообещала она Томасу. А потом они с дядей вернулись к его автомобилю в золотистом свете недавно взошедшего солнца.

– Ах! – воскликнул Бендикс, стоявший на верхней лестничной площадке, когда четыре часа спустя Лидия вернулась домой. – Вы вернулись! А я как раз пытался позвонить вам.

Лидия удивленно посмотрела на него, потом на сумку, где лежал ее мобильный телефон.

– Я недавно вышла из подземки, – сказала она.

– Ах, – повторил он и начал спускаться по лестнице.

– Все в порядке? – поинтересовалась она.

– Да, разумеется! Мне просто не терпелось узнать, как прошла поездка в Уэльс... с вашим братом. И, по правде говоря, я немного соскучился по вас. Дом слишком большой для одного.

Она улыбнулась, охваченная нежностью и расположением к нему. У двери он расцеловал Лидию в обе щеки и аккуратно взял ее наплечную сумку.

– Вот, позвольте, – сказал он. От него пахло мылом и шампунем, но за этим угадывался другой запах, который всегда волновал Лидию, слегка мускусный запах его сущности.

– Вы помните, что сегодня днем у нас тренировка? – Бендикс поставил ее сумку на лестницу и с улыбкой посмотрел на Лидию. – В три часа?

– Черт, ну конечно! Прошу прощения, я совсем забыла.

– Так я и думал. Не собираюсь вас уговаривать, но, если вы не против, мы могли бы...

Лидия постаралась очистить место в голове, чтобы рассмотреть его предложение.

– Сколько сейчас времени? – спросила она.

– Почти час дня.

– Тогда хорошо, – сказала она. – Да, думаю, мне не повредит небольшая разминка.

– Превосходно, – откликнулся он. – Тогда увидимся в три часа и начнем с пробежки. А пока мы будем бежать, вы мне все расскажете.

Они бегали около часа. Это не было запланировано, но у Бендикса сегодня не было других клиентов, сияло солнце, дул слабый ветерок, и мостовая как будто разворачивалась перед ними метр за метром, словно ковровая дорожка. Они поддерживали непринужденный темп, достаточно легкий для беседы, и Лидия рассказала Бендиксу обо всем. Она рассказала ему о встрече с Родом и о маленьком брате, который умер в незнакомом доме; она рассказала ему о крошечной могиле в ста метрах от того места, где ей полагалось находиться, и о чувстве расставания с прошлым и одновременного сродства с ним. Бендикс слушал и говорил правильные слова в правильных местах, так что Лидия впервые за долгое время вплотную подошла к тому, чтобы полностью открыть свое сердце перед другим человеком, рассказать правду о себе без всяких оправданий или исключений. Ее не беспокоило, как это будет воспринято, что он может подумать, устала ли она или у нее потекла тушь. Это был полноценный, воодушевляющий, освобождающий опыт.

Они ввалились в парадную дверь в 16.30 и сразу же

направились в подвальный спортзал. Пока они шли, Лидия смотрела на очертания тела Бендикса под его влажной от пота одеждой, на завитки мокрых волос на его шее и испытывала нечто вроде сладостной боли в паху. Прежде чем Лидия успела подумать, слова вылетели у нее изо рта:

– Может, пойдем в сауну?

Она на мгновение перестала дышать, когда осознание сказанных слов бумерангом вернулось к ней. «*Может, пойдем в сауну?*» Эта реплика была достойна дешевого порнофильма семидесятых годов. Лидия не могла поднять глаза на Бендикса. Молчание, которое длилось менее секунды, показалось ей долгим, как лето. Она закрыла глаза и стала ждать того момента, когда узнает, что же она наделала.

– Классно, – заявил Бендикс. – Я думал, вы никогда не предложите.

Она распахнула глаза и посмотрела на него.

– Отлично, – сказала она. – Я... э-э-э, только возьму халаты.

Она взяла их из стенного шкафа, который Кейт и Том оставили с полным набором банных халатов и полотенец («Мы просто купим новые», – сказала Кейт и небрежно пожала плечами), и принесла в сауну. Сердце гулко колотилось в грудной клетке, и Лидия чувствовала себя глупой, испуганной и странно возбужденной.

– Я собираюсь переодеться, – сказала она, протянув халат Бендиксу. Он лукаво улыбнулся. Состояние души явно было написано у Лидии на лице.

– Спасибо, – сказал он и взял халат. – Увидимся внутри.

Лидия обошла вокруг сауны и попыталась вспомнить инструкции Кейт о том, как управлять механизмами. К стене был привинчен пульт дистанционного управления, и она наугад нажала несколько кнопок, пока не услышала, как что-то заработало. Потом она быстро избавилась от пропотевшего тренировочного костюма и надела халат, туго завязав его на талии и поправив воротник так, чтобы не выставлять напоказ ложбинку между грудями, скорбно глядя на свои безобразные ноги и ощущая, как сексуальная энергия, подвигнувшая ее на это безумное предложение, начинает увядать и скукоживаться. Но потом Лидия вошла в сауну и увидела Бендикса, сидевшего в небрежно завязанном халате. Его грудь влажно блестела в приглушенном свете, и, закрыв за собой дверь, Лидия почувствовала это: секс. Все в помещении дышало сексом, а она только что закрыла дверь и оказалась в ловушке. Теперь она непременно раз и навсегда выяснит, является ли Бендикс гомосексуалистом. Потому что если он был обычным мужчиной, а не прикидывался гетеросексуалом, чтобы вытягивать из нее пятидесятифунтовые банкноты и иметь дешевое жилье, то он не сможет выйти отсюда, пока что-то не произойдет между ними.

Он почти застенчиво улыбнулся ей. А потом между

ними медленно прокатилась огромная волна пара, и Бендикс превратился в призрачную статую на противоположной скамье. Какое-то время они не разговаривали друг с другом. Лидия видела, как он вынул руки из рукавов халата и откинулся на спинку скамьи, оставшись обнаженным до пояса. Его ноги расслабленно раскинулись в стороны, так что, если бы в помещении было меньше пара, Лидия не замедлила бы познакомиться с внешним видом его гениталий. Она думала о его медленном и размеренном стриптизе. Бендикс делал это специально или только потому, что ему было жарко?

– Я люблю сауну, – сказал он. – Уже забыл, как сильно я люблю попариться.

– А я никогда еще не была в сауне, – призналась Лидия.

Бендикс рассмеялся:

– Вы такая забавная, Лидия. Вы покупаете дом с сауной и не пользуетесь ею.

– Я из Уэльса, – ответила она. – Валлийцы не ходят в сауну.

Он снова рассмеялся. Лидии иногда казалось, что в Латвии никто никогда не говорил ничего забавного.

– Идите сюда, – сказал он и похлопал по скамье рядом с собой. – Давайте я сделаю вам массаж шеи.

Лидия взглянула на него. Возможно, на ее лице отразился ужас, потому что Бендикс опять рассмеялся.

– Вы так пугаетесь меня! – воскликнул он. – Право же, не стоит.

– Я вас не боюсь, – возразила она. – Я просто...

– Ну же. – Он продолжал похлопывать по скамье. – Я хотел добраться до этих узлов вокруг вашей шеи с тех пор, как впервые увидел вас.

Лидия неловко улыбнулась и перебралась на его скамью. Потом повернулась к нему спиной и опустила халат с шеи и плеч. Бендикс положил руки ей на лопатки, осторожно толкнул халат ниже, пока ей не пришлось придерживать его обеими руками. Бендикс прижал ладонь к ее затылку и медленно наклонил ее голову к груди.

– Вот так, хорошо, – сказал он.

А потом его мягкие руки принялись тискать и разминать ее плоть, пока все мышцы не превратились в кисель. «Теперь было бы идеально», – подумала Лидия и в следующее мгновение почувствовала прикосновение его губ к своей шее и нежное тепло его дыхания на коже. Его руки легли ей на плечи, он привлек ее к себе и вместо того, чтобы гадать, что ей делать теперь и как нужно реагировать, Лидия просто сидела, покорная и опьяненная ощущением своей желанности и прикосновениями красивого мужчины. Ни одна часть ее тела не осталась неподвластной его первому прикосновению, и Лидия ощутила, как глубоко внутри зреет громкий животный стон чистого удовольствия.

Когда его губы перешли к изгибу ее шеи, она испустила этот стон, и Бендикс, словно по указанию суфлера, медленно повернул ее голову к себе и прижался губами к ее губам... наконец-то. Их первый поцелуй. И Лидия подумала: «Да, да, да, я знала, что ты не гей. Я знала, что мы сможем это сделать. Я знала, что смогу получить тебя. Я знала, что не была тупицей». Пока они целовались, она ощущала, как все встает на место: большой пустой дом, голубая кошка, отсутствие друзей, ее детство в очень странной семье. Все встало на место, потому что она внезапно поняла, что не была роковой женщиной. Мужчина, вроде Бендикса, не стал бы целовать роковую женщину; он стал бы целовать привлекательную женщину. Женщину, не лишенную определенной красоты и очарования. Женщину, в обществе которой он мог бы гордиться собой. Пока она думала об этом, он оторвался от ее губ, заглянул ей в глаза и сказал:

– Все эти недели и месяцы я только и мечтал об этом.

– Я тоже, – ответила она.

Он изумленно посмотрел на нее:

– В самом деле? Ты правда мечтала об этом?

Она кивнула. Он провел пальцем по ее подбородку и рассмеялся.

– Ну и ну, – сказал Бендикс. – Просто потрясающе. Я думал... я думал, ты считаешь меня просто здоровенным чурбаном. Думал, ты считаешь, что слишком хороша для меня. И еще я думал... – Он запнулся.

– Что? – спросила Лидия, заглянув в его темные глаза.

– Какое-то время я думал, и это не в осуждение, я полагал, что, может быть... ты *лесбиянка*?

– Ты считал меня... – Лидия замолчала, а потом расхохоталась.

– Что? – спросил Бендикс, проводя кончиками пальцев по ее плечам и предплечьям.

– Я тоже думала, что ты гей.

Он изумленно уставился на нее, потом приложил руку к груди:

– Кто, я?

– Ну да!

– Но... но почему? – спросил он.

– Сама не знаю, – ответила Лидия. – Может, я пыталась защититься от тебя. Или, может быть, из-за твоих выщипанных бровей.

Он мгновенно приложил руку ко лбу и заявил:

– Но я не выщипываю брови!

– Неужели?

– Нет! Ну, самую чуточку. Только посередине, и если выбиваются вот тут. – Бендикс указал на надбровные дуги. – Боже мой, – продолжал он, – неужели я из-за этого похож на гея?

– Нет! – рассмеялась Лидия. – Просто ты выглядишь ухоженным.

– Ухоженный – значит, гей?

– Нет! – снова воскликнула она. – Ты прекрасно выглядишь. Ты выглядишь идеально. И ты не похож на гея. Ну, по крайней мере, больше не похож. После того как...

– После чего? – Он улыбнулся.

– После этого, – прошептала она и указала на их тела, по-прежнему прижатые друг к другу.

Он прижался носом к ее носу и уперся в нее взглядом. Ее дыхание обдувало его щеку, и Бендикс улыбался.

– Мы еще даже не начинали, – сказал он.

И тогда они начали.

ДИН

– Вот, – сказала Роза, вручив Дину пластиковую бутылочку с розовой жидкостью.

Он тупо посмотрел на бутылочку:

– Что это?

– Это антибактериальная жидкость для твоих рук.

Он моргнул и прочитал этикетку.

– Такой жидкостью пользуются в клинике, когда работают с недоношенными детьми, – пояснила Роза.

Он выжал немного на ладонь и растер руки. Жидкость пахла грушей. Он передал бутылочку своей матери, которая повторила процедуру. Им уже было сказано оставить обувь у входа.

– Никакой обуви в этом доме, – высокомерно заявила Роза, как будто это возвышало ее над остальными.

Дин не был в доме Розы с тех пор, как стал ухаживать за Скай. Он ощутил холодок, когда последовал за Розой по коридору в гостиную. Раньше Дин думал, что никогда не вернется сюда. Стены были увешаны огромными, увеличенными студийными фотографиями Розы, ее детей и внуков. На одной фотографии, висевшей над большим фальшивым камином в георгианском стиле, все были в сборе: Роза и четыре девушки –

Скай с огромным животом, ее сестра Саванна с татуированными руками, державшая на коленях курносого младенца, две других сестры, и все были одеты в белое. Над обеденным столом со стеклянной крышкой появилась новая фотография, еще больше остальных. Это был портрет Скай, увеличенный черно-белый снимок. Под ним на столике стояла ваза с тремя пятнистыми лилиями «Старгейзер» и поминальная свечка, горевшая в красной склянке. Дин сглотнул, снова вспомнив, какой хорошенькой она была, и, как всегда, проглотил непрошеное ощущение горя и утраты.

– Заходите и садитесь, – сказала Роза, указав на кожаный диван. – Я приготовлю чай.

Ее младшая дочь Сиена сидела с ногами в большом кожаном кресле у эркерного окна. Она подняла голову и улыбнулась Дину и его матери, когда они садились.

– Привет, – сказала Сиена. Дин кивнул, а его мать сказала: «Добрый день».

В доме Розы было тепло. Слишком тепло. Дину пришло в голову, что, с ее паранойей насчет микробов на руках и обуви, Розе следовало бы поддерживать более прохладную температуру.

Дин улыбнулся матери, и она улыбнулась в ответ.

– Нормально? – прошептала она.

Он кивнул:

– Да, я в полном порядке.

– Только что услышала, как она заворочалась, – крикнула из кухни Роза. – Если хотите, можете подняться и посмотреть на нее.

Дин сглотнул. Человек в телевизоре обратился к собеседнице со словами: «Заткнись, ты сама не знаешь, о чем говоришь». Сиена заерзала и передвинула ноги на другую сторону. Дин посмотрел на свою мать.

– Пошли, – сказала она. – Я знаю, где ее комната. Давай посмотрим на нее.

Дин подумал об отце Лидии. Он думал о том, каким она видела его все эти годы: просто чужим существом. А потом Дин подумал о своей маленькой дочери, подключенной к проводам и трубкам в пластиковом контейнере, не вполне реальной, не вполне готовой к существованию. Дин вспомнил тот мартовский день, когда он лежал, свесив голову над могилой подруги и пытаясь дотянуться до фотографии дочери. Еще он вспомнил о Томасе, своем брате, у которого вообще не было никаких шансов, и мрачно улыбнулся.

– Да, – сказал Дин. – Да, пошли.

Они вместе поднялись по лестнице, медленно и тихо, наверное, чтобы не испугать ребенка. Дин последовал за матерью в комнату, которая, судя по всему, принадлежала Розе. Там стояла огромная двойная кровать с пушистыми подушками и бархатными покрывалами, окрашенная в кровавый цвет из-за опущенных штор в вишневую и золотистую полоску. В комнате, как и во всем доме, пахло освежителями воздуха, включаемыми в розетку.

Сначала Дин ощущал напряжение, вторгаясь в интимную, похожую на утробу, обстановку будуара Розы. Но потом он увидел дочь, лежавшую в плетеной колыбели на деревянной раме рядом с кроватью Розы. Колыбель была раскрашена в розовую карамельную полоску, а наверху висела большая, немного угрожающая подвижная конструкция с луноглазыми плюшевыми мишками.

Девочка проснулась и с любопытством смотрела на конструкцию; ее пальчики сжимались и разжимались, как маленькие медузы. Она была одета в розово-красный полосатый комбинезон с надписью «Хитрая обезьянка» на груди. Дин удивленно заморгал при виде дочери. Она была такой большой. Ее тело выпирало из мягкого хлопка, пуговицы еле держались на округлившемся животике.

– Привет! – сказала мать, обошедшая вокруг кровати, чтобы приблизиться к колыбели. – Привет, малышка!

Девочка повернула взгляд от подвижной конструкции к источнику голоса. Когда она наконец узнала лицо бабушки, ее рот изогнулся в восторженной улыбке.

– Только посмотри на себя! – Это было сказано приторным фальцетом. – Только посмотри, какая ты большая! Такая большая девочка!

Ребенок задрыгал ножками и издал громкий чирикающий звук. Дин обнаружил, что невольно улыбается. Хотя мама показывала ему фотографии ребенка на своем телефоне, Дин так и не смог избавиться от образа крошечного голубоватого существа в пластиковой коробке. Но вот она: длинная, сильная, улыбающаяся, почти толстая.

– Иди сюда, моя милая, – ворковала его мать. – Иди к бабушке.

Бабушка. Его мать была бабушкой. Дин побледнел: такая мысль почему-то до сих пор не приходила ему в голову. Он смотрел, как она нежно поднимает смеющегося младенца из колыбели и усаживает девочку на сгибе руки. У его дочери были густые волосы, темные волосы, как и у него. И у Лидии. Мать поворошила пальцами мягкие волоски, потом с улыбкой повернулась к Дину.

– Смотри! – обратилась она к ребенку. – Смотри, кто здесь! Это твой папа! Да, это он! – Глаза девочки и ее ротик открывались тем шире, чем более пронзительным становился голос его матери. – Хочешь побаюкать ее, милый? – обратилась она к сыну нормальным голосом. Дин пожал плечами и застенчиво улыбнулся, потом кивнул.

Они уселись на краю кровати, и мать осторожно передала младенца Дину на руки.

– Вот так, – сказала она сыну, передвинув его руки. – Так ты будешь поддерживать ее головку. Так хорошо, – с улыбкой добавила она.

Дин заглянул в глаза Айседоры и обнаружил, что она смотрит прямо ему в глаза. Он снова ощутил это: глубоко скрытый разум и чистая, ослепительная уверенность, которая выбила его из равновесия в родильной палате. Но на этот раз она не напугала Дина, и он мог впитывать ее и удерживать в себе как некий замечательный, ни на что не похожий комплимент. Он смотрел на дочь и снова чувствовал это: внезапный толчок узнавания, который он ощутил, когда впервые увидел Лидию, та же самая моментальная привязанность. «Да, – сказал тихий голос в его голове. – Да, это ты. Ты – это я, а я – это ты. Мы одно и то же». Он изучал черты ее лица – полные губы, широко расставленные глаза, холмистые очертания тяжелого лба – и дивился силе генов своего отца-донора, которые пробились через грозные генетические заслоны клана Донелли.

Айседора слабо заворочалась у него на руках, и Дин инстинктивно выпрямился и усадил ее на колени, после чего она немедленно обратила внимание на блестящую застежку, свисающую с молнии его капюшона, и жадно ухватилась за нее. Дин передал дочери застежку и наклонил голову к ее макушке. От малышки пахло клубникой, постелью и чем-то еще; чем-то таким, что посылало его сознание обратными спиралями по виткам собственной жизни, к младенчеству – молочно-кислый, экзотический запах новой жизни.

– Она красавица, правда? – спросила мать, нежно наблюдавшая за ними.

Дин кивнул, а потом без каких-либо задних мыслей поцеловал макушку своей дочери. Его пальцы нащупали металлическую молнию капюшона, покрытую массой теплой слюны. Дин какую-то секунду смотрел на дочь, а потом его настигло ужасное осознание: она могла случайно откусить застежку! Она могла проглотить ее! Она могла умереть! Он осторожно вынул застежку у нее изо рта и прижал Айседору к себе – свою драгоценную, ненаглядную девочку.

МЭГГИ

В пятницу утром Марк встретил Мэгги у квартиры Дэниэла, и, как бы она ни готовилась к этому, от его поразительного сходства с братом у нее все равно перехватило дыхание. Она постаралась избавиться от потрясения и нацепила на лицо приветливую улыбку.

– Доброе утро! – сказала Мэгги.

– Доброе утро, Мэгги, – отозвался Марк и вытянулся у стены, чтобы Мэгги могла пройти.

– Вы хорошо спали? – поинтересовалась она.

– Очень хорошо. Как бывает у близнецов, мой брат спит на таком же матрасе, так что я чувствовал себя почти как дома. И я только что позавтракал на балконе. Большое спасибо за продукты.

– Не стоит благодарности, – улыбнулась она. – Я точно не знала, что вы предпочитаете, поэтому купила всего понемногу.

– Ну что же, – сказал Марк, – я готов идти. Но, может быть, предложить вам чашечку кофе перед уходом?

– Нет, правда, не надо. Я уже пила кофе перед отъездом. Даже два раза. Ночью мне не спалось.

Марк сочувственно посмотрел на нее.

– Теперь мне не по себе, – сказал он. – Наверное, нехорошо, что я так крепко спал?

– Что вы, очень хорошо! – воскликнула она. – Это хорошо. Вы должны быть сильным.

– Да, вы правы, – согласился он. – Кстати, пришла кое-какая почта. Почтальон позвонил в дверь, и я расписался за одну вещь. Вот она. – Он повернулся к кучке корреспонденции на столике и протянул Мэгги письмо.

Когда она взглянула на конверт, ей бросилась в глаза почтовая печать реестра родственников по донорской сперме, и Мэгги осторожно открыла его. Она затаила дыхание, когда развернула письмо, но постепенно на ее лице проступила слабая улыбка.

Девушка. Робин Инглис. Она жила в Северном Лондоне и хотела встретиться с Дэниэлом. Мэгги издала тихий смешок. Она приложила ладонь к сердцу и снова рассмеялась, уже громче. Наконец-то! И как раз вовремя. Мэгги читала дальше. Девушка изучала медицину в Лондонском университете и жила с бойфрендом, популярным романистом, на Холлоуэй-авеню. Она сообщила, что ей нравится одежда, и что по вечерам она работала в модном магазине на Оксфорд-стрит, что ее мать была секретаршей в агентстве недвижимости, а отец – менеджером строительной фирмы и что она родом из Эссекса. «Но я не типичная уроженка Эссекса, правда!» Она дала номер своего мобильного телефона вместе с адресом электронной почты и казалась совершенно уверенной в своем желании встретиться с Дэниэлом, но ее сообщение все равно оставалось довольно сдержанным. Мэгги трижды прочитала письмо, прежде чем сложить его и убрать в конверт.

– Хорошие новости? – осведомился Марк, задумчиво наблюдавший за ней.

– Да, очень хорошие. – Она улыбнулась. – Я все расскажу в автомобиле.

Мэгги было трудно стереть с лица выражение радостного удивления, когда час спустя они с Марком торопливо шли по коридору к комнате Дэниэла в хосписе. Ее губы изгибались в невольной улыбке, глаза блестели. Дэниэл попросил Мэгги кое-что сделать для него – кое-что, чтобы он мог радостно провести последние дни своей жизни. Мэгги сделала это, до конца не веря тому, что за странным безличным процессом могут стоять реальные люди, не веря в то, что она на самом деле может облечь хотя бы одного из этих людей в плоть и кровь и привести его в солнечную больничную палату Дэниэла. Она полагала, что все они откликнутся слишком поздно или что они вообще промолчат. Она думала, что все будет непросто. Когда же они с Марком оказались на пороге комнаты Дэниэла, Мэгги охватил внезапный страх: что, если уже слишком поздно?

Мышцы ее лица прекратили свой причудливый танец и затвердели. Она была так увлечена своей радостью и облегчением, что даже не рассматривала возможность того, что они опоздали. Что в тот момент, когда она вскрывала конверт, Дэниэл испускал свой последний вздох, что, пока она парковала автомобиль, трепеща от радостного предчувствия, он последний раз закрывал глаза. Она остановилась у двери и набрала в грудь побольше воздуха. Марк ободряюще посмотрел на нее.

– Вы в порядке? – спросил он.

– Да, – ответила Мэгги. – Все нормально.

Потом она придала лицу обычное выражение и открыла дверь.

Сердце упало. Дэниэл выглядел ужасно. Он не повернулся при звуках ее голоса, когда она прошептала: «Это я, Дэниэл». Он лежал, повернув голову к окну, с полуоткрытыми глазами, и в уголках его рта запеклась сухая корка.

– Дэниэл, – снова прошептала Мэгги, легко прикоснувшись к его плечу. Дэниэл едва заметно повернул голову и застонал.

– Как вы? – тихо спросила Мэгги.

– Очень устал, – ответил он. Его голова упала на подушку, глаза закрылись.

– Я не жду, что вы что-то скажете, и, пожалуйста, не пытайтесь, но я хочу, чтобы вы знали. Я установила связь. С девушкой, самой молодой из них. Ее зовут Робин. Она написала очень хорошее сообщение...

Мэгги посмотрела на Дэниэла, но не увидела никакой реакции. Она ощутила, как радость начинает покидать ее. Этот момент оказался совсем не таким, как Мэгги представляла.

– Схожу возьму себе кофе, – сказала она. – Марк, вы останетесь с ним?

Марк понимающе кивнул:

– Конечно же. – Он пристроился на краю кровати Дэниэла и взял брата за руку.

– Я вернусь через несколько минут, – обратилась она к Дэниэлу. – Тогда мы сможем поговорить о девушке, хорошо?

– Да, – ответил он. – Да.

Мэгги тихо вышла из комнаты и сразу же направилась к посту дежурной медсестры на другом конце коридора.

– Добрый день! – бодро обратилась она к миниатюрной чернокожей женщине по имени Крессида.

Крессида оторвалась от работы с бумагами и улыбнулась.

– Добрый день, – ответила она. – Как ваши дела?

– Все замечательно, – заверила Мэгги. – Скажите, вы заняты? Можно немного поговорить с вами?

– Ну, не так уж я занята, – сказала Крессида. – Подходите, садитесь.

Мэгги села и придвинула стул к столу Крессиды.

– Я понимаю, что вы не можете сказать ничего определенного, – начала Мэгги. – Я все понимаю, но Дэниэл... сегодня он выглядит очень плохо. Хуже еще не было.

– Он очень тихий, – сказала Крессида. – Сегодня он спал особенно долго.

– Да. Сейчас он много спит, но до сих пор выглядел довольно неплохо, когда бодрствовал. А прямо сейчас он выглядит... – Мэгги поискала нужные слова. – Он выглядит так, словно в комнате погасили свет.

Крессида сочувственно улыбнулась.

– Да, вполне возможно, – согласилась она. – Вы понимаете, что он мало-помалу приближается к концу. Это все равно что запирать летний дом на зиму, если вы понимаете, что я имею в виду.

Мэгги заморгала. Она вспомнила сказку, которую несколько дней назад читала Матильде на ночь: «*Тедди сделал достаточно. Тедди нужно отдохнуть*». Текст сопровождался изображением старенького и изрядно потрепанного любящими руками плюшевого мишки, заштопанного в нескольких местах и с головой, болтающейся на ниточке. Мэгги сглотнула комок в горле. «*Тедди сделал достаточно*». Она подумала о Дэниэле, его тело было пропитано смертоносными ядами, его кожа посерела, а губы запеклись. «*Тедди нужно отдохнуть*».

– Я только что нашла его дочь, – сказала Мэгги немного срывающимся голосом. – Они еще не встречались. Она хочет познакомиться с ним. Как вы думаете... как вы думаете, у него еще есть время?

Крессида снова улыбнулась.

– Не знаю, – ответила она.

– Но, судя по вашему опыту, когда пациент так выглядит... когда он начинает закрываться, сколько времени обычно...

– Судя по моему опыту, обычных случаев не бывает, – мягко перебила Крессида. – Но я видела людей в одном шаге от смерти, которые держались много часов и даже дней ради встречи с любимым человеком. Он знает, что дочь собирается приехать к нему?

– Да... я так думаю.

Крессида кивнула, явно не желая говорить ничего, что могло бы выглядеть как прогноз на будущее.

– Но есть и другие. – Мэгги услышала свой голос

со стороны. – Другие люди, которые, возможно, захотят встретиться с ним. Должна ли я... то есть вы считаете, что им нужно поторопиться? Приехать как можно скорее?

Крессида вздохнула.

– Трудно сказать, – ответила она. – Каждая ситуация уникальная. Дэниэл может остаться с нами и на следующей неделе. Но с такой же вероятностью он может угаснуть быстрее, чем мы думаем. Вероятно, в ближайшие несколько дней ему стоит увидеться со всеми, кого он хочет увидеть. Особенно если они приезжают издалека.

Мэгги кивнула. Она думала об очаровательной девушке по имени Робин Инглис и о ее квартире в Северном Лондоне, гадая, как быстро Робин сможет добраться сюда. Наденет ли она куртку и поедет немедленно? Или предпочтет формальные договоренности? Сколько это займет: несколько часов или несколько дней?

Мэгги поблагодарила Крессиду за оказанное внимание, потом взяла себе кофе и банан и вышла в сад. Она села на скамью возле пруда с карпами и вспомнила, как стояла здесь несколько недель назад, кружась в неуклюжем танце вместе с Дэниэлом. Она вгляделась в чернильную глубину пруда, провожая глазами хаотический танец золотистых теней под поверхностью воды. Как она оказалась здесь? – спрашивала себя Мэгги. Как жизнь привела ее к этому театральному и трагичному финалу? Как она,

Мэгги Смит – мать, бабушка, администратор, – взяла на себя ответственность за жизненные итоги стольких людей? Много лет назад, разводясь с Питером, она думала, что это самый драматический опыт, который ей когда-либо придется пережить. Она думала, что не вынесет этого: судебные слушания, жестокие разговоры, беседы с детьми, плохие новости для друзей и членов семьи. Она считала, что это совершенно не в ее стиле. Но она выдержала, вышла из этого с улыбкой и обновленным интерьером, демонстрировавшим ее жизненный оптимизм. Последующие отношения с бывшим мужем, ее подругой и обоими детьми оставались ровными и дружественными. Мэгги втайне полагала, что все это произошло только благодаря ее усилиям.

Но здесь... здесь был совсем иной уровень человеческой драмы.

Мэгги очистила банан и обнаружила, что у нее пропал аппетит. Радость и волнующее предчувствие, охватившие ее полчаса назад, совершенно исчезли. Тогда Мэгги стала методично глотать кофе, как будто это каким-то образом могло рассеять серый туман в голове и решить, как лучше поступить.

В ее сумочке лежало письмо от Робин. Мэгги рассеянно заглянула в сумочку, потом посмотрела на карпов. Потом залезла в сумочку, достала письмо и мобильный телефон и начала составлять сообщение. Эта работа заняла целых полчаса. Послание для незнакомого человека выглядело холодным и безвкусным. В конце концов Мэгги остановилась на следующем:

«Дорогая Робин,

Меня зовут Мэгги Смит. Я дружу с Дэниэлом Бланшаром. Он получил ваше письмо и был бы рад встретиться с вами, но, к сожалению, его здоровье сейчас не в лучшем состоянии, поэтому я пишу вам это сообщение. Думаю, вы извините меня за настойчивость, но было бы желательно увидеться с ним скорее. Если вы до сих пор хотите встретиться с ним, пожалуйста, ответьте на это сообщение, и я подскажу вам название клиники в Бери-Сент-Эдмундсе, где он находится. Буду рада услышать ваш ответ».

Она решила, что такое сообщение передает ощущение срочности без неприятных и обескураживающих подробностей. Она умышленно написала «клиника», а не «хоспис», на тот случай, если мысль о необходимости как можно скорее встретиться с отцом, который, возможно, умрет со дня на день, отвратит Робин от поездки. Мэгги трижды перечитала сообщение, а потом, зажмурившись от безмерности того, что ей предстоит сделать, отправила его.

Тяжелые, горячие слезы, набухшие под веками, заставили ее открыть глаза. Она чувствовала, как конец приближается к ней, словно пылающий тоннель, а она была не готова, совершенно не готова к этому.

ЛИДИЯ

На следующее утро, еще до полного восхода солнца, Лидия выбралась на улицу из безмолвного дома. Она не спала прошлой ночью; ее тело было слишком наэлектризовано после упражнений с Бендиксом, а разум переполнен новыми замечательными мыслями, о которых стоило подумать. Поэтому она лежала в своей пустой постели (Бендикс предложил остаться с ней, но Лидия нуждалась в некотором уединении) и смотрела на луну, проплывавшую по небу и достигшую кульминации своего льдисто-голубого величия после двух часов ночи, а потом постепенно тускневшую по мере того, как небо наливалось на горизонте алым цветом. Дом, когда Лидия на цыпочках спускалась к парадной двери, был как будто пропитан сущностью того, что произошло вчера между ней и Бендиксом. Это ощущение просачивалось сквозь кирпич и струилось по лестнице. Оно стояло в воздухе, терпкое, как аромат духов. Они с Бендиксом занимались сексом в этом доме. И не один раз, а целых три. И не в одном месте, а в нескольких. В сауне, в ее постели, потом в душе. Они оставили свой запах во всех углах. То, что случилось вчера, изменило Лидию, изменило с головы до ног, и ей хотелось, чтобы эта перемена коснулась всего остального, включая большой безликий дом. Секс с Бендиксом наделил ее дом душой.

Лидия широкими шагами прошла по садовой дорожке и свернула на улицу. Она ощущала, как мышцы от коленей до паха ноют от сладостной боли, и шагала все шире и шире, желая усилить это ощущение. Это была здоровая боль, означавшая, что ее мышцы занимались тем, для чего они предназначены, и делали они это с беззаветным энтузиазмом.

Лидия точно не знала, куда направляется, но через полчаса энергичной ходьбы она оказалась на окраине Кэмден-Тауна. Она узнавала знакомые запахи раннего, утреннего Кэмдена: переполненные мусорные баки, ожидавшие мусорщиков, кислый душок ночного пива из запертых баров. Здесь она когда-то была счастлива, подумала Лидия. Здесь, в этом грязном месте, в обшарпанной квартире, со своей взлохмаченной подругой, управляя процветающим малым бизнесом, который вскоре принес ей миллионы.

Она выполнила знакомую серию левых и правых поворотов и оказалась на улице, где жила когда-то, остановившись под окном квартиры, которую делила с Дикси. Она посмотрела наверх и вздрогнула, увидев вывеску «Продается», прикрепленную к стене. Сердце учащенно забилось, и Лидию охватила неожиданная волна ностальгического томления. Домовладелец не сдал квартиру каким-нибудь лентяям из Северного Лондона, а выставил ее на продажу. Лидия может купить ее! Она может стать владелицей этой квартиры! Она может выкупить свое прошлое! Но, даже думая об этом, Лидия понимала, что ей больше не нужно владеть собственным прошлым, потому что настоящее все отчетливее становилось тем местом, где ей хотелось быть.

Она улыбнулась и безмолвно попрощалась со старой квартирой.

Бендикса не было дома, когда Лидия вернулась с прогулки. Она заметила, что его спортивная куртка с капюшоном не висит на вешалке для пальто, а спортивная сумка исчезла, и пришла к выводу, что он отправился на работу. Слегка разочарованная, Лидия отправилась на поиски Джульетты, чтобы спросить, не видела ли она, как он уходил. Джульетты на кухне не было, и Лидия в конце концов нашла ее в прачечной, где она доставала из сушильного автомата горячие простыни.

– Гм, привет, Джульетта, – начала Лидия, испытывая обычную неловкость в присутствии другого человека, делающего за нее грязную работу. – Интересно, ты видела Бендикса сегодня утром?

– Нет, не видела, – довольно угрюмо ответила Джульетта. Она повернулась к Лидии спиной и начала складывать простыни, пользуясь каким-то научным методом, который на мгновение заворожил Лидию.

– А-а, – немного ошарашенно пробормотала она. – Ну ладно.

Глядя на спину Джульетты, Лидия заметила необычную напряженность ее позы. Она подумала, что лучше уйти, но поступила вопреки первому побуждению.

– Я просто спросила, – продолжила Лидия. – Может быть, он ушел на работу? Может, он что-то говорил тебе?

– Я же сказала, – отрезала Джульетта, по-прежнему отвернувшись от нее. – Я не видела его. Я не знаю, где он.

Лидия вздрогнула. Джульетта внезапно повернулась к ней:

– Я хочу вам кое-что сказать. Можно?

Лидия кивнула.

– Я хочу сказать, что этот человек, этот Бендикс... Он мне не нравится.

Обычно безмятежное лицо Джульетты исказилось от смущения. Лидия снова кивнула, но ничего не сказала.

– Вы знаете, я убираюсь в его комнате. Я вижу вещи, которые он покупает. Двое новых часов с тех пор, как он переехал сюда. Я видела сумку из... как это называется? – Джульетта пощелкала пальцами. – «Марк Жакоб»! Я видела эту сумку в его комнате. Я видела кремы, духи и липкие штуки для волос, и все это самое дорогое, абсолютно все! И я видела, как он брал у вас пятьдесят фунтов! Мне очень жаль говорить вам такие вещи. Мне очень жаль, и я надеюсь, что вы не сердитесь. Но, мисс Пайк... Лидия, вы мне очень нравитесь. Вы очень добрая леди. Я рада работать у вас. Мне нравится ваш дом. Мне все нравится. Но этот человек... нет, не думаю, что он мне нравится.

Лидия смотрела на Джульетту, которая приоткрыла губы в ожидании ответа, переводящего разговор в более комфортабельное русло. Но ответа не последовало, и молчание затянулось.

– Так или иначе... – Джульетта ловко сложила простыню обеими руками и улыбнулась. – Так или иначе, я уверена, что все будет нормально. Мне просто хотелось сказать вам об этом, хорошо? Вы живете одна. Я хочу быть здесь, заботиться о вас. Я чувствую, что это тоже моя работа.

При этих словах Джульетта улыбнулась еще шире, и Лидия улыбнулась в ответ. Хотя ее уязвило низкое мнение Джульетты о Бендиксе и слегка потрясло открытие, что он тратит ее деньги на модную косметику, Лидия была тронута и согрета таким проявлением заботы о себе. Это заполняло неудобный пробел между потребностью Лидии в том, чтобы кто-то ухаживал за ее домом, и ее неловкостью от физического присутствия такого человека. Это наполняло Лидию радостью.

– Спасибо, – сказала она. – Я действительно ценю это. И хочу сказать, что очень рада вашей заботе и что если я могу что-то еще сделать для вас, помочь вам или вашей семье, то вам стоит лишь...

Джульетта нахмурилась и выставила ладонь.

– Нет, – заявила она. – Это моя работа. Вы дали мне работу. Вы хорошо платите за эту работу. Мне нравится моя работа. Я счастлива, моя семья счастлива. Так что спасибо. – Улыбка вернулась, и Лидия наклонила голову почти по-азиатски.

– Нет, – сказала она. – Это *вам* спасибо.

Она попыталась воспротивиться искушению

войти в комнату Бендикса и самой увидеть доказательства его расточительных трат, но не смогла. Она хотела, чтобы Джульетта ошиблась. Она хотела найти старый тюбик кольдкрема «Pond's» и дешевую сумку от «Next». Но когда она заглянула в его спальню из-за приоткрытой двери, то сразу же поняла, что Джульетта не преувеличивала. Комната выглядела безупречно, постель была полностью застелена и покрыта декоративными подушками серо-стального и шалфейного цвета, но почти в каждом углу находились свидетельства безудержного модного шопинга. Ряд модельных пакетов с веревочными ручками выстроился вдоль стены. Кожаный пиджак с болтающимся ценником висел на ручке двери платяного шкафа. А у ног Лидии, как будто она нуждалась в новых доказательствах, валялся картонный ярлык с надписью «Paul Smith».

Лидия отвернулась от двери Бендикса с пылающими щеками и чувством гнетущего разочарования. Разочарования, но не удивления. «Разумеется, это из-за моих денег», – произнес тихий голосок у нее в голове. О чем еще могла идти речь? Она была дурой, когда думала, что за соблазнением может стоять нечто иное. Она была дурой, и точка.

Лидия немного постояла у двери Бендикса, положив руку на сердце и сдерживая слезы. Ее подташнивало от грусти и замешательства. Потом она откинула волосы с лица, глубоко вдохнула и направилась в свой кабинет.

– Слушай, ты можешь говорить? – Это был Дин, и в его голосе звучала настойчивость.

– Да, – сказала Лидия и развернулась в кресле, оторвавшись от компьютерного экрана. – Да, конечно.

– Только что случилось нечто безумное. Ты не поверишь.

– Что? Что случилось?

– Я только что получил текстовое сообщение. От нее. От другой девушки, от Робин.

Лидия приоткрыла рот, но не издала ни звука.

– Она считает, что нам нужно встретиться. Судя по всему, он серьезно болен.

– Кто болен?

– Мужчина. Донор. Наш отец. Он реально болен, и какая-то женщина написала ей, что она должна как можно скорее увидеться с ним.

– Что?

– Да. Я же сказал, это какое-то безумие.

– Но где он?

– Не знаю, – ответил Дин. – Она не сказала. Сказала только, что собирается туда, и, наверное, нам нужно поехать вместе.

– Но почему она не обратилась ко мне?

– Я же сказал, не знаю, это было просто текстовое сообщение. Я еще не ответил. Что ей сказать?

– Господи, даже не знаю. Я не могу думать... Ты хочешь ехать?

На другом конце линии повисла короткая пауза.

– Я тоже не знаю, – сказал он. – Это как-то...

– Понимаю. Все это как-то неожиданно.

– Да. Я просто... Слушай, а что, если он действительно болен? Что, если он умирает? Ты ведь понимаешь. Что, если это наш единственный шанс?

– Да, точно, – пробормотала Лидия.

– Думаю, я собираюсь поехать туда, – более решительно сказал Дин. – Думаю, я поеду. Это просто... все вдруг кажется таким очевидным. Абсолютно все. Смерть Скай, встреча с тобой, ребенок, а теперь это. Как будто все это должно было случиться и происходит сейчас. Не знаю, почему, но это кажется правильным.

Лидия помолчала, собираясь с мыслями.

– Ты слушаешь? – спросил Дин.

– Да, да. Я... я еще не уверена. Так много пришлось пережить за последние несколько дней. У меня в голове сплошная каша, и не знаю, смогу ли я...

– Пожалуйста, Лидия, – перебил он. – Прошу тебя, поедем со мной. Пожалуйста.

Лидия судорожно вздохнула. Она почувствовала нечто вроде электрического разряда, пробежавшего по телу от этих слов с их простым и смиренным смыслом. «*Пожалуйста, Лидия*». Ее младший брат. Разумеется, она поедет с ним.

– Да, – сказала она. – Извини, конечно же, да. Скажи ей, что мы поедем. И перезвони мне, как только поговоришь с ней. Дай знать, что она скажет, хорошо?

Дин перезвонил через две минуты.

– Она собирается ехать завтра, – сказал он. – Завтра днем. Мы договорились встретиться на станции «Ливерпуль-стрит» в четверть пятого. Ты придешь?

– Да, да, я же сказала! Не беспокойся. – Она рассмеялась. – А как мы узнаем ее?

– Она сказала, что будет в красном платье и темных солнечных очках.

Лидия снова рассмеялась при этом описании, представив себе какого-нибудь тайного агента 1940-х годов.

– Хорошо, – сказала она. – А как... как тебе ее голос?

– Очень приятный, – ответил Дин. – В общем, нормальный, понимаешь? Лондонский выговор. Весьма дружелюбна. Говорит как нормальная девушка, правда.

– Отлично, – сказала Лидия. – Слушай, может, ты сначала зайдешь сюда? Приезжай пораньше, и отправимся вместе.

– Определенно хорошая идея, – отозвался Дин. – Приеду в два с хвостиком, ладно?

– Да, – благодарно произнесла Лидия. – Да, в два с хвостиком. Тогда и увидимся.

Последовала короткая пауза, а потом он спросил:

– У тебя все в порядке?

– Ну да, – скованно ответила Лидия. – Все замечательно.

– У тебя голос немного грустный.

– Честно, со мной все в порядке. До встречи.

Лидия выключила телефон и откинулась на спинку кресла.

А потом совершенно неожиданно расплакалась.

РОБИН

День, который Робин наметила для встречи с братом, сестрой и отцом, сначала был солнечным, но теперь стал пасмурным и прохладным. Предыдущий день был безоблачным и жарким; она дошла до университета в сарафане без лямок, какой обычно надевала на каникулах за границей. Но сегодня наступила совсем другая погода, а Робин обещала Дину, что будет в красном платье. То платье, которое она имела в виду, было слишком легким, поэтому теперь она изучала свой гардероб в поисках оттенков красного. Потом она увидела желтовато-красное модельное платье, то самое, которое Джек подарил ей на «юбилей» их знакомства. Она пощупала ткань и решила, что в определенном смысле это будет идеальное платье для сегодняшнего дна. Потому что этот день сулил благоприятные вести, потому что само платье было благоприятным предзнаменованием и потому что ей понравилась идея надеть что-нибудь совершенно неуместное.

Робин натянула платье и примерила его в комплекте с красной толстовкой на молнии. В качестве обуви она выбрала красные балетки и повязала волосы небрежным узлом, кренившимся вбок и открывавшим татуировку на шее. Посмотревшись в зеркало, Робин подумала: «Я выгляжу очень молодо». Она добавила несколько штрихов черной подводкой для глаз и красной помадой. Снова посмотрев на себя, Робин подумала: «Я выгляжу как Лили Аллен»[1]. От этой мысли она рассмеялась, несмотря на нервозность.

Джек улыбнулся, когда Робин предстала перед ним в кабинете минуту спустя.

– Ты выглядишь чертовски хорошенькой, – сказал Джек.

Робин улыбнулась своим мыслям.

– И я собираюсь в последний раз спросить тебя: ты совершенно уверена, что не хочешь, чтобы я сопровождал тебя?

– Совершенно. Честно. – Она сняла пушинку с его коричневой рубашки поло и сдула ее на пол. Потом протянула руку и погладила Джека по щеке. Щека была щетинистой и теплой. Он удержал руку Робин, потом поцеловал ее ладонь.

– Тогда запомни, – сказал он, – я хочу, чтобы ты вела записи. Мне понадобятся все подробности, когда я буду писать роман об этом.

Робин засмеялась:

– Ну да, конечно. А что ты напишешь про этот самый момент?

Он отклонился назад, улыбнулся и окинул ее оценивающим взглядом.

---

[1] Лили Аллен (р. 1985) – британская певица, актриса и модельер.

– Я напишу: «*Она надела свое любимое платье. Ее потрясающий ухажер купил ей это платье три месяца назад, и тогда она полюбила его. Ей очень повезло, что она встретилась с ним*».

Робин нежно пихнула Джека в плечо.

– Ну, хорошо, тогда я пойду, – сказала она. – Последний поезд доставит меня сюда в полночь. Ты дождешься меня?

– Само собой, – ответил он. – Но... – Он замолчал и уставился в пол, как будто подыскивая нужные слова.

– Что? – спросила она.

– Ничего, – сказал он.

– Нет, давай уж говори, что там.

Он вздохнул:

– Ну, что ты будешь делать, если он умирает... то есть если он выглядит так, словно долго не протянет, а тебе нужно уходить, чтобы успеть на поезд?

Робин пожала плечами. Она не подумала об этом.

– Полагаю, я вернусь домой и приеду туда на следующий день.

Джек кивнул. Робин видела, что у него на уме другие мысли, но у нее не было времени, чтобы выслушать их. Она еще раз поцеловала его и вышла из дома. Мир покатился перед ней, словно слегка подвыпивший прохожий, когда она прошла первые несколько ярдов к станции подземки. Все вокруг казалось другим. В своем желтовато-красном платье и темных очках Робин ощущала себя другим человеком. Какое-то время она не могла придумать, кого изображает, но потом вдруг вспомнила: она изображает саму себя.

Робин сохранила это странное чувство изображения самой себя, когда полчаса спустя поднималась по эскалаторам станции «Ливерпуль-стрит». Фактически, чем ближе Робин оказывалась к назначенному месту встречи, тем усерднее примеряла эту маску. За последние несколько недель Робин превратилась в такое зыбкое, нематериальное существо, что не могла подойти к этим новым людям – к брату и сестре – в каком-то ином виде, только тем человеком, которым она ощущала себя раньше. Она проверила время: опоздание на две минуты. Поправила волосы, подтянула воротник платья, поддернула пояс. Ощутила, как на коже выступила легкая испарина, и успокоила нервы глубоким дыханием и напоминанием о том, что она Робин Инглис, *та самая* Робин Инглис, и это очень круто.

Она замедлила шаг, а потом остановилась, когда увидела их. Она поняла, что это они. Не было никакой необходимости описывать платья или аксессуары. Высокая худая женщина с темными волосами на косой пробор и высокий худой юноша с темной короткой стрижкой. Женщина была одета дорого: модные джинсы, голубая футболка и кардиган из тонкой шерсти. Юноша был одет дешево, во что-то повседневное из супермаркетов. Если рассматривать их отдельно, между ними не было очевидной связи, но, когда они стояли рядом, их можно было назвать только братом и сестрой.

Робин шла к ним в сумеречном состоянии: все ее тревоги и предубеждения потускнели, все попытки поддерживать определенный вид были забыты. Когда она приблизилась, то увидела их носы, впалые щеки, полные губы, квадратные челюсти. Они не были одинаковыми, но они были похожи друг на друга. Они были похожи на нее. Она ускорила шаг, когда до нее начала доходить безмерность этого момента. Она хотела быть ближе и ближе, хотела лучше и лучше разглядеть этих людей. Ей хотелось оказаться в нескольких дюймах от их лиц и заглянуть им глубоко в глаза.

Женщина вскинула голову, когда заметила приближение Робин, и ее прекрасное серьезное лицо моментально озарилось улыбкой. Она что-то сказала юноше; он повернулся, посмотрел и улыбнулся похожей улыбкой. А потом они зашагали друг к другу, словно частицы металла, притягиваемые невидимым магнитом.

Робин запомнила этот момент – досконально и в полной совокупности чувств – до конца своей жизни. Она помнила запах мяса и растительного масла из закусочной «Бургер Кинг», помнила бестелесное эхо железнодорожного объявления на другом конце вокзала, помнила полоску солнечного света, падавшего через стеклянный потолок на мраморный пол у нее под ногами, помнила короткое объятие женщины по имени Лидия, от которой пахло свежестью, а затем юноши по имени Дин, который был похож на ребенка, она помнила их лица и глаза, когда все трое искали друг в друге что-то, чего им не хватало всю жизнь: незабываемое чувство узнавания. Как будто она наблюдала за встречей откуда-то сверху, как будто она одновременно участвовала в событии и изучала его. Это было похоже на сон.

Робин не могла точно вспомнить, что они говорили: это были просто слова. Если бы этот момент был сценой из кинофильма или из книги ее жизни, там бы не было никакого диалога, только волнующий саундтрек, возможно, что-то эпическое, вроде «Игры Престолов». Но она помнила ошеломительное чувство принадлежности к чему-то большему и несравненное ощущение гордости, когда она шла вместе со своей прекрасной сестрой и симпатичным братом к платформе номер девять и к поезду, который должен был отвезти их к отцу.

ЛИДИЯ

Лидия благоговейно смотрела на отца, а он смотрел на нее.

– Привет, – сказала она. – Я – Лидия.

Дэниэл напряженно всмотрелся в ее лицо и улыбнулся.

– Ты очень хорошенькая, – надтреснутым голосом произнес он. Потом он повернулся к Робин и добавил: – И ты тоже.

Девушки рассмеялись, радостно и немного нервозно. Потом он увидел Дина и протянул худую руку, похожую на клешню.

– А ты просто красавец.

Дэниэл закрыл глаза, словно усилие оказалось для него непомерным. Но его губы оставались изогнутыми в подобии улыбки, а рука по-прежнему удерживала руку Дина. Трое детей стояли и смотрели на отца.

В комнате стояла звенящая тишина, потрясенная, благоговейная тишина осознания и согласия, тишина впечатлений и размышлений, не находивших словесного выражения. Было ясно, что никто из них не получил ожидаемого, и каждый из них был глубоко взволнован ужасным видом человека, лежавшего на постели. Было ясно, что это не момент из финальной сцены слезливого телесериала. Беседа будет не пылкой и не проникновенной, а обычной и неловкой. Встреча с этим незнакомым человеком в последние часы его жизни никак не могла изменить жизнь Лидии. Да и всех остальных, если уж на то пошло.

Но из всех замечательных событий, произошедших в жизни Лидии на прошлой неделе, эта встреча, наверное, была самой замечательной. Она стояла рядом с отцом, в окружении брата и сестры. А на другом конце комнаты стоял человек, который был ее дядей, и не только дядей, но близнецом и двойником ее отца. Почти все в этой комнате были кровно связаны друг с другом. Эта мысль кружила голову. Лидия повернулась к Дину и улыбнулась, а он улыбнулся в ответ. Ей было интересно, о чем он думает. В отличие от Лидии и Робин, он впервые видел человека, которого мог называть своим отцом.

– Как вы себя чувствуете, Дэниэл? – спросила добрая женщина по имени Мэгги, которая по дороге от станции назвалась «подругой» Дэниэла.

Он слегка повернул голову.

– Я рад, – сказал он.

Женщина по имени Мэгги просияла при этих словах, и к ее глазам подступили слезы.

– Хорошо, – сказала она. – Это правда, правда хорошо.

Лидия чувствовала, что это все, чего желала женщина по имени Мэгги. И может быть, несмотря на цинизм, это и был торжественный финал, последнее «долго и счастливо». Простые слова. Замкнутый круг; история, доведенная до логического завершения.

Внезапно Дэниэл распахнул глаза, и его странный взгляд снова обошел всех троих, от одного лица к другому, прежде чем опустились тяжелые веки.

– Где мальчик? – хрипло спросил он. – Тот, другой?

Лидия сглотнула. Она знала, что это выйдет наружу. Грустно улыбнувшись, она прикоснулась к отцовскому плечу.

– Он был моим братом, – сказала она. – Он умер в младенчестве. Внезапная остановка дыхания.

Она видела, как отец зажмурился при этих словах.

– Я знал это, – сказал он. – Я знал. Бедный маленький мальчик. Сколько ему было?

– Шесть месяцев, – ответила она. – Его звали Томас.

– Томас. – Он попробовал имя на вкус. – Бедный маленький мальчик. Как грустно. Для тебя. Для твоей матери. Для всех нас. Очень, очень грустно.

Потом он отвернулся от них и тяжело уткнулся лицом в подушку.

– Спасибо вам, спасибо вам всем, что пришли сюда. Я счастлив.

Он снова закрыл глаза, и Лидия вопросительно посмотрела на Мэгги. Та улыбнулась и наклонилась к Дэниэлу.

– Хотите отдохнуть? – спросила она и взяла его за руку.

Он кивнул, медленно и мучительно. Секунду спустя стало ясно, что он заснул. У Лидии закололо сердце. Она внезапно оказалась в прошлом, в душной больничной палате в Кардиффе, в ожидании смерти своего отца, гадая, какой она будет, когда наконец придет к нему.

– Пойдемте, – сказала Мэгги и отпустила руку Дэниэла. – Давайте выпьем чаю, пусть он поспит.

Мэгги привезла их в квартиру Дэниэла около полуночи, когда стало ясно, что он еще жив, а последний поезд до Лондона давно ушел. Они оставили Марка в хосписе. Он собирался провести ночь на койке для посетителей рядом со своим братом, не в силах вынести мысль о том, что Дэниэл умрет посреди ночи, в полном одиночестве. Комната Дэниэла стала почти уютной. Марк лежал под одеялом и читал при включенном ночнике; все было тихо и спокойно, и трудно было поверить, что посреди этой тишины и уюта находится умирающий человек.

В автомобиле Мэгги все сидели тихо. Они разговаривали целый день, разговаривали о многом. Теперь им нужно было немного времени, чтобы переварить это. Лидия сидела впереди, теплый ветер трепал ее волосы через открытое окошко, глаза глядели на меняющийся ландшафт. Он пролетал мимо полосами и вспышками: уличные фонари и повороты, ночные кафе и сигнальные огни. А наверху взошла большая полная луна, смотревшая на Лидию и как будто читавшая ее мысли. Лидия смотрела на меловые очертания луны и размышляла о своем существовании, которое началось в маленькой пробирке на Харли-стрит и было готово закончиться в маленькой комнате в Бери-Сент-Эдмундсе. Она думала о худом, сером мужчине в кровати, мужчине, который сказал ей, что она прекрасна, и пыталась найти хотя бы проблеск чувства, за который могла бы уцепиться, но там ничего не было. Дэниэл казался приятным человеком. Если его брат и подруга были людьми, чье мнение стоило учитывать, наверное, он был очень хорошим человеком. Но не более того. Приятный француз.

Лидия отвернулась от луны и посмотрела на своих спутников. Она смотрела на своего угрюмого брата, чье лицо было окрашено разноцветными огнями снаружи, глядевшего в далекое пространство; она смотрела на хорошенькую младшую сестру с телефоном в руке, яростно набиравшую текстовое сообщение, и понимала, что все это значило для нее. Не отец, а эти двое. Ее брат и сестра. Лидия была рада, что увидела своего отца, рада для галочки в своей личной истории, но это был не тот отец, в котором она нуждалась, не член ее семьи.

– Хорошо, – сказала Мэгги и подавила зевок, вынимая вещи из высокого шкафа на вершине лестницы. – Может быть, девочки разделят двуспальную кровать в комнате Дэниэла? Мне нужно поменять белье, ведь там спал Марк. А вы, – она обратилась к Дину, – вы располагайтесь на диване, если не возражаете. Здесь много одеял. Договорились?

Дин молча кивнул и взял одеяло из протянутых рук Мэгги.

– На кухне есть все, что вам нужно: хлеб, молоко, сок и так далее. И у вас есть мой номер, в случае необходимости. Если понадобится что-то еще, только позвоните. Я живу в десяти минутах отсюда, могу приехать очень быстро.

Она показала им кухню, балкон, замки на входной двери, а потом, едва ли не извиняясь, попрощалась.

– Я буду здесь завтра утром, – сказала Мэгги. – Довольно рано. И если ночью будут какие-то известия, я дам вам знать.

Минуту спустя Лидия закрыла за ней дверь и посмотрела на Дина и Робин. Даже без слов было ясно, что все они думают об одном и том же. Сегодня был долгий, трезвый и напряженный день, и Мэгги, которая для них символизировала материнскую фигуру, только что оставила их наедине друг с другом. Даже с учетом их возраста казалось странным, что их оставили дома одних. После судьбоносных событий прошедшего дня они как будто получили разрешение вести себя соответственно своему возрасту.

– Кажется, в холодильнике лежала бутылка вина? – осведомилась Робин с озорным блеском в глазах.

– Две бутылки, – отозвалась Лидия.

– Да, а тут целый стеллаж; вы только посмотрите. – Дин указал на прямоугольный стеллаж, прикрученный к стене в коридоре.

– Я даже не устала, – заявила Робин.

– И я тоже, – сказал Дин.

Лидия улыбнулась.

– Ну что же, – сказала она. – Мне казалось, что я устала. Но, боже милосердный, после такого дня мне в самом деле нужно выпить.

– Тогда начнем? – предложила Робин.

– Не похоже, что он когда-нибудь выпьет все это, верно? – невинно спросила Лидия.

– Лидия! – в притворном шоке воскликнула Робин. – Как ты можешь так говорить?

Дин рассмеялся, и Лидия посмотрела на него.

– Что? – спросила она.

– Ты, – сказал он. – У тебя нет сердца.

– У меня есть сердце, – шутливо отозвалась она. – Но вино просто пропадет, если мы не выпьем его.

– А как насчет его брата? Ему тоже захочется, когда он вернется... знаешь, *после*...

– Смотри! – сказала Лидия и обвела жестом винный стеллаж. – Здесь целая куча! Мы просто заменим бутылки. *Он* хотел бы, чтобы мы выпили это, можете не сомневаться. Ради бога, он же француз!

Через несколько минут они собрали бокалы, нашли штопор, достали из холодильника бутылку вина – очень дорогого на вид – и устроились на полу в гостиной, наблюдая за тем, как Лидия вынимает пробку. Кто-то включил лампы на столе, и дверь балкона была открыта, впуская порывы прохладного ночного воздуха. Часы на каминной полке показывали четверть первого.

Лидия подняла полный бокал вина и обратилась к родственникам:

– За нас, кем бы мы ни были!

Но, глядя на них, она внезапно осознала, кем именно они были. Они были просто детьми. Не такими «детьми», которые входят в один и тот же дом и выходят оттуда. Не такими «детьми», о которых спрашивают родители, когда их нет рядом: «*Вы не видели детей?*» И тем не менее они были детьми.

– За детей Дэниэла, – с улыбкой сказала она. – Во всем блеске их славы.

Робин ухмыльнулась:

– Мы очень славные, правда?

Дин фыркнул:

– Да, вы двое. А я гадкий утенок.

Девушки ласково рассмеялись, а потом все трое сдвинули бокалы и выпили. Дин нашел проигрыватель и поставил единственный компакт-диск из коллекции их отца, который все трое одобрили к прослушиванию: альбом «*Reload*» Тома Джонса. Это было стильное, грубоватое музыкальное сопровождение для их наполненного смехом разговора, напоминавшего обычную вечеринку, и сердце Лидии наполнилось теплом и нежностью, когда она смотрела на их юные лица, улыбчивые и оживленные в колеблющемся свете свечи, стоявшей посередине. А потом она увидела еще одно почти призрачное лицо слева от них, еще одного молодого человека, который улыбался, смеялся и был немного похож на нее, на Дина и на Робин, – молодого человека с валлийским акцентом и старшей сестрой по имени Лидия. Молодого человека, которого звали Томасом.

– Еще один тост, – объявила она, вмешавшись в разговор. – За Томаса. За нашего утраченного брата.

При этих словах их лица стали серьезными, и на какой-то момент она почувствовала себя виноватой за то, что нарушила атмосферу веселья, но потом брат и сестра заулыбались, чокнулись с Лидией и сказали:

– Да, за Томаса. Боже, упокой его маленькую душу!

Как ни удивительно, никто не говорил о Дэниэле. Они как будто находились внутри собственного рукотворного пузыря, в непроницаемом мире, куда впускали только те вещи, которые считали забавными, интересными или волнующими. Завтра утром Мэгги Смит снова отвезет их в хоспис, и, возможно, если будет еще не слишком поздно, они увидят, как умирает их отец. Но эта ночь принадлежала им и их тайному клубу маленьких чудес.

– Послушай, – сказал Дин. Они наполовину допили вторую бутылку вина из холодильника Дэниэла, и Дин в задумчивости рассматривал свой бокал. – Что с этим гейским парнем?

Лидия состроила ему рожицу:

– С каким еще парнем?

– С тем, который живет с тобой. Который весь такой... – Дин сложил ладони чашечками перед грудью, изображая чрезмерно развитые грудные мышцы.

– С Бендиксом?

Дин рассмеялся.

– Да, – кивнул он.

– Что тут забавного?

Дин снова захихикал и посмотрел на Робин, которая тоже смеялась, и Лидия ощутила, насколько они все-таки моложе ее.

– Бендикс, – повторил он, фыркая от смеха. – Ты знаешь... Бенд? Дикс? Это и впрямь забавно.

– Не понимаю.

– Потому что он гей! – воскликнула Робин. – Понимаешь, поэтому ему приходится *сгибать член*[1]. Ну, чтобы добраться до мужских задниц!

До Лидии наконец дошло, и она тоже улыбнулась.

– А, теперь понятно, – сказала она. – Странно, что сама не додумалась до этого. Но он не гомосексуалист.

– О нет. – Дин не переставал смеяться. – Думаю, ты убедишься, что он именно такой.

– Нет, честное слово.

– Что за *хрен* этот Бенд Дикс? – нетерпеливо поинтересовалась Робин.

– Он мой жилец, – объяснила Лидия. – Он живет в моем доме. Кроме того, он мой личный тренер по фитнесу.

– О! – Робин изобразила губами большое «О». – Понятненько!

---

[1] В трактовке Дина и Робин имя Бендикса переводится именно так. Bend – сгибать *(глаг., англ.)*. Dick – член *(англ. сленг)*.

– Что? – рассмеялась Лидия.

– Но я серьезно, Лидия, – сказал Дин. – Он же полный гей, это очевидно.

Она поцокала языком и сказала:

– Я тоже серьезно. Он не гей. Сначала я тоже так думала, но потом спросила его.

– Что, в самом деле? И что он сказал?

– Он ничего не сказал. Он просто... – Она выдержала паузу. – Он поцеловал меня.

Их глаза широко распахнулись; Робин закрыла рот обеими руками, и на мгновение Лидия почувствовала себя их пожилой тетушкой.

– Что ж, – сказал Дин. – Полагаю, это значит, что я был не прав. Но я мог бы поклясться...

– Он выщипывает брови, – сказала Лидия, и Робин с Дином снова засмеялись. – Верно, мужчины, которые выщипывают брови, похожи на гомосексуалистов, разве нет?

– Ну да, – отозвался Дин. – Скажи ему, чтобы прекратил. Скажи, что он подает неверные сигналы.

В этот момент зазвучали первые аккорды «Секс-бомбы» Тома Джонса, и все рассмеялись от уместности этой композиции. Уняв смех, Дин предложил сестрам выйти на балкон, чтобы проветриться. Девушки последовали за ним: Лидия в кардигане, а Робин накинула на плечи одеяло. Воздух на улице был свежим и холодным, а ротанговые стулья немного отсырели.

– Приятный вид, – сказала Робин, плотнее запахнувшись в одеяло. – Я и не заметила, что мы уехали так далеко от города.

Дин поднес зажженную спичку к сигарете и закурил. Лидия наблюдала за ним, подавляя материнское желание сказать, что ему не следует этого делать, что это вредно и лучше прекратить, пока не поздно. Но у Дина была мать. Это ее работа.

– Где ты живешь? – спросила Робин.

Дин расхохотался.

– Что? – не поняла Робин.

– Ничего, – отозвался он. – Просто хороший вопрос.

Лидия вздохнула и улыбнулась.

– У меня довольно большой дом, – сказала она. – Дин полагает, что это забавно.

– Ты был там? – спросила Робин и посмотрела на него.

– Да, много раз. И это не «довольно большой дом», а настоящий дворец. Там даже есть свой почтовый индекс.

– Ничего подобного, – укорила Лидия. – Правда. Это всего лишь дом. Большой дом. Тебе нужно приехать в гости.

– Классно! – воскликнула Робин. – А я познакомлюсь с твоим гейским ухажером?

– Он не мой ухажер! Я же сказала.

Робин лукаво покосилась на сестру и улыбнулась.

– Как скажешь, – с понимающим видом отозвалась она.

Лидия втянула воздух, размышляя о возможности поделиться чем-то из своего опыта с Дином и Робин. Она ощущала разницу в возрасте между собой и ними и могла лишь гадать, как они отреагируют на ее проблемы. Но потом она спросила себя: а разве не в этом все дело? Разве это не суть отношений между родственниками?

– Интересно, что вы об этом скажете? – начала она и рассказала им о банкротстве Бендикса, о пятидесятифунтовых купюрах, куче модной одежды и о подозрениях Джульетты. – Он тебе понравился? – обратилась Лидия к Дину. – Ты его видел; что ты о нем думаешь?

Как она и ожидала, Дин пожал плечами.

– Я просто подумал, что он настоящий гей.

Робин подавила смешок.

– Нет, серьезно. Немного экзальтированный, но большинство приезжих из Восточной Европы ведут себя так же. Однако мне показалось, он не похож на дармоеда.

Лидия вздохнула.

– Уверена, этому есть рациональное объяснение, – примирительно сказала Робин. – Может быть, кто-то другой купил ему все эти вещи?

Лидия пожала плечами. Она знала, что этого не может быть. В глубине души она понимала, что ее провели, как последнюю дуру.

– Ну, ладно, – сказала она. – Все равно не намечалось ничего серьезного. Понимаете, это было только для развлечения... – Она замолчала в надежде, что ее слова прозвучали невозмутимо и беззаботно, но, судя по жалостливому выражению лица Робин, она потерпела жалкую неудачу. – А ты? – спросила Лидия, чтобы поскорее сменить тему. – У тебя есть ухажер?

Робин подтянула ноги повыше и слегка поежилась.

– Определенно есть. И если ты думаешь, что этот твой парень может оказаться геем, что будет неприятно, то послушай, что скажу я.

Лидия и Дин вопросительно смотрели на нее.

– Я думала, что мой парень – это мой брат.

Лидия прищурилась и посмотрела на Робин через клубы дыма, что окутали их из-за сигареты Дина.

– Продолжай, – велела она.

Робин улыбнулась.

– На самом деле это вовсе не смешно, – сказала она. – Когда у нас только завязался роман, я однажды увидела его отражение в зеркале, и мне показалось, что я вижу свое лицо. А потом я познакомила его с кучей своих друзей, и все они утверждали, что он мог бы быть моим братом. Потому что... ведь он мог бы оказаться моим братом, верно? А я тогда даже не знала, что у меня были два брата. И начала паниковать. А потом я узнала, что мой второй брат, – она указала на Лидию, – твой родной брат Томас родился в том же году, что и мой Джек, но все равно занималась сексом со своим парнем. Разве это не полный бред? Я серьезно. Я спала с ним и в то же время думала, что он мой брат.

Дин посмотрел на нее и скривился.

– Да, хуже некуда, – проворчал он.

– Ну да. – Робин приподняла брови. – Я это понимала, но просто не могла остановиться. Это было... это было как непреодолимая сила. Но я больше не могла это терпеть и бросила его. Ну, не совсем бросила, но отстранилась от него. Какое-то время мы не встречались, и это было *чудовищно.* Но, разумеется, потом выяснилось, что все в порядке. Вы знаете, что Джек на самом деле не мой брат, а я не отвратительная извращенка. Его мать пришла ко мне, и я пристала к ней с расспросами, а она заявила, что я чокнутая! Так что все закончилось хорошо, но тем не менее... вы понимаете. Так я больная или что?

Она закашлялась от смеха, и Лидии стало ясно, что Робин впервые смогла заставить себя посмеяться над такой важной темой. Было ясно, что она впервые нашла в этом хоть какой-то юмор, и Лидия подумала: да, вот что такое иметь братьев и сестер. Это легкость духа, это смех и похвальба, это избавление серьезных предметов от ненужной весомости, прояснение туманных вопросов.

– Ты когда-нибудь говорила ему? – спросила Лидия. – Ты говорила ему о том, что думала?

Робин выразительно покачала головой.

– Ни за что на свете, – сказала она.

– Почему?

Робин пожала плечами:

– Потому что тогда он решит, что я действительно чокнутая. Считала его своим братом и все равно трахалась с ним. И он будет ненавидеть меня за то, что я лгала ему. Разве нет?

В последних словах слышалось сомнение, и Лидия ненадолго задумалась.

– Я так не думаю, – ответила она. – Почему он должен ненавидеть тебя? Ты ни в чем не виновата. У всех нас причудливые и сумасшедшие биографии, и мы постоянно выдумываем для себя нелепые оправдания. Но если он любит тебя и заботится о тебе, то все поймет, правда?

Робин кивнула.

– Пожалуй, да, – сказала она. – Я знаю, что он до сих пор ломает голову над причиной нашей разлуки. Я так и не смогла как следует объяснить ему. Но, наверное, я должна это сделать. Все эти выходки от того, что я такая, какая есть. Он должен это принять. И знаешь, все это – встреча с вами, поездка к нашему биологическому отцу... все это заставляет меня понять, какой неправильной была моя жизнь в прошлом году. И... – Она ненадолго замолчала, потом вздохнула и улыбнулась... – И я должна это исправить. Потому что я всегда считала своего донора каким-то божеством, а потому воображала себя богиней. Но на самом деле он обычный человек, и остаток моей жизни не начертан на скрижалях, поэтому я собираюсь отправиться в свободный полет. – Она довольно улыбнулась при заключительных словах, и Лидия почувствовала, как ее сердце наполняется гордостью при виде молодой женщины, принимающей самостоятельное решение.

Лидия посмотрела, как Дин затушил сигарету о кирпичную стену и выкинул окурок в стоящую рядом урну.

– Очень интересно, – сказал Дин, засунув руки в карманы и откинувшись на стуле. – Потому что все это вызывает у меня совершенно противоположные чувства. Я слишком долго находился в свободном полете. – Дин хмыкнул. – Когда я познакомился с вами, такими умными и... как это называется? – такими целеустремленными... это заставило меня задуматься, чем еще я мог бы заняться. Никто не давал мне понять, что я должен что-то делать со своей жизнью. Все позволяли мне думать, что это нормально – просто плыть по течению. Единственным человеком, который считал, что я могу стать чем-то большим, была Скай...

– Кто это?

Дин поморщился и заерзал на стуле.

– Она была моей подругой, матерью моего ребенка. Она умерла...

Робин слегка отпрянула от брата:

– О нет, Дин. Мне так жаль.

– Ну да, но такова жизнь, верно? Хотелось бы мне, чтобы этого не было. Это было худшее, что случилось в моей жизни. Но что случилось, того не вернешь, и теперь я должен жить с этим, понимаешь? Думаю, что я могу стать таким человеком, каким она хотела меня видеть. Оторвать свою тощую задницу от стула и чем-то заняться. Сделать что-нибудь полезное. То есть... – Он улыбнулся. – Я так понимаю, что это должно сидеть где-то глубоко во мне. В моих генах. В конце концов, я происхожу из такой блестящей семьи...

– А как насчет твоего ребенка? – спросила Робин. – Расскажи о ребенке.

– Маленькая девочка, – ответил он. – Айседора или Айс, если короче. Ей почти четыре месяца.

– Ого! – Робин восторженно распахнула глаза. –

Младенец. У тебя есть младенец. А это значит... это значит, что я тетя!

– Да, – улыбнулся Дин. – Это верно, вы обе тети.

– О господи. – Робин со смехом повернулась к Лидии: – Ты это слышала? У нас с тобой есть племянница! Мы стали тетушками! Это самая клевая вещь, какую можно представить! – Робин снова повернулась к Дину: – У тебя есть ее изображение? Ее фотография?

– Так получилось... – он улыбнулся и пошарил в кармане куртки, – что я прихватил одну с собой. Мама дала ее мне перед уходом. Вот она.

Дин щелкнул зажигалкой и осветил фотографию. Лидия наклонилась поближе, почти касаясь головой головы Робин. Раньше она никогда не видела фотографий младенцев. И вот она: крошечный, наполовину оформившийся человечек с широкими глазами, пухлым ртом и густыми темными волосами.

– О да, – сказала Робин, придерживая уголок фотографии большим и указательным пальцами. – О да, она в самом деле одна из нас. Никаких сомнений, она одна из нас...

Какое-то время они сидели так: три темноволосых головы, склоненные вокруг мягкого пламени зажигалки, с нежностью и благоговением глядящие на это доказательство силы их родства. Этот ребенок в гораздо большей степени, чем человек, постепенно угасавший в хосписе, был связующим звеном между ними. Лидия смотрела в темные глаза девочки и чувствовала, как ее собственные глаза наполняются слезами. Она вдруг поняла, зачем нужны дети. Раньше она не понимала, какую роль ребенок может играть в ее жизни. Но теперь она знала.

Преемственность.

Успокоительное заверение, что все это будет продолжаться – минута за минутой, день за днем, год за годом, век за веком. Осознание того, что жизнь – это нечто большее, чем ограниченный опыт собственного бытия; что еще долго после того, как она уйдет, будут другие, похожие на нее; что, может быть, когда от нее останется лишь гранитная плита на валлийском кладбище, какой-то человек скажет: «А знаете, тетя моей бабушки по материнской линии заработала целое состояние на краске без запаха». А может быть, не скажет. Может быть, о ней не будут говорить и ее могильная плита зарастет мхом и покроется пылью. Но все равно, только представить это... только представить, что после нее будет кто-то еще. И помнить о том, что без преемственности и размножения останется лишь старение и распад. Полная остановка. А здесь, в руках у Дина, было доказательство того, что жизнь действительно будет продолжаться.

– Она прекрасна, – выдохнула Робин и разжала пальцы. – Она в самом деле прекрасна.

– Да, – тихо сказал Дин. Он выключил зажигалку и неспешно убрал фотографию во внутренний карман. – Но прекраснее всего то обстоятельство, что она точь-в-точь похожа на меня.

Его замечание моментально подняло настроение, и все рассмеялись.

– Итак, – Дин хлопнул ладонями по бедрам, – кто не откажется от чашки кукурузных хлопьев?

Они ели хлопья, собравшись вокруг кофейного столика. Часы показывали половину третьего, и все же казалось, что еще рано ложиться спать.

Теперь они были членами одной семьи. Лидия понимала это и чувствовала, что остальные тоже понимают. Будет удивительно, если они не станут собираться вместе в предстоящие годы, но то, что они делали здесь сегодня ночью, больше никогда не повторится. Сочетание факторов, которое привело их сюда... то обстоятельство, что они находились в отцовском доме, в ожидании его смерти, при полной луне... а самое главное – небывалая острота впечатлений. Это было их первое свидание, и Лидия не хотела, чтобы оно заканчивалось.

Они ели в молчании; только ложки позвякивали о фаянс да хлопья хрустели на зубах, нарушая тишину. Когда они закончили, то немедленно вернулись на кухню и снова наполнили чашки, а потом открыли следующую бутылку вина и направились на балкон. Небо уже начало утрачивать свою черноту, и луна скрылась из виду. Через два часа наступит рассвет.

Лидия слегка поежилась, и Робин сняла с плеч одеяло и укутала их колени. Потом она примостилась к Лидии и положила голову ей на плечо. Лидия немного напряглась. Этот жест напомнил ей Дикси в ранние дни их дружбы; Лидия насмешливо называла это «обнимашками», но Дикси только смеялась и обзывала ее Железным Дровосеком. Сейчас Лидия вспоминала эти моменты, ощущая вес головы Робин у себя на плече, волосы Робин, щекотавшие ее щеку, жесткие края ее коленей, упиравшихся ей в бедро. Лидия потянулась глубоко внутрь себя, чтобы найти нечто неведомое, но смутно знакомое, нечто простое и человечное, и когда она нашла это, то почувствовала, как оно разливается по ее телу от сердца до кончиков пальцев. Лидия обняла маленькое круглое плечо Робин и привлекла ее ближе к себе. Потом она тоже прислонила голову к голове Робин и вдохнула ее запах, запах своей сестры.

– Подвиньтесь-ка, – сказал Дин и встал со своего места. Лидия и Робин подвинулись, и он втиснулся рядом с ними. Потом он обнял их и приблизил их головы к своей.

– Это была лучшая ночь в моей жизни, – тихо сказал он.

Лидия и Робин улыбнулись и потянули его к себе, образуя человеческий треугольник, – трое потерявшихся детей, которые в конце концов воссоединились друг с другом.

– Давайте никогда не спать, – предложила Робин, зевая во весь рот.

– Да, – сказала Лидия. – Давайте не спать.

В конце концов они все-таки заснули. Они набрали кучу одеял из вместительного шкафа Дэниэла и разбили лагерь в его гостиной. В четыре часа они наконец выключили свет, но даже после этого не сразу заснули. Даже тогда у них осталось о чем поговорить и над чем посмеяться. («Слушай, – театральным шепотом произнес в темноте Дин, – как думаешь, эта Мэгги сойдется с близнецом после того, как другой помрет? Я имею в виду, это похоже на запасной комплект».) Но наконец, когда солнце показалось над плоским горизонтом Суффолка, Дин и Робин замолчали, их дыхание стало ровным, и Лидия поняла, что только она еще бодрствует в отцовском доме. Какое-то время она смотрела на них, на их юные, гладкие лица, почти детские во сне. Красивые черные волосы Робин разметались вокруг ее головы, Дин подсунул под щеку сложенные ладони, словно маленький мальчик. Им ничто не угрожало.

Лидия заснула.

ДЭНИЭЛ

Через узкую щель между веками Дэниэл может видеть проблеск зеленого, кружение желтого, намек на движение. Если он поворачивает голову налево, то может видеть белизну, линии, углы, лицо. Отсюда лицо кажется абстрактной розовой выпуклостью с темными элементами посредине, которые входят в фокус и выходят из фокуса, пока он смотрит на них. Он знает, что это Мэгги, потому что слышит ее голос. Иногда он понимает, что она говорит. Иногда он способен уловить суть звуков, исходящих из ее рта, и пользоваться своим новым и странным разумом, чтобы превращать их в осмысленные слова. Когда-то раньше (сегодня? вчера? – он не знает) она говорила о детях. *О его детях.* Он как-то отреагировал на ее слова. Ему хотелось выразить ощущение радости и волнения. Возможно, Мэгги восприняла это как проявление дискомфорта. Она позвала медсестру, и та пришла, – теплое, лучистое ощущение справа, когда она наклонилась над его телом, плотность и тяжесть человеческой плоти. Кажется, больше никто не прикасается к нему. Даже Мэгги. Только маленькие, осторожные пожатия руки. Иногда это больно. Иногда его руки болят, как открытые раны. Но сейчас ему не больно. Сейчас он чувствует себя замечательно. Он чувствует себя, как горшок с медом.

Значит, дети пришли. Он ясно помнит это. Трое прекрасных детей. Они смотрели на него с жалостью и любопытством, но не с любовью. Он не ожидал любви. Хотя он чувствовал в какой-то момент – либо раньше, либо в промежутке, – что умер. Он был уверен, что умер, но потом оказалось, что он не умирал, а проснулся к прибытию детей и даже сказал какие-то слова. Итак, он не был мертвым. Хотя, может быть, сейчас он мертв. Нет, тогда бы он не видел эти очертания и не слышал эти голоса. Его дети вернулись.

Мужчина тоже здесь, рядом с Мэгги. Это его брат, Марк. Раньше (сегодня? вчера?) брат обнял его. Брат поцеловал его. И когда это произошло, новый странный разум Дэниэла на время унес его из этой комнаты и поместил в другую комнату, где они с братом спали в детстве. Там на окнах были дубовые ставни, а под ногами – кафельный пол. Дэниэл и его брат спали бок о бок на маленькой двойной кровати, свернувшись друг напротив друга, как в материнской утробе. Каждое утро они просыпались, ощущая несвежее дыхание друг друга; они открывали глаза и улыбались, радуясь друг другу в начале очередного дня, который они проведут вместе.

Дэниэл снова заснул, как в детстве: рука брата обнимала его, ноги брата лежали поверх его ног.

Теперь каждый раз Дэниэл удивляется, когда просыпается снова. Теперь его сон так близок к смерти, что он не представляет, как узнает разницу, когда придет время.

Когда он проснулся после этого сна, – он полагал, что это был сон, а не что-то еще, – его брата больше не было рядом, и комната опустела. Это был единственный раз, когда Дэниэл ощутил беспокойство из-за того, что с ним происходит. Чем хуже ему становилось, тем реже он оказывался в одиночестве. Возможно, потому, что он значительно больше спал, но, может быть, и потому, что люди не любят оставлять умирающих, потому что они могут умереть, когда рядом никого не будет. Это как ожидание автобуса: чем дольше ты ждешь исхода, тем труднее уйти.

Но теперь комната не пустая. Она наполнена Мэгги, Марком и его детьми. Он открывает глаза еще на миллиметр и на какое-то мгновение словно видит моментальный снимок из прошлого: они с Мэгги стоят в темноте перед рестораном в ожидании такси, его пиджак наброшен ей на плечи, но он не прикасается к ней. Никогда не прикасается. Сейчас между ней и ее братом такое же расстояние, несколько дюймов. Дэниэл отвык от своего двойника. Теперь он смотрит на своего двойника и думает не «это мой брат», а «это я». Его брат стал зеркальным отражением Дэниэла, а не его продолжением. Дэниэл тяжело опускает веки и делает вдох. Потом выдыхает, и это звучит безобразно, как скрежет когтей дьявольского зверя. Он ощущает, как кровь струится в его теле. Это необходимо. Замечательно для жизни.

Дети. Она снова говорит о детях. Он пытается уцепиться за ее слова.

Ему удается издать звук, громкий и тревожный даже для собственного слуха. *Кто*?

Он видит, как они одновременно поворачиваются к нему, словно в танцевальном па.

– Кто? – снова говорит он.

Теперь Мэгги рядом с ним, держит его за руку, как всегда.

– Дети, – говорит она. – Они здесь. Они хотели снова увидеть вас.

– Все? – хрипит он.

– Да, – радостно говорит она. – Все здесь! Дин. Лидия. Робин.

Он борется с притяжением сна так долго, как только может, но наконец позволяет себе провалиться в бессознательное состояние, прочь от памяти, которая стояла как зловещий часовой внутри разума большую часть его зрелой жизни.

Повсюду вокруг него какое-то движение. Через узкие щелки глаз он видит что-то пламенное. Оно производит шум при движении, некий шуршащий звук, похожий на разворачиваемый сверток плотной коричневой бумаги. Над красно-оранжевой массой появляется голова, темные волосы, два больших глаза, заглядывающие ему в глаза, тошнотворный запах духов, серебряные блестки в ушах.

– Он открывает глаза, – говорит девушка в шуршащем красном платье.

Дэниэл ощущает новое движение, целое море цветных пятен, внезапно движущихся к нему, словно шлюпки к кораблю. Он видит белую блузу с какой-то надписью. Над ней видна еще одна темная голова. Потом другая темная голова, на этот раз прикрепленная к гибкому, стройному телу, облаченному в цвета морских глубин. Это мужчина и женщина. Он хочет лучше сфокусироваться на них. Но, даже не видя их, он знает, что это Дин и Лидия. Он ощущает, как боль простреливает в ногах; это похоже на пули, выпущенные из паха в обе ступни. Он хочет поморщиться, но знает, что внешние признаки дискомфорта будут отмечены визитом медсестры, которая снова введет морфин, и тогда он снова уплывет, а сейчас ему нужно, чтобы боль удерживала его бодрствующим.

Он пытается сосредоточиться на своих глазах. Они должны открыться. Они должны сфокусироваться. Тем не менее он видит лишь расплывчатые контуры, акварель мелких мазков.

– Хотите пить? – Это девушка в красном платье. Он помнит это платье со вчерашнего дня. Ее зовут Робин.

Он кивает, и она осторожно подносит к его губам соломинку. Он не пил воду много часов, может быть, много дней; ему больше не нужна вода, так как он вот-вот умрет, но он хочет попить из рук этой девушки, потому что она его дочь.

– Вы меня видите? – спрашивает она и ставит чашку обратно на поднос.

Он трясет головой и улыбается. Потом ему удается выговорить:

– Красное платье.

– Да! – с восторгом говорит она и оглядывается на других. – Да, на мне красное платье!

Силуэт отходит в сторону, и приближается другой: женщина, Лидия.

– Здравствуйте, Дэниэл, – говорит она. Ее голос звучит странно, как будто она поет. А потом он вспоминает, что она из Уэльса. Потом приближается еще один: мальчик, Дин. У него очень короткие волосы, словно шапочка на голове. Он тоже худой, все его дети очень худые. Он приближается менее уверенно. Дэниэл хочет подбодрить его, но ничего не может поделать. Вместо этого он улыбается.

– Доброе утро, – говорит мальчик.

Утро? Разве сейчас утро?

Дэниэл ощущает отлив. Море сна смыкается над его головой, и он становится похожим на тяжелый груз, стремящийся к ложу океана. Мальчик прикасается к его руке, и приходит внезапная, ужасная боль. Дэниэл удерживает ее в себе. Боль – это хорошо. Пока есть боль, он еще здесь. Он думает о том, что хочет сказать: он хочет сказать, что ему очень жаль, что он сожалеет о своей трусости, что он нашел в себе силы пригласить их только тогда, когда больше ничего не может им дать. Он хочет сказать им, что они прекрасны, все трое. Он хочет сказать, что гордится ими и что теперь он увидел, что сотворил. Он гадает, может ли существование этих трех чудесных людей каким-то образом возместить жизнь больного ребенка, которую он отнял в один из полусонных, рассеянных дней в раковой клинике Дьеппа. Он хочет сказать: «Вот мой брат, он ваш, берите его вместо меня. Он точно такой же, только лучше. Храните его, это мой подарок вам». Он хочет сказать, что его жизнь была горькой, но теперь, в эти последние моменты, он понимает, что она была хорошей. И еще он хочет сказать «до свидания». Он хочет сказать это каждому из них по очереди, взять каждое лицо в ладони, поцеловать его, посмотреть в глаза, а потом ясно и громко сказать: «До свидания». Но слов больше нет.

Пересохший рот больше не принадлежит ему. Он вяло свисает, словно кто-то кое-как приклеил его к лицу. Слов больше не будет. Не будет прощаний, взглядов в глаза и поцелуев. Будет только это. Зыбкая масса человечности, которая как будто приподнимает его над землей, когда он закрывает глаза. Комната начинает покачиваться. Он хватается рукой за простыню, чтобы удержаться. Комната снова накреняется. Он с усилием открывает глаза. Люди вокруг смотрят на него.

Они говорят. Он не слышит, что они говорят. Но он ощущает их повсюду вокруг себя, как теплое объятие. Они все здесь. Теперь он может уйти.

Он снова слышит звук собственного дыхания. Это ужасный звук. Он хочет прекратить это, но последние моменты власти над собственным телом уже миновали. Теперь он заперт, и обратного пути нет. Он улыбается и позволяет забрать себя туда.

Позднее в тот же день

ДИН

Томми сидел за белым пластиковым столиком перед пабом «Альянс». В одной руке он держал пинтовую кружку пива, в другой – мобильный телефон. Когда он увидел Дина, идущего к пабу, то поспешно завершил разговор и выключил телефон.

– Ну как, все в порядке? – Томми начал вставать, но потом передумал.

Дин пожал плечами и улыбнулся.

– Пожалуй, да, – сказал он. – Хочешь выпить?

– Нет. – Томми указал на полную кружку: – Я в полном ажуре.

Дин принес к столику кружку из бара и уселся напротив кузена. Он пришел прямо с поезда и был в одежде, которую носил уже два дня и одну ночь. Он чувствовал себя грязным и потным.

– Как оно прошло? – спросил Томми, глядя на него поверх кружки.

– Он умер, – сказал Дин.

– Ты шутишь? – Томми округлил глаза.

Дин снова пожал плечами:

– Нет. Скончался сегодня утром.

– Что, у тебя на глазах?

– Да. Он очнулся, когда мы пришли в субботу, разговаривал и все такое. Это было кру́то. Потом его подруга отвезла нас к нему на квартиру, и мы там переночевали. Вернулись сегодня утром, и было уже ясно, что он не жилец. Буквально через час после нашего приезда он испустил дух.

– Вот дерьмо, – пробормотал Томми.

– Ну да. – Дин вытянул ноги под столом и вздохнул.

– Ну, и как он выглядел?

Дин прищурился и пожевал верхнюю губу.

– Он был реально болен.

– Да нет, я о том, как он выглядел.

– Ну, он выглядел отвратительно, но там был его брат, а они близнецы, так что я, типа, видел, как он выглядел, когда был в норме.

– А на кого похож тот близнец?

– Немного на меня. Немного на Лидию. Немного на Робин... это другая сестра. И очень похож на ребенка...

– На твоего ребенка?

– Да, на *моего* ребенка. – Дин улыбнулся, а потом беззвучно рассмеялся каким-то своим мыслям.

– Что? – Томми вопросительно взглянул на него.

– Ничего, – с улыбкой ответил Дин. – Ничего особенного.

– И что теперь будет?

– Черт его знает. Будут похороны, вероятно, на следующей неделе. Я пойду. Потом не знаю. Думаю, останусь на связи с ними. С девушками, с его братом, даже его подруга оказалась вроде как славной женщиной... И я решил кое-что еще. Насчет моей дочери, Айседоры. Я хочу заняться ею. Может, буду иногда оставаться с ней, брать ее на прогулки. Потому что, знаешь ли, в один прекрасный день, когда я буду готов, я собираюсь стать ей настоящим отцом. Может, немного подучусь, получу работу, обзаведусь квартирой, а потом она переедет и будет жить со мной. Лидия говорит, что поможет, а другая сестра, Робин, просто без ума от мысли, что у нее есть маленькая племянница.

Томми одобрительно кивнул, продемонстрировав свои невысказанные соображения по этому вопросу.

– Вдруг появилось столько новых людей, причем хороших людей. Это...

Дину хотелось широко улыбнуться и воскликнуть: «Это потрясающе! Я обнаружил целый новый мир и стал частью этого мира! Это что-то вроде племени, и теперь у меня есть классные сестры и клевый французский дядюшка, как будто я вступил в какой-то эксклюзивный клуб и сразу стал VIP-членом!» Но он ничего не сказал, потому что его отец умер, и было неуместно проявлять такую бурную радость. Но Дин был рад, он был счастлив больше, чем когда-либо раньше.

Он почувствовал это сегодня утром, сразу же после того, как его отец издал тот жуткий последний вздох и тихо выдохнул свою жизнь. Они собрались вокруг, как часовые, и брат Дэниэла причитал и восклицал что-то по-французски, а его подруга щебетала, как потерявшийся птенец. Но Дин и его сестры просто стояли и смотрели.

– Это оно? – прошептал он Лидии.

Она коротко кивнула и сжала его руку. Робин нервно огляделась по сторонам.

– Бог ты мой, – тихо сказала она, а потом тоже заплакала.

Он не помнил, сколько времени они там простояли. Мэгги возилась с волосами Дэниэла. Его брат опустил ему веки. После этого они покинули комнату. Они вышли наружу и встали рядом с прудом, полным золотистых рыбок, и все трое обнялись, не говоря ни слова. Тогда Дин ощутил это – потрясающую реальность их единства. В их объятии заключались невысказанные слова веры и доверия. В их объятии заключалось будущее.

Солнце над головой зашло в плотную пелену облаков. Дин переплел пальцы на животе и впервые в жизни задумался о мироздании. Он думал о бесконечной пустой черноте и о крошечной, залитой солнечным светом пылинке земли, на которой копошился ошеломительный рой человечества – миллиарды людей, миллиарды жизней. Дин очень долго считал себя ничтожной пылинкой. Но теперь казалось, будто гигантская рука с колоссальным увеличительным стеклом протянулась к нему через космос и показала ему, кто он такой на самом деле.

Дин подождал, пока телефон Томми зазвонил снова, и достал собственный телефон. Он прокрутил список контактов, дошел до Кэт, а потом, не отвлекаясь на размышления, написал ей сообщение:

«*Привет тебе. Это мистер Мертвая Подружка. Просто хотел сказать, что я видел их всех, братьев, сестер, отца, остальных, и все было классно. Дай знать, если хочешь встретиться. Думаю о колледже и прочем, может, ты поможешь?*»

Закончив вводить текст, он не стал ничего проверять и просто отправил сообщение с уверенной улыбкой. Теперь он был готов. Готов ко всему: к любви, к отцовству, к семье, к учебе, даже к отказу.

Томми завершил свой звонок и с любопытством взглянул на Дина.

– Что ты там затеял? – поинтересовался кузен.

– Ничего, приятель, – с улыбкой ответил Дин. – Просто улаживаю кое-какие дела.

Секунду спустя его телефон зажужжал. Это было сообщение от Кэт:

«*Лучше не бывает! Буду рада скорой встрече. Как насчет пятницы?*»

«*Пятница сойдет. Я еще наберу тебя. Увидимся*».

Дин еще раз улыбнулся и выключил телефон.

РОБИН

Робин повернула ключ в замке входной двери и затаила дыхание. Ей казалось, что она пробыла в отъезде минимум неделю и теперь возвращалась домой совершенно другим человеком. Ее сердце было наполнено любовью ко всему, но особенно и всеобъемлюще – любовью к Джеку. Робин толкнула дверь, уронила сумку на пол и вбежала в кабинет. При звуке ее шагов Джек оторвался от компьютера, и они бросились в объятия, зарывшись лицами в волосы друг друга.

– Я так скучала по тебе, – прошептала Робин.

– Не так сильно, как я по тебе, – возразил Джек.

– Могу заверить, гораздо сильнее, чем ты скучал по мне. – Она рассмеялась. – *Гораздо сильнее.*

Он приготовил чай. Робин уселась к Джеку на колени и стала рассказывать ему о своей прекрасной сестре и замечательном брате и о странном онемении, охватившем ее, когда она смотрела, как уходит ее отец. Робин рассказала Джеку о веселой ночи, которую провела с Дином и Лидией в отцовской квартире, о том, как они пили вино, сидели, обнявшись, на балконе и разговаривали так долго, что осталось лишь три часа для сна. А потом Робин поведала Джеку о своем разговоре с Лидией.

– Знаешь, – осторожно начала она, – я кое о чем поговорила с Лидией вчера ночью. Я говорила о нас с тобой. О том времени, когда мы разошлись. Помнишь, когда я так странно себя повела?

Джек с интересом посмотрел на Робин.

– Как я мог забыть? – сухо произнес он.

– Мое странное поведение имело причину, и я не думала, что когда-нибудь расскажу тебе о этом. Но Лидия сказала, что я должна. Лидия сказала, что ты поймешь, потому что любишь меня...

Лицо Джека стало озабоченным.

– Продолжай, – тихо сказал он.

– Так вот, вскоре после нашей встречи был момент, когда мне показалось... – она набрала в грудь побольше воздуха, – когда я подумала, что ты мой брат.

– Что?! – Джек начал смеяться.

– Это не смешно! – отрезала Робин. – Это правда. Я решила, что ты мой брат. Фактически я совершенно убедила себя в том, что ты мой брат.

– Боже милостивый! Но почему?

– Не знаю. Потому что ты был таким похожим на меня. Потому что ты не знал, кто твой отец. Потому что я не знала своего настоящего отца. Потому что твоя мать повела себя очень странно, когда мы приехали к ней в тот вечер и говорили о моем рождении от донора. А главное, потому, что я получила письмо из реестра, где было сказано, что у меня есть биологический брат, который родился в один год с тобой.

– Что, правда?

– Да, правда. Ты можешь понять, почему у меня имелись подозрения. А потом я просто психанула.

– Но почему ты не сказала мне?

– Я не могла, – ответила она. – Не могла, и все. Я не могла вынести мысли о том, что мы оба узнаем о своем родстве и что у нас была кровосмесительная связь. Я не могла справиться с этим до тех пор, пока точно не выяснила, что ошибалась. И в ту же минуту, когда я поняла это, я немедленно вернулась к тебе. То есть в буквальном смысле это произошло в считаные минуты.

Джек ненадолго притих.

– Так от кого ты узнала, что я не твой брат? – Он подавил смешок в конце вопроса.

– От твоей матери.

– От моей матери?

– Да. Я спросила ее, и она все рассказала. И конечно, если бы она зачала тебя от донора, то не стала бы лгать об этом, верно? То есть она *должна* была сказать мне правду.

– А может быть, она втайне хотела иметь двухголовых внуков? – с озорной улыбкой предположил Джек.

– Ну да, – отозвалась Робин, ощущая безмерное облегчение. – Я не предусмотрела такую возможность.

– Моя мама – странная женщина. С ней ничего нельзя знать наверняка.

Робин улыбнулась и прислонилась к груди Джека. Она почувствовала, как остатки неловкости покидают ее тело, и удовлетворенно задышала.

– Моего настоящего брата звали Томас, – сказала она. – Он умер в младенчестве. Но если бы он не умер, ему было бы ровно столько же лет, сколько и тебе. И, может быть, вы стали бы друзьями...

Джек грустно кивнул.

– Мне бы это понравилось, – сказал он, дыша ей в макушку.

– Да, – отозвалась Робин. – И мне тоже.

Два часа спустя Джек и Робин лежали бок о бок в трясущемся поезде. Вагон был почти пустым. В четыре часа дня лишь у немногих людей был повод отправляться из Лондона в Бакхерст-Хилл. Джек держал руку Робин в своей руке. Они не разговаривали. Голова Робин была переполнена таким количеством странных и чудесных мыслей, что там не оставалось места для слов.

Ее родители устроили барбекю.

– Только стейки и картофельный салат, – извиняющимся тоном сказала мать, когда Робин позвонила ей утром и сказала, что хочет встретиться с ними. – Хорошо, милая?

Робин приняла решение, когда сидела в поезде, направляясь в Лондон. Она думала о том, как выглядел этот человек, когда испустил свой последний вздох. Она не могла стряхнуть это воспоминание. Она еще никогда не присутствовала при смерти другого человека. Она возилась с трупами на анатомических практикумах, но ни разу не видела, как отлетает чья-то жизнь. Эта картина снова и снова воспроизводилась у нее в голове – мгновенно обмякшее лицо, внезапная страшная тишина после часа кошмарных плясок со смертью. Это было ошеломительно. Теперь Робин едва помнила, что происходило тогда, о чем они говорили в ожидании его смерти, что они делали. Она покинула хоспис раньше остальных, снедаемая желанием поскорее вернуться к Джеку и обрести некое подобие нормального состояния ума.

Она не должна была приходить в хоспис. Она была недостаточно зрелой, чтобы видеть, как умирает человек. И теперь она ясно сознавала, что была умственно и психически не готова посвятить следующие пять лет своей жизни изучению медицины.

Ее мать была в топике на лямках и хлопчатобумажной юбке с цветочным рисунком, когда сорок минут спустя открыла перед ними дверь. Ее волосы были гладко расчесаны и свисали по обе стороны довольно полного лица, как две каштановые занавески. Мать надушилась и надела красивое ожерелье, что было вполне понятным в ожидании приезда обаятельного молодого кавалера дочери.

– Заходите, заходите, так приятно... ах! – мать сочно расцеловала их, – видеть вас обоих.

Отец Робин был в саду за домом, аккуратно тыкая длинной металлической вилкой кучку сочных стейков. Он был в соломенной шляпе и шортах и держал в другой руке чашку чая. При виде него сердце Робин радостно забилось. С одной стороны, он был большим и мягким, а с другой – сильным и надежным. Она мысленно сравнила его с изможденным мужчиной на кровати в хосписе. Тот мужчина был просто сосудом, почти утратившим душу, частицу которой он передал другим людям в своей сперме. Теперь сосуд опустел. Разумеется, Робин жалела Дэниэла, и он казался приятным человеком. Ей понравился его брат, и ее поразило внешнее сходство между близнецами, но, помимо этого, она не испытывала абсолютно никаких чувств.

– Привет, папа, – сказала она, устремившись в большие, крепкие руки отца и ожидая знакомого и замечательного ощущения его объятия. – Я люблю тебя, – добавила она, уткнувшись носом в ткань его футболки.

– Я тоже люблю тебя, моя маленькая, – сказал отец и поцеловал Робин в макушку. – Как ты себя чувствуешь?

Робин пожала плечами.

– Все нормально, – ответила она и устроилась на деревянном стуле в патио.

– Рад снова видеть тебя, Джек, – сказал отец, протягивая мясистую руку. Джек сел рядом с Робин, а потом из дома вышла мать с охлажденной бутылкой игристого розового вина и четырьмя бокалами.

– Ну, как все прошло? – с тревогой осведомилась она, передав бутылку мужу.

– Ужасно. – Робин передернула плечами. – Совершенно ужасно. Я больше не хочу смотреть, как умирают люди. Это было самое отвратительное зрелище, которое мне приходилось видеть.

Мать поджала губы и кивнула, но ничего не сказала. Робин вздохнула. «Разумеется, мама видела, как умирали ее дочери, – подумала она. – Мама все понимает».

– Извини, я не хотела выражаться так сильно, – сказала она вслух. – Просто это...

– Знаю, – сказала мать. – Я все знаю. Лучше расскажи об остальном. Тебе понравились брат и сестра? Какие они, на кого похожи?

Робин рассказала обо всем: о первой невероятной встрече с ними, о поездке на поезде, о том, как они беседовали взахлеб, стремясь поскорее узнать друг друга и поведать свои истории. Она рассказала о другом брате по имени Томас, который не дожил до конца своего первого года. Она рассказала родителям о симпатичном брате-близнеце и о замечательной подруге Дэниэла с красивыми светлыми волосами. О том, как они рассказали ей, что Дэниэл так и не закончил медицинский колледж и никогда не был врачом, что он провел свою загадочную жизнь в одиночестве, не имел официальных детей и никогда не женился. Робин рассказала, как они с братом и сестрой устремились друг к другу и соединились в непроизвольном объятии у пруда с рыбками после смерти Дэниэла, как хорошо это было и как они договорились встретиться в следующие выходные на барбекю в доме у Лидии. Робин рассказала, что ее брат Дин имеет маленькую дочку по имени Айседора, которую он собирается привезти с собой, и что Лидия живет в огромном доме на севере Лондона, что она изобрела особую краску и заработала миллионы долларов, но не ведет себя как богачка, что она очень простая и общительная, с трогательным валлийским акцентом. Робин рассказала о странном возвращении домой, когда они сидели в полупустом поезде, размышляя о необыкновенных событиях прошедшего дня и пользуясь этими соображениями для строительства планов на будущее. А потом она рассказала кое-что еще. Нечто сумасбродное, нечто такое, во что она сама едва могла поверить.

– Сегодня я приняла решение, – объявила она, ухватившись рукой за колено Джека для моральной поддержки. – Это действительно важное решение. Я больше не хочу быть врачом. Я собираюсь уйти из университета. – Робин немного помедлила. – Дело в том, что я не дала себе ни единого шанса подумать о других возможностях, как будто все было предопределено заранее, как будто это было у меня в крови. Может быть, это и *есть* у меня в крови, но двое других, Лидия и Дин, сделали собственный выбор. Они принимали решения без оглядки на то, кем был наш донор. Поэтому завтра я встречусь с моим научным руководителем и объявлю о своем уходе, а потом... – Она сделала паузу, потому что последние слова были самыми трудными. – По дороге домой я увидела рекламное объявление на витрине кафе. Им требовалась официантка. И у меня возникло такое странное, ошеломительное ощущение, что это знак для меня. Красивое маленькое кафе со столиками на мостовой, доброжелательная хозяйка. Поэтому я обратилась к ней, и она предложила мне работу! Всего лишь шесть фунтов в час, но я буду получать чаевые, а кроме того, кафе закрывается в семь часов, поэтому мне не придется работать по вечерам; и еще там собираются местные жители, которых я знаю. Я на самом деле буду частью того места, где я живу. И, может быть, потом, когда у меня прояснится в голове, я как следует подумаю и решу, чем мне действительно хочется заниматься. Понимаете, это может *прийти* ко мне.

Робин замолчала и посмотрела на своих родителей.

– Что вы об этом думаете? – спросила она. – Вы разочарованы во мне?

Наступил момент тишины; потом ее родители улыбнулись, а отец рассмеялся.

– Ну да, – сказал он, сложив руки на объемистом животе. – Да, мы *ужасно* разочарованы в тебе. Так было и всегда будет. Я имею в виду... – он повернулся к жене, – мы всегда хотели, чтобы наш ребенок обязательно стал врачом, не так ли, любимая? Откровенно говоря, было бы бессмысленно соглашаться на меньшее!

Ее родители расхохотались, и Робин присоединилась к ним. Она встала, обняла родителей и расцеловала их.

– Как мы могли разочароваться в тебе? – спросила мать, погладив волосы Робин. – Ты – наша жизнь. Ты – наше все. Нам все равно, чем ты занимаешься, лишь бы ты была счастлива.

Робин прижалась щекой к материнскому плечу и подумала о своих милых, любящих родителях, о своем добром и прекрасном возлюбленном, слегка безумной лучшей подруге, а теперь еще и о своем ребячливом брате и о тихой, элегантной старшей сестре. Да, она была несомненно, определенно, полностью и совершенно счастлива. И Робин улыбнулась.

МЭГГИ

Мэгги долго сидела на диване Дэниэла, чтобы ее тело могло оставить четкий и несомненный отпечаток на обшивке. Дэниэл ушел и больше не вернется. Она больше не ощущала необходимости не оставлять никаких следов своего присутствия в его доме. Марк переодевался наверху, а она дожидалась его, чтобы отвезти обратно в хоспис, где тело Дэниэла будут готовить для похорон.

Вернувшись вчера вечером домой из хосписа, она не смогла переключиться на сравнительно нормальное душевное состояние, чтобы немного поспать. Она достала пакеты, которые вынесла из дома Дэниэла несколько недель назад, и начала листать записные книжки. Сегодня она взяла их с собой. Она хотела показать их Марку, потому что записи были на французском, и из той малости, которую ей удалось перевести, они представлялись чем-то важным. Через минуту Марк спустился по лестнице и кивнул.

– Я готов, – сказал он. – Поедем.

Мэгги кивнула в ответ. Он надел бежевые брюки и белую рубашку и выглядел свежим и энергичным. Но, судя по его глазам, он плакал.

– У меня есть кое-что для вас, – сказала Мэгги и протянула стопку блокнотов. – Думаю, это дневники вашего брата. Я полагала... Может быть, вы посмотрите их, если сочтете это уместным? Может быть, вы скажете мне, о чем там написано?

Несколько минут спустя она сделала две чашки кофе и отнесла их на балкон, где Марк сидел в тени красного зонта, перелистывая блокноты. Он не поднял голову, когда вошла Мэгги, и его рука нашла чашку кофе без помощи глаз. Мэгги робко опустилась на соседний стул и стала смотреть вдаль. Она дождалась, пока Марк закончил читать, а потом спросила:

– Ну как, вы нашли что-нибудь интересное?

– Это его личные записи, – сказал Марк. – Они очень, очень... спорадические. Разрозненные, правильно?

Она кивнула.

– Но кажется, теперь мы можем понять, как мой брат мог вести такую жизнь, – он указал на комфортабельную квартиру у себя за спиной, – не имея работы. Судя по всему, у него была благодетельница. – Он пролистал блокнот и остановился на нужной странице. – Дама по имени Беттина. Похоже, у них был долгий роман, а потом она умерла и оставила ему эту квартиру и все свои деньги. Кроме того, моя дорогая Мэгги, кажется, мой брат был сильно влюблен в вас.

Мэгги побледнела.

– Да. Вот здесь он пишет: «Я наконец-то нашел женщину, с которой на самом деле желаю состариться, красивую, стильную, утонченную женщину с добрым сердцем... но уже поздно, слишком поздно. О, Мэгги, я действительно люблю тебя. Надеюсь, что в один прекрасный день скажу тебе об этом, но, насколько я себя знаю, этого не случится».

Мэгги сглотнула и отвернулась от Марка, чтобы он не мог видеть выражения ее лица. Она чувствовала слезы, подступившие к усталым, саднящим векам. Она чувствовала, как внутри все переворачивается – сначала от счастья из-за того, что Дэниэл на самом деле любил ее, а потом от горя потери. Мэгги немного подождала, пока слезы отступили, и повернулась к Марку.

– Разве это не замечательно? – сказала она. – Да, и очень интересно было узнать про эту богатую даму. Только подумать! Лишь такой человек, как Дэниэл, мог настолько очаровать женщину, чтобы она оставила ему целое состояние!

Она нервно рассмеялась. Ей было неуютно от ощущения, что аура загадочности, всегда окружавшая Дэниэла, так быстро рассеялась. Вероятно, подумала Мэгги, ей не следовало интересоваться этим. Тогда он остался бы для нее грустным, но безупречным воспоминанием. Наверное, ей следовало просто передать эти дневники его брату, позволить ему изучить внутреннюю жизнь самого близкого человека в его мире и ни о чем не спрашивать. Мэгги не хотела узнавать ничего нового, действительно не хотела. Но теперь было уже поздно что-то делать с этим новым знанием.

– Ну что же, – сказала она. – Пожалуй, нам в самом деле пора идти. Давайте попрощаемся с вашим братом. – Она протянула руку Марку, и он застенчиво взял ее.

– Да, Мэгги, – сказал он. – Давайте попрощаемся.

ЛИДИЯ

Шаги Лидии эхом отдавались в пустом доме. Джульетта по воскресеньям не работала, а Бендикс куда-то ушел. Куини сбежала по лестнице, услышав приближение хозяйки, и сразу же начала тереться о ноги Лидии и восторженно улыбаться ей. Лидия взяла кошку на руки и прошла по дому, по пути проверяя комнаты в поиске каких-либо изменений, беспорядка и чего-то большего, чем следы присутствия Бендикса. Но все выглядело точно так же, как и в прошлый раз. Чисто. Безупречно. Стерильно.

По завершении обхода Лидия направилась в свой рабочий кабинет. Время было достаточно раннее, и ей не оставалось ничего иного, кроме работы. На следующей неделе предстояла встреча с клиентом. Последние несколько дней Лидия совершенно пренебрегала своей работой. Теперь, когда все концы сошлись, родственники обнаружились, отец умер, ее личная история получила объяснение, а личная жизнь приобрела смысл, настало время вернуться к реальности. Она достала из шкафа папку и раскрыла ее. Потом включила лэптоп и просмотрела входящую почту. Наконец Лидия вздохнула, уставилась в потолок и попыталась вспомнить, что именно она собиралась сделать. Все казалось очень далеким от того человека, которым она была последние несколько дней, совершенно оторванным от той женщины, которая болтала обо всем на

– Конечно же, я уверен! Я беспокоюсь о тебе! И хочу быть полезным здесь... – Тут он замешкался и неуклюже уставился в пол.

«Ну вот, начинается, – подумала Лидия. – Сейчас будет что-то плохое».

– Послушай, Лидия, – начал Бендикс. – Я... э-э-э... я хочу тебе кое-что сказать. Я уезжаю от тебя...

Сердце Лидии на мгновение замерло, и она заморгала.

– Ох, – только и сказала она.

– Ничего личного, честное слово. Это... – Он помедлил, глядя в пол и подбирая слова. – Дело во мне. Я слабый. Я снова начал транжирить деньги, Лидия. Я снова залез в долги.

– Ох, Бендикс... – Лидия едва не расплакалась от облегчения.

– Да, я знаю. У меня осталась одна кредитная карточка, которую не разрезали пополам. И пока я живу здесь, в этом прекрасном доме, я могу делать вид, будто все замечательно. Я могу притворяться, что у меня хорошая жизнь и что я успешный человек. Но моя жизнь не хорошая, а тупая. Я сам тупой. Поэтому сегодня я аннулировал свою карточку. И выставил на eBay все свои вещи: одежду, обувь и прочие *игрушки*. Все вещи, которые я почему-то считал нужными и важными для себя. Смотри. – Он толкнул курьерскую сумку, стоявшую у него между ног, и показал ее Лидии. – Я устроился курьером. Ха, словно подросток! Кроме того, я нашел себе комнату. Это что-то ужасное, и я даже не могу точно вспомнить адрес, какая-то Парковая улица. На самой окраине, Лидия! Но это очень дешевое место, и каждый раз, когда я буду просыпаться там, это будет напоминанием, что мне нужно усердно работать, играть по-честному и жить по средствам, если я хочу когда-нибудь стать человеком, который может жить в таком доме благодаря собственным заслугам. Понимаешь? Так что здесь нет ничего личного. Мне нравилось жить здесь, рядом с тобой. Это была честь для меня. Но я должен так поступить, если хочу вести нормальную жизнь. Да, и еще... – Он сунул руку в карман куртки и достал бумажник. – Вот, – сказал Бендикс, вынимая сложенные купюры, – сто пятьдесят фунтов. Твои. – Он протянул деньги, и Лидия молча посмотрела на них. – Возьми, пожалуйста.

– Нет, Бендикс, не надо. Мне не нужны твои деньги.

– Это не мои деньги, а *твои*. Которые я нечестно занял у тебя, хорошо понимая, что не смогу вернуть долг. Но эти деньги я выручил за свой телефон. Теперь я хочу, чтобы ты взяла их, и тогда я смогу спокойно спать по ночам...

Лидия продолжала смотреть на деньги. Она не нуждалась в них. Она не хотела их брать. Но понимала, что должна взять их ради Бендикса.

– Спасибо, – сказала она и взяла купюры. – Хотя не стоило этого делать, но все равно спасибо.

– Нет, Лидия, это я тебе благодарен. Спасибо за то, что ты была так добра ко мне. И спасибо за... ну, ты понимаешь... – Он застенчиво улыбнулся. – И надеюсь, что мы по-прежнему сможем встречаться друг с другом, если хочешь. Потому что я сам хочу этого. Очень хочу.

Лидия посмотрела на него и подумала: «Да, я хотела бы снова встретиться с тобой. Я хотела бы снова заняться с тобой сексом. И хотя я знаю, что это никогда не превратится во что-то серьезное, что мы не поженимся и не будем жить долго и счастливо, я надеюсь, что мы так или иначе останемся друзьями».

– Отлично, – сказала она. – Теперь я могу звонить и вызывать личного курьера.

– Да! – Бендикс просиял и раскатисто захохотал. – Да, я дам тебе свой новый номер!

Лидия улыбнулась и почувствовала, как крошечные фрагменты ее жизни, до сих пор парившие вокруг в неопределенном состоянии, аккуратно занимают свои места. «Ну вот, – подумала она. – Теперь все так, как должно быть. Теперь можно двигаться дальше». Но потом она вспомнила, что остался еще один фрагмент ее жизни, с которым нужно было разобраться.

На детской площадке царило оживление. Было четыре часа дня; школы и детские сады недавно опустели, и солнце стояло высоко в бледно-голубом небе. Лидия села на скамью, намеренно повернувшись лицом к площадке, и стала благоговейно наблюдать за происходящим через прутья решетки. «Посмотри на них, – твердила она себе. – Только посмотри на них». Откуда они пришли? Кем они станут? Были ли они зачаты по любви, из чувства долга, в момент страсти или в пьяном угаре? Знали ли они своих отцов? Знали ли они своих матерей? Может быть, у них есть сводные братья и сестры, кузены, дядюшки и тетушки. Каждый ребенок олицетворял целую увлекательную историю встреч и расставаний, причин и следствий, и каждый из них мог создать собственную новую историю. Это было умопомрачительно.

Раньше Лидия не замечала, как разные люди и события вписываются в нечто вроде огромной сети, не думала, каким образом каждый человек влияет на все остальное, что его окружает. Для нее всегда существовала только она сама. Только Лидия. Не имеющая прямого отношения ни к кому и ни к чему, обреченная не знать собственную историю. Она никогда не расспрашивала Джульетту о ее жизни, потому что один-единственный вопрос мог вызвать к жизни образы десятков других людей, о которых тоже придется думать. Именно поэтому Лидия завела кошку, хотя в душе была собачницей. Кошка не ожидает, что ты с ней подружишься. Именно поэтому Лидия испытывала такую неприязнь к ребенку Дикси. Ведь Дикси растила свое продолжение, порождающее новые истории, новых людей и новые связи. Продолжение рода, самая естественная вещь в жизни. Однако для Лидии это долго было пугающей идеей.

Но теперь она видела, как ее жизнь вписывается в целое. У нее появились связи и собственная история. Поразительная история, не похожая на чьи-то еще.

У нее появились брат и сестра, а также новорожденная темноволосая племянница. У нее когда-то был другой брат – крошечный, похороненный в тихом уголке ее малой родины. У нее была домработница, возможно, чрезмерно заботливая и недоверчивая, но питавшая к ней взаимную привязанность и уважение. У нее был добросердечный дядюшка со стороны валлийского отца и еще один добросердечный дядюшка со стороны французского отца. И теперь она имела мужчину, который вожделел ее, считал ее желанной и интересной женщиной. У нее не осталось родителей, но она имела гораздо больше, чем многие другие.

Лидия сняла кашемировый кардиган и позволила солнцу какое-то время греть обнаженные руки. Она смотрела через прутья решетки на играющих детей, невинных и не знающих о собственных историях, которые медленно разворачивались и день за днем вели их к неизвестному завершению.

А потом она подумала о маленькой девочке, которая подрастала где-то в сельском коттедже в самом сердце Уэльса.

Лидия подумала о Виоле Диксон-Пэрри, о дочери своей лучшей подруги, о девочке, которую она никогда не держала на руках.

Лидия достала из сумочки мобильный телефон и набрала номер Дикси.

ОГЛАВЛЕНИЕ

Литературно-художественное издание

Лайза Джуэлл

СЛОВА, ИЗ КОТОРЫХ МЫ СОТКАНЫ

Ответственный редактор *В. Стрюкова*
Младший редактор *Е. Долматова*
Художественный редактор *К. Гусарев*
Технический редактор *О. Лёвкин*
Компьютерная верстка *С. Кладов*
Корректор *Е. Дмитриева*

В коллаже на обложке использованы фотографии:
Rawpixel.com, Nicku / Shutterstock.com
Используется по лицензии от Shutterstock.com

ООО «Издательство «Э»
123308, Москва, ул. Зорге, д. 1. Тел.: 8 (495) 411-68-86.

Өндіруші: «Э» АҚБ Баспасы, 123308, Мәскеу, Ресей, Зорге көшесі, 1 үй.
Тел.: 8 (495) 411-68-86.
Тауар белгісі: «Э»
Қазақстан Республикасында дистрибьютор және өнім бойынша арыз-талаптарды қабылдаушының өкілі «РДЦ-Алматы» ЖШС, Алматы қ., Домбровский көш., 3«а», литер Б, офис 1.
Тел.: 8 (727) 251-59-89/90/91/92, факс: 8 (727) 251 58 12 вн. 107.
Өнімнің жарамдылық мерзімі шектелмеген.
Сертификация туралы ақпарат сайтта Өндіруші «Э»

Сведения о подтверждении соответствия издания согласно законодательству РФ о техническом регулировании можно получить на сайте Издательства «Э»

Өндірген мемлекет: Ресей
Сертификация қарастырылмаған

Подписано в печать 23.01.2018.
Формат $70 \times 100^1/_{32}$. Гарнитура «Нью-Баскервиль».
Печать офсетная. Усл. печ. л. 20,74.
Тираж 4000 экз. Заказ 1036.

Отпечатано с готовых файлов заказчика
в АО «Первая Образцовая типография»,
филиал «УЛЬЯНОВСКИЙ ДОМ ПЕЧАТИ»
432980, г. Ульяновск, ул. Гончарова, 14

В **электронном виде** книги издательства вы можете купить на **www.litres.ru**

Оптовая торговля книгами Издательства «Э»:
142700, Московская обл., Ленинский р-н, г. Видное,
Белокаменное ш., д. 1, многоканальный тел.: 411-50-74.

По вопросам приобретения книг Издательства «Э» зарубежными оптовыми покупателями обращаться в отдел зарубежных продаж
International Sales: International wholesale customers should contact Foreign Sales Department for their orders.

По вопросам заказа книг корпоративным клиентам, в том числе в специальном оформлении, *обращаться по тел.: +7 (495) 411-68-59, доб. 2261.*

Оптовая торговля бумажно-беловыми и канцелярскими товарами для школы и офиса:
142702, Московская обл., Ленинский р-н, г. Видное-2,
Белокаменное ш., д. 1, а/я 5. Тел./факс: +7 (495) 745-28-87 (многоканальный).

Полный ассортимент книг издательства для оптовых покупателей:
Москва. Адрес: 142701, Московская область, Ленинский р-н,
г. Видное, Белокаменное шоссе, д. 1. Телефон: +7 (495) 411-50-74.
Нижний Новгород. Филиал в Нижнем Новгороде. Адрес: 603094,
г. Нижний Новгород, ул. Карпинского, д. 29, бизнес-парк «Грин Плаза».
Телефон: +7 (831) 216-15-91 (92, 93, 94).
Санкт-Петербург. ООО «СЗКО». Адрес: 192029, г. Санкт-Петербург, пр. Обуховской Обороны,
д. 84, лит. «Е». Телефон: +7 (812) 365-46-03 / 04. **E-mail:** server@szko.ru
Екатеринбург. Филиал в г. Екатеринбурге. Адрес: 620024,
г. Екатеринбург, ул. Новинская, д. 2щ. Телефон: +7 (343) 272-72-01 (02/03/04/05/06/08).
Самара. Филиал в г. Самаре. Адрес: 443052, г. Самара, пр-т Кирова, д. 75/1, лит. «Е».
Телефон: +7(846)207-55-50. **E-mail:** RDC-samara@mail.ru
Ростов-на-Дону. Филиал в г. Ростове-на-Дону. Адрес: 344023,
г. Ростов-на-Дону, ул. Страны Советов, д. 44 А. Телефон: +7(863) 303-62-10.
Центр оптово-розничных продаж Cash&Carry в г. Ростове-на-Дону. Адрес: 344023,
г. Ростов-на-Дону, ул. Страны Советов, д. 44 В. Телефон: (863) 303-62-10. Режим работы: с 9-00 до 19-00.
Новосибирск. Филиал в г. Новосибирске. Адрес: 630015,
г. Новосибирск, Комбинатский пер., д. 3. Телефон: +7(383) 289-91-42.
Хабаровск. Филиал РДЦ Новосибирск в Хабаровске. Адрес: 680000, г. Хабаровск,
пер. Дзержинского, д. 24, литера Б, офис 1. Телефон: +7(4212) 910-120.
Тюмень. Филиал в г. Тюмени. Центр оптово-розничных продаж Cash&Carry в г. Тюмени.
Адрес: 625022, г. Тюмень, ул. Алебашевская, д. 9А (ТЦ Перестройка+).
Телефон: +7 (3452) 21-53-96/ 97/ 98.
Краснодар. Обособленное подразделение в г. Краснодаре
Центр оптово-розничных продаж Cash&Carry в г. Краснодаре
Адрес: 350018, г. Краснодар, ул. Сормовская, д. 7, лит. «Г». Телефон: (861) 234-43-01(02).
Республика Беларусь. Центр оптово-розничных продаж Cash&Carry в г. Минске. Адрес: 220014,
Республика Беларусь, г. Минск, пр-т Жукова, д. 44, пом. 1-17, ТЦ «Outleto».
Телефон: +375 17 251-40-23; +375 44 581-81-92. Режим работы: с 10-00 до 22-00.
Казахстан. РДЦ Алматы. Адрес: 050039, г. Алматы, ул. Домбровского, д. 3 «А».
Телефон: +7 (727) 251-58-12, 251-59-90 (91,92,99).

ISBN 978-5-04-091602-3

9 785040 916023 >

BOOK24.RU

BOOK24.RU

Мэгги сглотнула и отвернулась от Марка, чтобы он не мог видеть выражения ее лица. Она чувствовала слезы, подступившие к усталым, саднящим векам. Она чувствовала, как внутри все переворачивается – сначала от счастья из-за того, что Дэниэл на самом деле любил ее, а потом от горя потери. Мэгги немного подождала, пока слезы отступили, и повернулась к Марку.

– Разве это не замечательно? – сказала она. – Да, и очень интересно было узнать про эту богатую даму. Только подумать! Лишь такой человек, как Дэниэл, мог настолько очаровать женщину, чтобы она оставила ему целое состояние!

Она нервно рассмеялась. Ей было неуютно от ощущения, что аура загадочности, всегда окружавшая Дэниэла, так быстро рассеялась. Вероятно, подумала Мэгги, ей не следовало интересоваться этим. Тогда он остался бы для нее грустным, но безупречным воспоминанием. Наверное, ей следовало просто передать эти дневники его брату, позволить ему изучить внутреннюю жизнь самого близкого человека в его мире и ни о чем не спрашивать. Мэгги не хотела узнавать ничего нового, действительно не хотела. Но теперь было уже поздно что-то делать с этим новым знанием.

– Ну что же, – сказала она. – Пожалуй, нам в самом деле пора идти. Давайте попрощаемся с вашим братом. – Она протянула руку Марку, и он застенчиво взял ее.

– Да, Мэгги, – сказал он. – Давайте попрощаемся.

ЛИДИЯ

Шаги Лидии эхом отдавались в пустом доме. Джульетта по воскресеньям не работала, а Бендикс куда-то ушел. Куини сбежала по лестнице, услышав приближение хозяйки, и сразу же начала тереться о ноги Лидии и восторженно улыбаться ей. Лидия взяла кошку на руки и прошла по дому, по пути проверяя комнаты в поиске каких-либо изменений, беспорядка и чего-то большего, чем следы присутствия Бендикса. Но все выглядело точно так же, как и в прошлый раз. Чисто. Безупречно. Стерильно.

По завершении обхода Лидия направилась в свой рабочий кабинет. Время было достаточно раннее, и ей не оставалось ничего иного, кроме работы. На следующей неделе предстояла встреча с клиентом. Последние несколько дней Лидия совершенно пренебрегала своей работой. Теперь, когда все концы сошлись, родственники обнаружились, отец умер, ее личная история получила объяснение, а личная жизнь приобрела смысл, настало время вернуться к реальности. Она достала из шкафа папку и раскрыла ее. Потом включила лэптоп и просмотрела входящую почту. Наконец Лидия вздохнула, уставилась в потолок и попыталась вспомнить, что именно она собиралась сделать. Все казалось очень далеким от того человека, которым она была последние несколько дней, совершенно оторванным от той женщины, которая болтала обо всем на свете с младшим братом и сестрой на балконе в Бери, которая спала на полу, как подросток после молодежной вечеринки, которая занималась сексом в сауне и пила вино со своим дядей в Уэльсе.

Долгие годы Лидия жила и дышала своей работой. Долгие годы ее разум был чистым и упорядоченным, просторным и открытым местом, словно мансардная квартира, оформленная в минималистском стиле. Теперь он больше напоминал безумный чердак, заваленный интригующими коробками, безделушками и старинными сокровищами. Нынешнее умственное состояние мешало Лидии хотя бы в некоторой степени сосредоточиться на работе. Через полчаса сидения за столом она встала и решила немного прогуляться. Посмотрев в окно, Лидия увидела место, которого старалась избегать уже несколько месяцев. Она слышала звуки, от которых стыло сердце: пронзительные крики и вопли маленьких детей на площадке для игр. Лидия никогда всерьез не думала о причине своего отвращения к детским площадкам, исходя из предположения, что это как-то связано с ее двойственным отношением к детям вообще. Но теперь она точно знала, почему старалась избегать их, а также понимала, что настало время встретиться с этим страхом лицом к лицу и преодолеть его.

Она почти спустилась по лестнице, когда услышала звук ключа в замке парадной двери и увидела через матовое стекло силуэт Бендикса. Лидия затаила дыхание, сдерживая вспышку нервной энергии, и даже нацепила на лицо улыбку. Бендикс вошел и сразу же изумленно уставился на нее.

– Ты вернулась! – произнес он. – Где ты была?

Его красота, как всегда, моментально захватила Лидию, и она ощутила где-то глубоко внутри глухую пульсацию, свидетельствовавшую о том, что ее влечение к нему ничуть не уменьшилось даже в свете его прегрешений.

– Я встречалась с отцом, – тихо сказала Лидия.

Бендикс выглядел сконфуженным.

– Но я думал, что твой отец...

Лидия опустилась на ступеньку и вздохнула:

– Нет, речь не о нем. Другой отец, мой настоящий отец, который был донором.

– Ого. – Бендикс остановился и потер подбородок. – Это и впрямь большое дело. Как прошла встреча? Все нормально?

Она улыбнулась, а потом рассказала ему о хосписе и о том, как второй раз в жизни наблюдала за смертью своего отца. Бендикс уселся на нижней ступеньке и смотрел на Лидию с сочувствием и состраданием.

– Ты очень сильный человек, Лидия, – искренне сказал он. – Правда, ты поразительная. Я что-нибудь могу для тебя сделать? Хочешь еще поговорить? Сегодня вечером я свободен, может быть, поужинаем вместе?

Она отвела за ухо выбившуюся прядь волос и кивнула.

– Было бы неплохо, – сказала Лидия. – Если ты уверен...